VOORBIJ DE RIVIER

Van dezelfde auteur:

Vallei van de hoop

Robert Morgan

VOORBIJ DE RIVIER

the house of books

Oorspronkelijke titel
This rock
Uitgave
Algonquin Books of Chapel Hill, North Carolina

Published by arrangement with Algonquin Books of Chapel Hill, a division of Workman Publishing Company, New York

Vertaling
Mariëtte van Gelder
Omslagontwerp
Studio Jan de Boer BNO, Amsterdam
Omslagdia
Hironori Okamoto/Photonica
Foto auteur
Randi Anglin
Opmaak binnenwerk
ZetSpiegel, Best

ISBN 90 443 0713 4
D/2003/8899/61
NUR 302

Ter nagedachtenis aan mijn vader,
Clyde R. Morgan, 1905-1991

Graag bedank ik Shannon Ravenel, Elisabeth Scharlatt en alle medewerkers van Algonquin Books of Chapel Hill voor hun niet-aflatende steun bij de totstandkoming en publicatie van dit boek. In het bijzonder bedank ik Duncan Murrell, wiens inzet van meet af aan bezielend, exemplarisch en van onschatbare waarde is geweest.

Proloog

Ginny

Muir was van jongs af aan de bouwlustigste jongen die je je maar kunt denken. Hij was meteen al anders dan Moody. Moody was altijd aan het rennen en spelen, zat kippen achterna, of de kat, zoals alle jongens, maar Muir was vanaf zijn vijfde, zesde altijd bezig met het maken van dingen. Het leek hem in het bloed te zitten. Hij trok wegen in het zand van het achtererf en in de bergen aarde die Tom, mijn man, met de kar bij de rivier haalde. Hij bouwde bruggen over greppels en sneed bootjes uit hout met een zaag en zijn zakmes. Hij maakte tekeningen in het zand en trok lijnen die spoorrails moesten voorstellen. Hij bond blokken hout aan elkaar, dat waren de treinen. Hij gebruikte het oude gereedschap dat pa in de schuur had achtergelaten, en af en toe sloeg hij op zijn duim en sneed hij zichzelf.

Muirs grootste struikelblok was echter zijn ongeduld, al vanaf dat hij een dreumes was. Het achtererf lag bezaaid met onafgemaakte dingen: karren met uit een paal gezaagde wielen, een slee die hij uit kersenhout had gesneden.

'Mama, ik ga een huis bouwen,' zei hij toen hij een jaar of tien was.

'Wat voor huis, lieverd?' vroeg ik.

'Een blokhut, net zo een als Daniel Boone had gebouwd,' zei Muir. Hij ging met de trekzaag en de bijl naar het dennenbos boven de wei en daar hoorde ik hem uren hakken. Hij was toen al fors voor zijn leeftijd. Toen ik naar de brievenbus liep, zag ik dat hij al een stel dennen had omgehakt en de afgezaagde takken slordig langs de weg had opgetast.

'Voorzichtig met die bijl,' riep ik naar boven. Ik rook de verse dennenhars en de geur van geplette naalden. Het rook lekker.

Die avond zaten Muirs handen vol hars en had hij blaren op zijn vingers. Er zat een schram op zijn wang van een tak die rakelings langs zijn oog was gezwiept. 'Ik heb al een laag houtblokken liggen,' verkondigde hij.

'Komen er ook ramen in?' vroeg ik.

'Ik zet er ramen in van ingevet papier, net als ze vroeger deden,' zei Muir.

'Daar blijven vliegen aan plakken,' zei ik.

'Volgens mij ben je een zwijnenstal aan het bouwen,' zei Moody.

'Waar jij woont, is het altijd een zwijnenstal,' zei Muir tegen Moody. Ze schopten elkaar onder de tafel.

'Muir kan het zijn jachthut noemen,' zei ik.

'Hij mag al blij zijn als het een hondenhok wordt,' zei Moody.

Een paar dagen later liep ik het dennenbos in om te zien hoe ver Muir al was. Hij hakte als een bezetene op het eind van een stammetje in om het passend te maken. Zijn zwarte haar hing voor zijn ogen en plakte aan zijn voorhoofd. Hij had al vier muren van meer dan een halve meter hoog gemaakt. Ik vond het ongelooflijk dat een jongen van tien zo veel werk kon verzetten. Hij had de bomen omgehakt, de stammen op maat gezaagd en de uiteinden bijgewerkt zodat ze in elkaar vielen. Er gaapten grote kieren tussen de stammen.

'Je moet die kieren dichten,' zei ik.

'Van de winter pas,' zei Muir, die buiten adem was van het hakken.

'Je kunt het beste leem en stro nemen,' zei ik. 'En dat nat tussen de kieren smeren en hard laten worden.'

Het gaf me voldoening te zien wat Muir had gedaan. Ik had nog nooit een jongen gezien die zo'n sterke drang had om dingen te maken. Hij had mannenwerk verricht, daar in het dennenbos. Hij had het bouwen in zich, zoals mijn broer Locke het in zich had als verpleger zieken te verzorgen. En ik voelde me trots, want het was bijna of ik het zelf had gedaan; dat werk was een deel van mij. En toch was Muir zichzelf en bedacht hij dingen waar ik nooit op was gekomen. Hij had de blauwe ogen en blozende wangen van zijn vader. Het deed me genoegen mijn eigen vlees en bloed met zoveel wilskracht zijn eigen weg te zien kiezen, en met zoveel aanleg voor het vormgeven en in elkaar passen van dingen. Ik had altijd al geloofd dat hij nog eens iets bijzonders zou doen.

Nog geen drie dagen daarna kwam Muir naar huis gerend, spierwit en met verwaaid haar. 'Waar is Moody?' brulde hij.

'Ik heb hem niet gezien,' zei ik.

Muir stampte op de keukenvloer, draaide zich om en wilde weer wegrennen.

'Wat is er?' vroeg ik.

'Moody heeft het gedaan,' riep Muir.

'Wat heeft hij gedaan?' Ik voelde de angst in mijn botten, want Moody werkte zich altijd in de nesten.

Maar Muir was al naar buiten gerend. Ik droogde mijn handen en liep hem achterna. Ik zag Moody bij de schuur, en ik zag dat Muir een steen van onder een den opraapte en op zijn broer af stormde. Moody was drie jaar ouder dan Muir, en hij was pezig en taai, maar wat zijn lengte betrof, begon Muir hem in te halen.

'Ophouden!' riep ik.

'Ik heb je wel gezien!' schreeuwde Muir.

'Ik heb niks gedaan,' zei Moody.

Ik haastte me naar Muir en pakte hem de steen af. 'Wat heeft Moody gedaan?' vroeg ik.

Muir stampvoette en zijn bleke gezicht liep rood aan. 'Hij heeft het kapotgemaakt,' gilde hij.

'Wie zegt dat?' zei Moody.

Muir rende de heuvel op. Ik liep achter hem aan, en Moody liep achter mij aan. Ik had een akelig voorgevoel van wat ik in het bos te zien zou krijgen. Muir maakte het hek van de wei open en ik sloot het achter ons toen Moody erdoor was. Toen rook ik het. De kleverige rook van brandende dennenhars.

'Wat ruik ik?' vroeg ik. 'Staat het bos in brand?'

Ik begon te rennen en Muir rende mee. Toen ik bij de open plek kwam die Muir had gemaakt, zag ik een hoop struiken tussen de vier muren branden. De muren waren uit elkaar gerukt en de stammetjes waren op elkaar gestapeld als voor een vreugdevuur.

'Uitslaan met takken,' riep ik. Ik pakte een dennentak en begon op het vuur in te meppen. Het was maar goed dat het hout jong was en dat het de vorige dag had geregend, zodat de dennennaalden op de grond geen vlam hadden kunnen vatten. De struiken brandden door, daar was niets tegen te beginnen, maar we doofden het brandende hout en zorgden dat de vlammen niet naar de omringende bomen konden overslaan. Het spinthout liet het vuur sissen en knetteren. Ik sloeg met de tak op de vlammen en schopte dennennaalden weg om de grond rondom de brandende struiken kaal te krijgen.

'Wie heeft dit gedaan?' vroeg ik.

'Hij,' zei Muir, en hij wees naar Moody.

'Het zal de bliksem geweest zijn,' zei Moody. Moody had hoge jukbeenderen, nog van ons Cherokee-bloed van lang geleden, en hij zag er altijd net iets ouder uit dan hij was.

'Ik heb geen bliksem gezien,' zei Muir.

'Heb jij dit gedaan?' vroeg ik aan Moody.

'Misschien zijn het vogelvrijen geweest,' zei Moody, en hij wendde zijn gezicht af.

Ik greep hem bij zijn arm en trok hem de open plek op, en op hetzelfde moment zag ik de lucifers in zijn borstzak. Het waren er minstens twintig. 'Waar komen die vandaan?' zei ik.

'Tandenstokers,' zei Moody.

Ik voelde me ziek tot op het bot bij het idee dat Moody het had gedaan en dat hij zich eruit probeerde te draaien.

'Liegen is nog erger dan brandstichten,' zei ik.

'Ik lieg niet,' zei Moody.

'Kijk me aan,' zei ik. Moody wierp een blik op me en wendde zijn ogen af.

'Hij heeft het wel gedaan,' zei Muir. Hij had een veeg roet op zijn wang. Moody gaf hem een duw.

'Laten we bidden,' zei ik. Ik sloeg mijn linkerarm om Moody's nek en trok hem naar me toe. En ik legde mijn rechterarm om Muirs schouder. Bittere rook kringelde op uit de as van de verbrande struiken en verkoolde houtblokken. Het was maar goed dat er geen wind stond, anders was het hele bos in brand gevlogen, net als voor Toms dood. Ik boog mijn hoofd en sloot mijn ogen.

'God, leer ons van elkaar te houden,' zei ik. 'Want uw gebod, uw laatste gebod, was dat we elkaar lief moesten hebben. In onze trots en onze woede is het moeilijk lief te hebben en moeilijk te vergeven, en moeilijk voor ons om uw woorden in gedachten te houden.

Leer ons nederigheid. Leer ons hoe we ons zelfs in onze momenten van woede door U kunnen laten leiden, en niet door ijdelheid en wrok. Leer broers hun broer niet te bestrijden en zusters hun zuster niet te bestrijden. Leer moeders van hun zoons te houden en leer ons elke dag zo te leven dat we elk uur bereid zijn uw oordeel te ondergaan en naar uw wil te leven.'

Toen ik mijn ogen opsloeg en mijn hoofd hief, zag ik dat Muir naar de ruïne van zijn blokhut keek. De deels verkoolde stammen lagen her en der verspreid. De hele open plek was een puinhoop. De tranen stonden hem in de ogen, en ik voelde de tranen in mijn eigen ogen opwellen.

Toen ik naar Moody keek, draaide hij zich om, maar ik dacht dat ik ook een traan in zijn oog had zien blinken. Hij wilde me niet aankijken en hij wilde niets zeggen.

'Jij helpt Muir zijn blokhut weer op te bouwen,' zei ik tegen Moody.

'Ik kan hem helpen nieuwe stammen te kappen,' zei Moody, die naar de grond bleef kijken.

'Ik hoef geen nieuwe stammen,' zei Muir boos.

'Moody helpt je met je blokhut,' zei ik.

'Ik hoef geen blokhut,' zei Muir, starend naar het smeulende struikgewas.

EERSTE LEZING

1921

1

Muir

Dominee Liner zei dat hij me de zondag na het begin van de zomervakantie zou laten preken. De dominee was een grote, forse man met hangwangen, en hij beloofde het vooral om mama een gunst te bewijzen, want ik heb nog nooit gehoord van een dominee die het leuk vond om zijn preekstoel te delen. Maar mama was een steunpilaar van de kerk, en haar vader had het land voor de kerk afgestaan en de eerste kerk in de vallei gebouwd, destijds, toen de gemeente werd gesticht. En dominee Liner was om de een of andere reden bang voor mama, misschien omdat ze meer had gelezen dan hij en meer bijbelcitaten kende. Dus toen ik dominee Liner vertelde dat ik me geroepen voelde, dat ik aan een preek werkte, zei hij dat hij me de preekstoel zou gunnen zodra de gelegenheid zich voordeed.

Ik was nog maar zestien, maar ik voelde mijn roeping, en ik wachtte maandenlang op een kans om te preken. Ik bestudeerde de bijbel elke dag en bad om een teken dat ik eraan toe was. Wanneer ik naar de stal ging om te melken en aan de koeienspenen trok, dacht ik aan preken. En wanneer ik onder de hete junizon de maïs schoffelde, bedacht ik wat ik zou gaan zeggen als ik op de preekstoel stond.

Mama zei dat ik op een revival in een van de valleitjes aan de bovenloop van de rivier kon gaan preken, of misschien in een van de kerken in de bergen, zoals Mount Olivet, maar ik zei dat ik in mijn eigen kerk wilde beginnen en pas dan op andere plekken wilde preken, áls ik predikant zou worden, als de Heer me echt had gezalfd om te preken.

'Wees er niet te trots op als je mag preken,' zei mama. Ze was vroeger bij de pinkstergemeente geweest, maar tegenwoordig was ze trouw doopsgezind. Als vrouwen ouderling konden worden, was zij ouderling geweest. Mama was groot en ze had lang, zwart haar dat ze in een knot boven op haar hoofd droeg. Toen er draden grijs in het zwart kwamen, zag ze er waardig genoeg uit om ouderling te zijn.

'Je moet toch een beetje trots hebben om te willen proberen te preken,' zei ik. 'Anders zou ik niet eens op het idee komen om voor een groep mensen te gaan staan.'

'Ik zie jou nog niet preken,' zei mijn kleine zusje Fay. 'Je praat te traag en bedachtzaam. Je bent mijn broer, geen dominee.' Fay was pas dertien, en net zo knokig als Moody.

'Ik luister liever naar jachthonden die jankend achter een vos aanzitten,' zei mijn broer Moody. 'Dat is het beste soort preken dat ik ken.' Moody ging toch al bijna nooit naar de kerk, dus het maakte niet uit wat hij zei.

'Als Muir geroepen is, gaat hij preken,' zei mama. 'De Heer zal hem de woorden in zijn mond en de Geest in zijn hart geven.'

'Muir voelt zich alleen geroepen als hij moet kakken,' zei Moody.

'Ik had nooit gedacht dat we een dominee in de familie zouden krijgen,' zei Fay. Ze had die blauwe jurk aan die mama voor haar had gesmokt.

'Ik heb altijd gebeden om een predikant in onze familie, in deze generatie,' zei mama.

Sinds ik op mijn twaalfde van school was gegaan, zocht ik in de nazomer ginseng op de bergkammen aan de kant van South Carolina. En ik hielp mama op het land en in de boomgaarden op de heuvel. Ik had geholpen stroop te koken op het oude fornuis dat opa in de wei had gebouwd, en ik had gesnoeid en met veevoer gezeuld. Ik had hout gehakt en een beetje getimmerd en gemetseld voor mijn neef UG, die de winkel aan de snelweg had, en ik had een stenen muur achter het huis gemetseld voor mama's bloembedden. Ik had ook een stenen muur gemaakt voor mijn tante Florrie en ik had het huis voor mama geschilderd. Ik had van alles geprobeerd, van het zoeken van kruiden tot het hakken van bielzen, die ik aan het spoor verkocht. Maar wat ik het beste kon, was muskusratten, nertsen en vossen vangen rondom de kreken en vertakkingen bij de bovenloop van de rivier. Ik vond het prettig om mijn ronde langs de vallen te lopen en ik kende elke vierkante centimeter van de bronnen en de Flat Woods erachter. Ik had geleerd hoe ik mijn klemmen zo in het water kon zetten dat de nertsen verdronken voordat ze hun eigen poot eraf konden knagen en ik had geleerd mijn klemmen zo te verstoppen dat de vossen ze niet konden zien of ruiken. 's Winters verdiende ik altijd meer dan honderd dollar met de pelzen die ik verkocht.

Ik had wel honderd keer gehoord dat mama voor mijn geboorte wekenlang bewegingloos in bed had gelegen. Ze had bloedarmoede en niervergiftiging. En ze had niks gegeten behalve wat kaakjes en een beetje melk. Ze was bang dat ze het kind zou verliezen als ze zich bewoog. 'Ik lag in het donker, want ik durfde zelfs niet te lezen,' zei mama.

En toen ik geboren werd, duurde de bevalling zeventien uur; de vroedvrouw dacht dat ik dood was. Direct na mijn geboorte zagen ze dat ik te vroeg was, en zo schriel als een nachtzwaluwtje. Je kon mijn ribben tellen, zo uitgemergeld was ik. En ik was te zwak om iets te eten; ik kon alleen maar op een in suikerwater gedoopt lapje zuigen en maar een paar minuten achter elkaar bij mijn moeder drinken.

'Muir zag zo blauw dat het leek of hij doodgevroren was,' zei mama.

Maar wat ze het liefst vertelde, was dat mijn tong aan een draadje vlees vastzat. 'Zijn tong zat zo vast dat hij niet eens kon huilen,' zei mama. 'Zijn tong rolde maar wat door zijn mond, dus ging ik met hem naar een dokter in de stad om hem los te laten knippen. Iedereen zei dat hij nooit zou kunnen praten, dat hij niet was voorbestemd om te praten, maar ik wist dat hij dat wel zou kunnen. Hij was voorbestemd om te praten, en daarna brulde hij dat het een aard had.'

'Hij heeft alleen nooit verstandig leren praten,' zei Moody.

'Ik wist dat hij met een doel op aarde was gezet,' zei mama. 'Hij kwam met het teken ter wereld.'

Mama zei zo vaak dat ik voor iets bijzonders was voorbestemd, dat ik het zelf begon te geloven. Ik wist alleen niet wát, tot ik het geloof vond en me had laten dopen. Toen begreep ik dat ik getuige en dominee moest worden. Ik had weleens gehoord dat mensen geroepen konden zijn, en ik kreeg het gevoel dat ik een geroepene was. Mama was trots, maar Moody werd kwaad als ze zei dat ik met een doel op aarde was gekomen. Hij gedroeg zich alsof ze het zei om hem te kleineren. Hij gedroeg zich het grootste deel van de tijd alsof hij boos op de hele wereld was. Hij haalde zijn neus op en schraapte het snot uit zijn keel.

Als ik in de bijbel las, stelde ik me voor dat ik vanaf de preekstoel voorlas. '"In het huis mijns Vaders zijn vele woningen – anders zou

Ik het u gezegd hebben – want Ik ga heen om u plaats te bereiden...”’ Ik zag al voor me hoe ik met mijn arm door de lucht zou zwaaien en met mijn vuist op de preekstoel zou slaan. “‘En de Here zal de tranen van alle aangezichten afwissen,”’ zei ik hardop tegen mezelf. ‘“En daar zal geen smart meer zijn.”’

Terwijl ik de ronde langs mijn strikken en klemmen deed, zei ik in mezelf verzen op. ‘“Gezegend zijt gij, Simon Barjonah... Op deze rots zal ik mijn kerk bouwen; en de poorten van de hel zullen niet zegevieren... Wat gij op aarde zult verbinden, zal verbonden zijn in de hemel, en wat gij op aarde zult verliezen, zal in de hemel verloren zijn...’”

Soms werd ik zo dronken van het opzeggen van de bijbelverzen dat ik van het pad wankelend tegen een boom liep. Ik voelde me licht als een veertje terwijl ik citeerde: ‘“Een stad die boven op een berg ligt, kan niet verborgen blijven.”’

Ik stond op een bergkam boven Grassy Creek in Transylvania, keek recht in de wind en zei: ‘“Ik ben de wortel en het geslacht van David, de blinkende morgenster.”’ Ik verbeeldde me dat ik predikte voor mensenmassa’s in tenten, in priëlen tussen struiken en in open velden, maar vooral verbeeldde ik me dat ik voor de gemeente in de kerk in Green River predikte. Ik was bang dat ik met mijn mond vol tanden zou staan wanneer ik eenmaal iets moest zeggen.

Zolang ik echter met mijn eekhoorngeweer door het bos liep, reeg ik welbespraakt lange zinnen aaneen. Ik stond voor de massa en riep over de heerlijkheden van de hemel. Ik had het niet over hellevuur, straf en verdoemenis. In mijn gedachten sprak ik over de heerlijkheden voorbij het graf, voorbij de wolken boven de heuvel. Ik sprak over de zonverlichte plateaus voorbij de verre kust.

Ik bestudeerde nog iets, en dat was Annie Richards, die aan de weg langs de kreek vlak achter de kerk woonde. Ze was pas dertien, maar ze was al het knapste meisje van de hele vallei. Haar blonde haar en lichte huid waren net iets van een plaatje. Ze was slank en volmaakt en ze had grote grijze ogen. Ze was nog te jong om zich na de kerk door jongens thuis te laten brengen, maar ze was al een beetje een flirt. Ze was zo dartel als een hert met haar grijze ogen en rode lippen. Ik had een oogje op haar. Ik zou dominee worden en ik zou met haar trouwen. Dat hield ik mezelf voor. Die twee dingen waren naar mijn idee met elkaar verbonden. Alle vrouwen waren gek op dominees.

'Waar ga je over preken?' vroeg dominee Liner me de zondag voor het begin van de zomervakantie. Als hij tegen je praatte, leunde hij zo'n beetje over je heen. De blik in zijn ogen leek altijd iets anders te zeggen dan hijzelf.

'Ik ga over de verheerlijking van Christus preken,' zei ik.

'Dat is altijd een goed onderwerp,' vond dominee Liner. 'De mensen horen graag over de verheerlijking.'

Dominee Liner zei dat hij de zondag na het begin van de zomervakantie naar South Carolina ging en dat ik dan in zijn plaats op de kansel mocht staan. De paniek schokte zo hard door me heen dat het pijn deed. Over twee weken zou ik tegenover de gemeente staan. Over twee weken stond ik voor al die mensen die ik al kende toen ik nog in de luiers liep.

'Ere aan de Vader,' zei mama toen ik haar vertelde dat ik over twee weken zou preken. 'Nu zijn al mijn gebeden verhoord.'

Het probleem van tobben is dat je er weinig mee opschiet. Getob put je uit en helpt niet in het minst, maar je kunt je getob niet zomaar uitzetten zoals je een kraan dichtdraait. Over je eigen zorgen heb je weinig te zeggen. Ze besluipen je 's nachts, als je in bed ligt, en kruipen regelrecht je kop in. En ze wurmen zich in alles waar je overdag aan denkt.

Ik dacht dat het zou kunnen helpen om mijn preek uit mijn hoofd te leren. Ze zeiden dat de dominees in de stad hun preken zelfs opschreven en ze op zondag voorlazen, maar geen doopsgezinde dominee van Green River heeft ooit een preek opgeschreven. Dat zou erop wijzen dat je de roeping van de Heilige Geest niet in je hart had. Wie een preek zou durven opschrijven en aan de gemeente voorlezen, zou de preekstoel af gelachen worden en nooit meer terug hoeven komen. Alleen de Schrift was waardig om uit voorgelezen te worden.

Ik pakte mijn bijbel in klom naar het dennenbos boven de bergwei. Helemaal boven zou ik beter kunnen denken, dacht ik. De lucht zou zuiverder zijn en ik zou dichter bij God zijn. En de verheerlijking van Christus had plaats op een hoge berg waar Jezus Petrus, Jacobus en Johannes op had geleid. Ik las in Matthéüs: '"Terwijl hij nog sprak, zie, daar overschaduwde hen een lichtende wolk, en zie, een stem uit de wolk zeide: Deze is mijn Zoon, in wie Ik mijn welbehagen heb; hoort naar Hem!"'

Dat leek mij de mooiste passage van de hele bijbel. Ik zei de woorden telkens opnieuw. Ik liet mijn stem van diep uit mijn keel komen en krulde mijn tong om de woorden.

Toen zocht ik het boek Marcus op, waarin de verheerlijking ook wordt beschreven.

'"En zijn gedaante veranderde voor hun ogen, en zijn klederen werden schitterend, hel wit...'"

Ik ijsbeerde onder de dennen en zei de passage steeds weer op. Ik zwaaide met mijn arm om de kracht van de woorden te benadrukken. Ik wist dat als ik maar op dreef kon komen, op de preekstoel, ik ook door kon blijven gaan. Het was het op gang komen dat zo moeilijk was. Mijn laatste schooljaren, van mijn elfde tot en met mijn twaalfde, had ik aan de debatten op school deelgenomen. De eerste keer gaan staan en iets zeggen, dat joeg me angst aan. De eerste keer dat ik voor de klas stond, was ik zo in de war dat ik niet meer kon denken. Mijn keel werd dichtgeknepen alsof hij verstopt zat met spuug dat mijn luchtpijp afsloot. De volgende keer zeg ik minstens één woord, nam ik me voor, al wordt het mijn dood. En de volgende keer stond ik op en zei ik een woord, en daarna kon ik er meer zeggen. Maar ik herinnerde me dat gevoel alsof mijn tong en keel verlamd waren, alsof ze in steen veranderd waren.

Ten slotte zocht ik de Tweede brief van Petrus op, waarin hij over de verheerlijking vertelt.

'"En deze stem hebben ook wij uit de hemel horen komen, toen wij met Hem op de heilige berg waren."'

De heilige berg, die wilde ik in mijn preek noemen, want ik wilde zeggen dat elke berg een heilige berg kan zijn. En dat de grond waarop wij stonden heilige grond kon zijn. Ik wilde het montaignisme prediken, want ik had ergens gelezen dat montaignisme een visioen van het paradijs op aarde betekende, maar ik wist niet of ik het goed kon uitspreken.

In zijn opwinding en verwarring had Petrus het erover gehad dat hij drie tabernakels op de bergtop wilde bouwen, een voor Mozes, een voor Elias en een voor Jezus, maar hij raaskalde maar wat. Ik hoopte dat ik niet zou gaan raaskallen. Ik hoopte dat ik niet maar lukraak wat zou gaan zeggen als ik eenmaal op de preekstoel stond, maar ik had wel begrip voor Petrus' verlangen iets gewijds te bouwen. Ik had me bijna net zo grondig in bouwen verdiept als in de pelsjacht en prediken. Iets bezielends bouwen, dat zou een levenswerk moeten zijn.

Ik stond onder de dennen met mijn gezicht naar de wind en las nog meer verzen. Ik maakte mijn stem zo krachtig en vérdragend als ik kon. Ik las zacht en ik las hard. Ik las netjes en ik las zoals een bergdominee zou lezen die nauwelijks naar school is geweest. Ik kon niet kiezen. Maar ik dacht wel: een kerk hoort op een bergtop te staan. De grootste hoogte in de wijde omtrek is de volmaakte plek om de woorden van de bijbel uit te spreken.

Toen mama merkte hoeveel zorgen ik me maakte, zei ze: 'Niemand kan zonder hulp van de Heer preken. Als de Heer wil dat je preekt, geeft hij je de woorden.'

'Maar ik moet zorgen dat ik het goede vat ben om de woorden in te gieten,' zei ik.

'Woorden die je niet van de Heer hebt gekregen, zijn de moeite van het beluisteren niet waard,' zei mama.

'Alle woorden zijn al gezegd,' merkte mijn zusje Fay op. Fay was slungelig en schutterig geworden, maar er waren nog geen vrouwelijke vormen te zien in de jurken die mama voor haar maakte.

'Maakt niet uit,' zei ik. 'Ze moeten telkens opnieuw gezegd worden.'

'Waarom?' vroeg Fay.

'Je kunt net zo goed zeggen dat alle maaltijden al gegeten zijn,' zei ik. 'De mensen blijven toch honger krijgen rond etenstijd.'

'De mensen moeten het Woord steeds weer horen,' zei mama. 'Zolang je je aan de Schrift houdt, kun je het niet verkeerd doen.'

'Ga je ook een collecte houden?' vroeg Moody. 'Daar kun je aan zien hoe goed een preker is, aan hoeveel geld de mensen op de schaal leggen.'

'De collecte wordt voor de preek gehouden,' zei ik.

'Dat zou gunstig voor je kunnen zijn,' zei Moody. Moody was eerder dat jaar gewond geraakt bij een gevecht in Chestnut Springs en nu had hij een litteken op zijn wang, onder zijn linkeroog.

'Iemand die voor het eerst preekt, krijgt geen geld,' zei ik.

Moody's stemming sloeg vaak van het ene moment op het andere om. Hij kon valse, verbitterde dingen zeggen, me bespotten en kleineren, en dan was hij plotseling mijn goedaardige broer. Zijn naam paste precies bij hem. Ik wist dat hij naar de grote predikant Dwight L. Moody was vernoemd, maar het was de juiste naam voor hem.

Het was de vrijdag voor de zondag dat ik zou gaan preken, en ik ging na het eten de koeien melken, het paard water geven en de kippen voeren. Het was nog licht buiten, en toen ik een maal van veebrokken en katoenzaad voor de koeien stond te mengen, kwam Moody naar me toe en zei: 'Je weet toch dat ik hoop dat je het goed doet, zondag?'

'Ja, vast,' zei ik.

'Nee, ik meen het,' zei Moody. 'Ik wil dat je die kerk laat galmen. En ik wil dat je zo veel mensen bekeert dat ze erop staan dat je nog eens komt preken.'

'Ik dacht dat het je koud liet,' zei ik.

'Ik geef om mijn kleine broertje,' zei Moody. 'Ik wil dat je ze zo bang maakt, en zo enthousiast, dat ze het in hun broek doen.'

De zondag na het begin van de zomervakantie ging ik vroeg naar de kerk. Ik had speciaal voor het preken een nieuw pak met een visgraatje gekocht, en daar droeg ik een stropdas bij die nog van pap was geweest. Het pak viel mooi om mijn schouders en heupen, wat me zelfvertrouwen gaf, en de stof glansde in het zonlicht. De koordirigent, Mack Ennis, kwam maar iets na mij aan. Het was koel in de kerk, zo 's ochtends vroeg.

'Zo, welke liederen wil je vandaag laten zingen?' vroeg Mack.

Dat was het enige waar ik niet over had gepiekerd. Ik had gepiekerd over de bijbeltekst die ik zou gaan lezen, en wie ik zou oproepen om voor te gaan in het gebed, en hoelang ik zou preken, maar het was niet bij me opgekomen om over de gezangen na te denken.

'Heb jij geen gezangen uitgekozen?' vroeg ik aan Mack.

'Meestal stelt de predikant een paar liederen voor, afhankelijk van de tekst van zijn preek,' zei Mack.

'Wat zouden jullie anders zingen?' vroeg ik.

'Er staan meer dan vijfhonderd gezangen in het boek,' zei Mack. 'We kunnen zingen wat je wilt.'

'Zullen we "Guldene hemelstad" dan zingen?' opperde ik. 'En daarna "Nader, mijn God tot U"?'

'Het is geen begrafenis,' zei Mack.

'En misschien "Aan de oevers van de bruisende Jordaan",' zei ik.

Toen Charlotte McKee, de organiste, kwam, zei Mack tegen haar welke gezangen we zouden gaan zingen. Ze knikte en glimlachte naar me.

Ik had gehoord dat sommige predikanten hun opwachting pas maakten als het tijd was voor de preek. Ze bleven in het donker zitten, in het bos of zelfs in het gemakhuisje tot ze moesten opkomen. En dan maakten ze hun entree als een profeet die van de berg afdaalt, of als Johannes de Doper die uit de woestijn komt, maar dat was niet de gewoonte in Green River. Het zou gek staan als ik buiten bleef tot het tijd was om mijn preek te houden.

Schuin achter de preekstoel stond een stoel voor de predikant. Daar wachtte ik terwijl de mensen de kerk binnenkwamen. Ik wilde de mensen niet zien terwijl ze naar binnen schuifelden en gingen zitten, dus keek ik naar de bijbel in mijn handen, en ik sloeg hem zelfs open en probeerde te lezen. Dat had ik dominee Liner ook zien doen. Alleen was ik zo zenuwachtig dat ik de bijbelverzen voor mijn ogen niet eens kon zien. Ik had de bladzijden aangegeven en de passages uit mijn hoofd geleerd, zodat ik ze desnoods uit mijn hoofd kon opzeggen.

Toen Charlotte orgel begon te spelen, stond ik op en toen gingen alle anderen ook staan. '"Guldene hemelstad",' riep ik, maar mijn stem klonk beverig en zwak en ijl in de lege lucht boven de gemeente.

'Bladzij 302,' riep Mack.

Ik probeerde mee te zingen, maar ik kon niet eens aan het gezang denken. Ik hoopte dat het nooit meer zou ophouden. Ik keek uit over al die gezichten en probeerde niemand aan te kijken. Ik kende iedereen in de kerk, maar probeerde niemand te herkennen. Het licht viel fel door de witgeverfde kozijnen. Ik keek strak naar het achterste raam links.

Toen het gezang was verstomd, was het tijd om voor te gaan in het gebed. Ik wist dat de dominee in het eerste gebed hoorde voor te gaan. Net toen ik mijn hoofd wilde buigen om te beginnen met bidden, zag ik dat de deur openging en dat er iemand de kerk binnen glipte. Het was Moody, en hij had zijn pet niet afgenomen toen hij binnenkwam. Moody ging zelden naar de kerk. Hij was de laatste die ik hier had verwacht, en de laatste die ik hier wilde zien. Hij had gezegd dat hij niet zou komen. Hij schoof op de achterste rij bij de andere jongens en afvalligen. Hij had zijn pet nog steeds op. Ik moest nu met het gebed beginnen, maar het enige waar ik nog aan kon denken, was dat Moody daar met zijn pet op zat.

Ik boog mijn hoofd, maar in plaats van te bidden, zei ik: 'Wil Moody Powell zijn pet afzetten in de kerk, alsjeblieft?' Ik had het al gezegd voordat ik er erg in had.

Iedereen in de kerk draaide zich om. Hier en daar werd gegniffeld. Moody tilde grijnzend zijn pet op, hield hem een paar centimeter boven zijn hoofd en liet hem toen op de vloer vallen. Er werd weer gegniffeld en de jongens op de achterste rij grinnikten.

Ik bad, maar ik zou niet weten wat ik zei. Ik had dagenlang nagedacht over wat ik tijdens het gebed zou zeggen, maar ik kon me er geen woord meer van herinneren. Moody had me helemaal van mijn stuk gebracht. Ik slikte een paar keer en zei iets over de Heer danken dat hij ons op deze mooie dag tezamen had gebracht. Mijn gezicht gloeide en het zweet brak me uit.

Toen ik klaar was met bidden en mijn ogen opendeed, zag ik mama naar me kijken. Ze knikte en glimlachte alsof ze wilde zeggen: toe maar, en maak er iets moois van. Ze had zweetkringen onder haar armen. Maar ik kon haar niet aankijken. En ik kon me niet meer herinneren wat het volgende gezang was. Het was het offerandegezang en de twee ouderlingen, Silas Bane en mijn neef UG Latham, kwamen naar voren en pakten de collecteschalen die op de tafel voor de preekstoel stonden. En toen herinnerde ik me weer dat ik 'Nader mijn God tot U' had gezegd, maar het was al te laat. Mack fronste zijn voorhoofd, bladerde in het gezangenboek en riep: 'Gezang 326.'

Toen ze begonnen te zingen, en ik deed of ik meezong, was het enige waaraan ik kon denken dat ik er nu al een potje van had gemaakt. Ik keek naar de collecteschalen die werden doorgegeven en vroeg me af hoe ik ooit had kunnen denken dat ik kon preken. Hoe kon ik weten wat roeping was en wat gewoon hoogmoed? Niemand behalve mama had gedacht dat ik de gave had. Wat moest ik zeggen als het gezang was afgelopen? Want dan was het tijd voor mijn preek.

Na het gezang brachten de ouderlingen de collecteschalen naar de tafel, en Silas Bane goot de inhoud van de ene schaal bij de andere en zette de lege schaal als een deksel op het geld. Toen gingen Mack en UG weer op hun bank zitten en stond ik in mijn eentje tegenover de gemeente. Ik ging staan en voelde de blikken van de mensen als de hitte van een oven in mijn gezicht slaan. Ik wilde achteruit deinzen voor die hitte. Ik wilde naar buiten rennen, de frisse lucht en het zonlicht in.

Op weg naar de preekstoel drong het tot me door dat ik mijn bijbel op de vloer achter de stoel had laten liggen. Ik had mijn mond al opengedaan om iets te zeggen, maar ik stopte om de bijbel op te rapen. Ik draaide me om en stootte zo hard tegen de stoel dat die tegen de muur sloeg en kletterend omviel.

Toen ik eenmaal op de preekstoel stond en de bijbel opensloeg, was het doodstil in de kerk. Je had een spin zichzelf kunnen horen krabben, of een mot kunnen horen boeren. De lucht was zo warm en drukkend alsof hij pijn had. De huid op mijn voorhoofd stond gespannen en de huid rond mijn mond voelde zo strak aan dat ik bang was dat hij zou scheuren. En mijn lippen plakten aan elkaar.

Ik zocht het vers over de verheerlijking bij Matthéüs, maar ik bleef maar bladeren zonder het te vinden. Mijn handen waren zo klam dat ze aan het papier plakten. Ik dacht dat ik het had gevonden, en dan was het weer weg. Ik zocht in het Oude Testament. Mijn geblader leek minuten, uren te duren.

'Ik wil een vers uit de bijbel lezen,' wilde ik zeggen, maar de woorden bleven in mijn keel steken. Ik slikte en probeerde het nog eens.

Er klonk gegrinnik in de kerk. Het was doodstil en ik hoorde het bloed in mijn oren bonzen. Het zweet parelde op mijn voorhoofd en er vielen druppels op de bladzijden van de bijbel.

Uiteindelijk had ik Matthéüs 17 gevonden en ik begon te lezen, maar ik wist niet meer wat ik over de tekst had willen zeggen. Wat wilde ik nu eigenlijk duidelijk maken over de verheerlijking? Petrus had gezegd dat we drie tabernakels op de berg moesten oprichten, maar toen was hij nog door het dolle heen geweest. Het leek me zinloos daarover te beginnen.

Omdat ik me niet meer kon herinneren wat ik had willen zeggen, las ik maar door. Ik was al voorbij de passage over de verheerlijking. Ik kon niets bedenken om te zeggen.

Ik zag Annie naast haar moeder op de derde rij zitten. Annie keek naar mij en toen naar haar schoot. Hoe had ik kunnen denken dat ik indruk op haar zou kunnen maken met mijn preek? Hoe had ik ooit kunnen denken dat ze iets om me gaf? Ze zag er zo jong uit, een kind nog maar. Het kon haar niets schelen wat ik vanaf de kansel zei. Ik wilde iets zeggen over naar de bergtop gaan, maar wát?

'Dit kan er gebeuren wanneer we naar de bergtop gaan,' zei ik. 'Dit gebeurt er als we dicht bij de Heer komen.' Maar ik wist niet wat ik verder nog had willen zeggen. Toen ik mijn preek voorbereidde, had het allemaal zo vanzelfsprekend geleken, maar nu zag ik het verband niet meer.

'Laat ik u dan nu voorlezen wat Marcus heeft gezegd,' zei ik. Ik kreukte de bladzijden van de bijbel op zoek naar het Evangelie naar Marcus, en vond het ten slotte toch. 'Luister,' zei ik, maar toen ik de verzen voorlas, hoorde ik mijn eigen stem in de stilte van de kerk, en die klonk niet als die van een dominee, maar als die van een schooljongen die een les opdreunt. Ik kon niet bedenken wat ik na het lezen wilde zeggen en las dus maar weer door. En toen ik aan het eind van het hoofdstuk was gekomen, zei ik: 'Er wachten ons zegeningen op de top van de berg, als we er maar heen willen gaan. We kunnen het glanzende gelaat van Jezus zien, en we kunnen zijn sneeuwwitte gewaad zien.' Ik voelde dat ik een beetje op gang kwam. Ik zei niet wat ik me had voorgenomen, maar ik zei tenminste iets.

'We kunnen met ons gezicht in de wind staan en de Geest voelen bewegen,' zei ik.

Toen gierde er iets achter in de kerk. Het klonk als het kermen van nat, brandend hout. Het gekerm werd een getoeter en toen wist ik dat het een wind was, de hardste, langste scheet die je ooit hebt gehoord. Het was of een trompet en een trombone samen een fanfare bliezen.

Ik vergat wat ik wilde zeggen en kon niet meer verder. Mijn tong zat vast en kronkelde hulpeloos rond, als een vis op het droge. Ik probeerde me te herinneren wat ik aan het zeggen was, maar er kwam niets. Ik was verstijfd, en toen zag ik Moody opstaan en naar het achterste raam lopen. Hij schoof het raam woest omhoog, zodat het kreunde en bonkte, en stak zijn hoofd naar buiten. Het gelach, dat achter in de kerk begon, golfde naar voren tot het het hele heiligdom als een machtig gezang vulde.

2

Ginny

Ik had altijd een dominee in de familie gewild. Al sinds ik als meisje naar de bijeenkomsten van de pinkstergemeente ging, vond ik predikanten de geweldigste mannen die er zijn. Er gaat toch niets boven een man van God, een man van het Boek, een man van het geloof? Als ik een man was geweest, was ik zelf dominee geworden.

'Dominees zijn allemaal meidengekken en gladde praters,' zei mijn zusje Florrie. Ze vond het altijd leuk om het ergste te zeggen wat je maar kunt verzinnen. Ze zei de oneerbiedigste dingen, maar ze trouwde wel met David, die dominee wilde worden, en ik trouwde met Tom Powell, die het liefst niets zei. Wie had die keuzen van het hart kunnen voorzien? Maar ik liet me toen al niet door Florrie van de wijs brengen.

'Straks vertel je me nog dat dominees van gebraden kip houden,' zei ik tegen haar.

'Nou, dat is ook zo,' zei Florrie.

Maar Florrie wist net zo goed als ik dat een echte dominee een werktuig van de Heer is. Een echte dominee is een lamp die onze voeten bijlicht en het duister van deze wereld verzengt. Een echte dominee kan de vonken laten overspringen in de kerk, in de gemeente en in een hele gemeenschap. Een grootse dominee kan het laten lijken alsof de bomen en rotsen getuigen van de kracht van de bijbel. Een grootse preek kan de tijd zelf tot een getuigenis maken van de genade die ons wacht.

De beste predikant die ik ooit heb gehoord, was dominee McKinney, die de revival hield waarbij ik mijn eerste vuurdoop kreeg en in tongen sprak. Ik was op mijn twaalfde ook al gered, en toen was ik met water gedoopt en in de Kerk opgenomen. Ik had wel over consecratie en de vuurdoop gehoord, maar er nooit echt bij stilgestaan tot ik naar die bijeenkomst van dominee McKinney ging. Ik ging mijn hele leven al naar de kerk zonder er iets aan te vinden. Ik ging uit gewoonte en plichtsbesef. Mijn pa had de kerk gebouwd toen hij uit de Burgeroorlog terugkwam. Ik hield van zingen en goede preken, maar ik had nooit de schoonheid van het gezamenlijk verbond ingezien.

De beste preek van dominee McKinney was die waarbij ik voor het eerst in tongen sprak, de heilige dans deed en mijn vuurdoop kreeg. Ik was trouwens zo opgewonden van die eerste dienst dat ik de preek nauwelijks hoorde. Ik keek in zijn ogen en de Geest voerde me mee, het kon niet anders. Wat mij toen overkwam, was al vanaf het begin der tijden voorbeschikt. Die avond was dominee McKinney een waar werktuig van het Woord, en ik was daar om het tot me te laten komen.

De beste preek van dominee McKinney die ik me kan herinneren, de preek die me leerde hoe een preek kan zijn, werd een paar weken later gehouden, overdag. Het was een middagdienst in het kerkje op Mount Olivet. Het was de uitvaartdienst voor een van de Tankersleys die naar de revival van dominee McKinney was gegaan en uit de gemeente van de kerk in Green River was verstoten. Daarom werd de dienst ook op Mount Olivet gehouden en niet in Green River. Wij van de pinkstergemeente waren allemaal uit de doopsgezinde kerk van Green River verstoten.

Het was de mooiste zomerdag die je ooit had gezien. De bomen waren groen en de berghellingen waren groen en het onkruid langs de weg was groen. Pa en Joe en Lily en ik waren met de wagen de berg op gegaan. Lieflijk gezang van allerlei vogels vulde de lucht. De wereld was weelderig en scherp. Het leek helemaal geen dag voor een begrafenis. Het licht was zo fel dat het in je ogen prikte. Bijen cirkelden en gonsden boven het gras. Het kerkhof op de heuvel boven de kerk was net gemaaid en leek net een tuin vol stenen en struikgewas.

Toen we allemaal zaten, ging dominee McKinney kalm en koel op de preekstoel staan. Hij gedroeg zich anders dan ik me van de revival herinnerde. Hij straalde een grote vredigheid en rust uit. 'Laat ons bidden,' zei hij. Ik boog mijn hoofd en luisterde, want ik voelde de kracht van zijn kalmte.

'Heer, we zijn hier om het leven en de verlossing te vieren,' bad dominee McKinney. 'We hoeven niet te rouwen om het heengaan van zuster Tankersley, want we weten dat ze naar een betere wereld is gegaan, naar een lang verlangde rust. Als we rouwden, zouden we alleen voor onszelf rouwen, want we missen haar aanwezigheid en haar bezieling. We zullen haar voorbeeld en haar goedheid missen.'

Na het gebed zongen we Gezang 286. Het was een gedragen, simpel en droevig lied dat een merkwaardige kracht en troost schonk. De noten leken de dag zelf een stem te geven, de koele kleine kerk, de planten en het bos buiten in het zonlicht. Door het raam zag ik een witte wolk boven de berg hangen.

Zien wij menig plant versterven,
't Zaad ras door den wind verwaaid,
Moog' het zaad niet ras verderven,
Thans weer in ons hart gezaaid!
Moog' de zomer van ons leven
God ter ere vruchten geven,
Vruchten, die de hemel maait.

Zodra het lied verstomde, hoorde ik een kardinaalvink tussen de bomen. En toen dominee McKinney begon te praten, schreeuwde hij niet, zoals tijdens de revivaldiensten. Hij stond volkomen stil en sprak zo zacht dat ik in het begin ingespannen moest luisteren.

'We zijn hier om de goedheid van onze zuster te vieren,' zei hij. 'We zijn hier om troost te putten uit haar kracht en voorbeeld. We zijn hier om elkaar te sterken met onze verbondenheid en met ons gezang.'

Dominee McKinney zei dat we ons leven in deze wereld niet in ellende en eenzaamheid hoefden te slijten. Hij zei dat ons leven zwaar kon zijn, maar nooit te zwaar zolang er een zin was, zolang we ver genoeg vooruit konden kijken, naar het plan van de verlossing. Dominee McKinney was zo kalm en bedachtzaam dat hij een heel andere dominee leek. Hij zei dat onze inspanning onze wijsheid was. Onze strijd was onze voldoening in deze wereld.

Dominee McKinney zei dat we zeven maal zeventig maal moesten vergeven en onze naasten helpen. Het was de simpelste boodschap die er bestond, en toch de moeilijkste om je aan te houden. Hij zei dat er in het hele Nieuwe Testament maar één nieuw gebod stond: hebt elkander lief gelijk Ik u heb liefgehad.

'Voelt u de hand van zuster Tankersley die ons het zonlicht in leidt, de dag in, en de drempel over naar de rest van uw leven?' zei dominee McKinney. 'In het hart van een christen is het altijd de eeuwige ochtend. Ik ben niet hier om te rouwen en ik ben niet hier om te beschuldigen en te dreigen. U bent allen kinderen van de Verlosser, en u bent allen mijn broeders en zusters.'

Toen dominee McKinney was uitgesproken, wist ik even niet meer waar ik was. Ik was niet in vervoering geraakt, maar zat stevig en wakker op de kerkbank. De lucht binnen was zo koel en zuiver als op een bergtop. Er werd gesnotterd en gehuild in de kerk, maar het waren tranen van vreugde.

Hoeveel bewondering ik ook voor dominees heb, het maakte me bang toen Muir zei dat hij de zondag na het begin van de zomervakantie ging preken. Het maakte me bang, maar ook blij, want er was niets wat ik liever voor mijn eigen zoon wilde dan dat hij het evangelie zou verkondigen. Ik was bang dat ik hem op het idee had gebracht en dat hij het meer voor mijn plezier deed dan om zijn eigen roeping te vervullen. Hij was al zo groot en zo sterk als een man, maar hij was ook nog maar een jongen. Een moeder hoeft zich niet altijd bewust te zijn van de macht die ze over haar kinderen heeft.

De weken voor Muirs geboorte had ik in bed gelegen en mezelf uitgehongerd om hem in leven te houden. De dokter had gezegd dat hij binnen in me zou sterven als ik me bewoog. Ik lag stil en leefde op melk en kaakjes. Ik wist dat hij een teken droeg, dat hij een uitverkorene was. Ik wist dat mijn kind een bestemming had. Hij werd geboren met een missie, en dat zijn tongriem te kort was, zou hem niet weerhouden. In zekere zin begreep ik nog niet dat hij een voertuig van het Woord was.

Ik kon moeilijk bepalen in hoeverre ik Muir moest aanmoedigen en in hoeverre ik hem tot voorzichtigheid moest manen. Want ik wist dat een prediker zijn roeping moet volgen, en de stem van zijn geweten, maar ik was ook zijn moeder. Zijn vader was dood, en het was mijn taak te proberen hem te begeleiden.

Muir was altijd al de ernstigste van mijn kinderen. Dat had hij zowel van Tom als van mij, want Tom wijdde zich op een plechtige, sobere manier aan zijn werk en ik wijdde me aan de godsdienst, aan het leven in de Geest. Ik maakte me zorgen om Muir en ik hield van hem. Ik wilde niet dat hij mijn fouten zou herhalen. Hij was net zo oud als ik toen ik voor het eerst naar de bijeenkomsten van de pinkstergemeente ging.

'Je moet de stem van je hart volgen,' zei ik tegen Muir. Ik zag dat hij piekerde en tobde. Hij was zo iemand die het zichzelf moeilijk maakt.

'Ik voel de roeping in mijn bloed,' zei Muir.

Ik was ongerust toen dominee Liner tegen Muir zei dat hij de zondag na het begin van de zomervakantie op de kansel mocht staan. De dominee had me gevraagd of ik ermee instemde dat hij Muir de preekstoel aanbood. Ik vroeg me af of hij dacht dat hij me er een gunst mee verleende.

'U moet u door de Geest laten leiden,' zei ik tegen dominee Liner, maar ik wist niet wat beter was. Als Muir probeerde te preken voordat hij eraan toe was, zou het hem later afkerig van zijn roeping kunnen maken, maar als hij wachtte tot hij ouder was, zou het te laat kunnen zijn.

'Ik ga over de verheerlijking preken,' zei Muir. Ik zag hem peinzen en piekeren over de preek die hij had toegezegd te houden. Zijn wangen waren rood en hij zwaaide met zijn armen onder het praten. Ik kon niets bedenken om hem te helpen. Als hij geestelijke wilde worden, zou de Heer hem moeten leiden.

Toen de zondag van Muirs preek eindelijk aanbrak, was ik nog zenuwachtiger dan Muir, maar dat mocht ik niet laten merken. Ik probeerde vrolijk en zelfverzekerd te doen, alsof het heel gewoon was dat mijn jongste zoon zijn eerste preek ging houden, maar toen ik in de kerk ging zitten, had ik droge lippen en kramp in mijn maag. Mijn jurk werd nat onder de oksels. Ik probeerde te glimlachen, maar het voelde alsof mijn lippen opzij kropen.

'Heer, uw wil geschiede,' bad ik stilletjes. 'Wees met Muir in dit uur van beproeving. Als het uw wil is dat hij preekt, wijs hem de weg dan.'

Maar het leek alsof Muir die dag geen schijn van kans had. Als hij zich opwond, als hij kwaad werd, leek het alsof hij zich geen raad wist met zichzelf. Hij vergat altijd alles als hij zich opwond. Hij stormde zichzelf voorbij, vergat waar hij was en vergat wat hij had willen zeggen. Toen ik hem zo op de preekstoel zag klungelen, dacht ik dat mijn hart het zou begeven, of dat het uit mijn borst zou scheuren.

Na die vreselijke dag dat Muir probeerde te preken, wilde hij er geen woord over zeggen. Hij was nog maar zelden thuis. Hij zat in het bos en op het land, en op regenachtige dagen ging hij op zolder in pa's oude boeken en tijdschriften zitten lezen. En zelfs als hij aan de eettafel of bij het vuur zat, zei hij niet veel. Fay en ik probeerden hem aan de praat te krijgen, en zelfs Moody deed zijn best om vrolijk tegen hem te doen. Moody kon zo vriendelijk en attent als wat zijn als hij er zin in had.

Maar Muir leefde in zijn eigen wereld, met zijn eigen ontgoocheling. Hij had altijd al in zijn eigen wereldje geleefd, met zijn dagdromen. Je wist nooit goed wat er in hem omging.

Een paar dagen na die vreselijke zondag zaten we bij de haard. Het begon koeler te worden nu de herfst eraan kwam, en het vuur was behaaglijk.

'Elke predikant leert door oefening,' zei ik tegen Muir.

Hij zat op een stuk papier te krassen, gebouwen te tekenen, zoals hij zo graag deed. Hij gaf geen antwoord, maar bleef met zijn potlood krabbelen.

'Je kunt pas dominee worden als je eenentwintig bent,' zei Fay, 'als je een vergunning krijgt.'

'Hoe weet jij dat?' vroeg Muir zonder op te kijken.

'Er is veel oefening voor nodig om iets goed te leren doen,' zei ik.

'Je mag wel op ons oefenen,' zei Moody tegen Muir. 'Je kunt je preken op ons uitproberen en als we lachen, weet je dat ze niet goed zijn.'

Muir keek naar Moody en weer naar zijn tekening, zonder iets te zeggen. Muirs schouders waren zo breed dat ze uit zijn werkhemd leken te barsten.

'Muir mag zelf weten wat hij doet,' zei ik.

'Ik heb nog nooit een dominee gezien die jonger was dan twintig,' zei Fay.

'Een dominee moet zorgen dat je naar hem wilt luisteren,' zei Moody.

'Alsof jij het zo goed weet,' zei Muir tegen Moody.

Moody hield een oud stompje sigaar tussen zijn vingers. Hij stak het aan met een houtje uit het vuur en blies rook naar Muir. 'Ik zeg alleen hoe ik erover denk,' zei hij.

Moody was al boos sinds de dood van zijn vader, maar soms kreeg hij spijt als hij iets verkeerds had gedaan en dan schaamde hij zich en probeerde het goed te maken. Ik wist dat hij zich schaamde voor wat hij in de kerk had gedaan.

Het leek wel of altijd een van beiden kwaad moest zijn, óf Moody, óf Muir. Ze konden nooit eens tegelijk vrolijk zijn.

'We weten al hoe jij erover denkt,' zei Muir tegen Moody.

'Als je wilt preken, preek dan,' zei Moody. 'Laat je niet door een paar plagerijtjes tegenhouden. Ik wil je zelfs wel helpen.'

'Hoe dan?' vroeg Muir.

'Ik koop een nieuwe bijbel voor je,' zei Moody.

'Ik hoef geen nieuwe bijbel,' zei Muir. Hij keek naar het gebouw dat hij had getekend. Het had een torenspits.

'Moody probeert gewoon aardig te doen,' zei ik.

'En je moet nettere kleren hebben,' zei Moody. 'Ik help je met het kopen van nieuwe kleren.'

'Ik kan een pak voor je maken,' zei ik, 'als jij aan goede stof kunt komen.'

Muir omklemde de armleuningen van zijn stoel en keek van zijn tekening naar mij. Ik zag hoe gekweld hij zich voelde, hoeveel zorgen hij had. Ik zag hoe het hem had gekwetst dat de mensen hem uitlachten.

'Muir gaat weer preken wanneer hij er zelf aan toe is,' zei ik zo bedaard als ik kon. 'Muir komt er vanzelf achter wat hij moet doen.'

'Iedereen kan een beetje hulp gebruiken,' zei Moody, en hij blies rook naar het haardvuur.

Muir sprong overeind, zodat het boek en het vel papier van zijn schoot op de vloer vielen. Hij raapte de tekening op en gooide hem in het vuur. Zijn gezicht was zo wit als een doek. 'Je weet er niks van!' schreeuwde hij naar Moody.

Moody schrok. 'Genoeg om uit de buurt van de preekstoel te blijven,' zei hij.

'Jullie weten er allemaal niks van,' zei Muir, en hij stampte op de vloer. Zijn gezicht vertrok helemaal en ik zag een traan in zijn oog toen hij naar de deur beende.

3

Muir

Ik schaamde me zo voor het rommeltje dat ik van mijn preek had gemaakt dat ik bijna een jaar niet meer naar de kerk ging. Ik kon het niet verdragen die mensen onder ogen te komen die hadden gezien hoe ik mezelf voor schut zette. Ik trok me in het bos terug om klemmen te zetten, te vissen en ginseng te zoeken. Ik wilde zelfs niet meer op ons eigen land werken, want daar kon Moody me treiteren met mijn pogingen om te preken.

'Ginny zegt dat je bouwplannen hebt,' zei mijn tante Florrie. Het was de volgende zomer en ze was die ochtend vroeg gekomen om mijn moeder te helpen aardbeienjam te maken. Ze stond aan het aanrecht weckpotten af te wassen en mama droogde ze af.

'Muir wil een kasteel bouwen,' zei mijn zusje Fay. De geur van de aardbeien die op het fornuis stonden te koken vulde de keuken.

Fay plaagde me graag omdat ze mijn kleine zusje was en vond dat ik niet genoeg aandacht aan haar besteedde. Ze was zo mager als een lat en ze maakte me belachelijk omdat ik naar plaatjes van kastelen in tijdschriften en boeken keek. Als ze mijn schetsen vond, lachte ze me erom uit.

'Muir heeft ambitie,' zei tante Florrie. UG was haar zoon, maar ze had Moody, Fay, mij en ons dode zusje Jewel altijd behandeld alsof we haar eigen kinderen waren. Florrie had een scherpe geest en een opvliegend karakter. Ze was pezig en donker en zo nerveus als een mus.

'Ik heb de ambitie hier weg te gaan,' zei ik. Het was moeilijk uit te leggen, maar ik wilde tegelijkertijd iets bouwen en uit Green River zien weg te komen. Ik wilde een groot huis van hout en steen bouwen, maar ik wilde ook naar Canada of de North Woods vluchten.

'Ik hou wel van mannen met grootse plannen,' zei tante Florrie.

'Heb jij ooit een man ontmoet die je niet aanstond?' zei mama.

Mama en tante Florrie plaagden elkaar altijd als ze aan het werk waren. Ik denk dat het al begonnen was toen ze nog meisjes waren.

Moody was die nacht laat thuisgekomen, lang nadat ik naar bed was gegaan. Hij was in Chestnut Springs geweest, waar hij naartoe ging als hij wilde drinken, en toen hij die ochtend opstond, zag hij er rillerig en katterig uit. Als hij een kater had, kon hij geen gepraat om zich heen verdragen, en mama en tante Florrie praatten zoals gewoonlijk honderduit. Moody ging aan de keukentafel zitten, sprong op, pakte de melkemmer van het aanrecht en liet hem op weg naar buiten tegen de deur slaan. Hij wilde bijna nooit melken, maar hij zocht nu een excuus om het huis even uit te zijn, denk ik.

'Hij moet een borreltje tegen de nadorst nemen, daar knapt hij van op,' zei tante Florrie. Tante Florrie dronk zelf graag en ze had vaak een kegel, maar ik had haar nog nooit met een kater gezien.

'Wat is dat, nadorst?' vroeg Fay.

'Dorst van de dorst,' zei tante Florrie. De weckpotten kletterden in de afwasteil en ze bewerkte de opening van een schuimige pot alsof ze zijn tanden poetste.

'Muir, ga jij je broer eens in de stal helpen,' zei mama. Mama was ongerust, want Moody leek nog bozer en katteriger dan anders.

'En als je terugkomt, kun je ons vertellen over je plannen om naar Alaska te gaan,' zei tante Florrie.

Ik stond van tafel op en liep naar de deur. 'Ik zal opletten dat Moody niet het paard probeert te melken in plaats van de koe,' zei ik.

'Of de kippen,' zei tante Florrie.

'Bouwen ze in Alaska ook kastelen?' zei Fay toen ik bij de hordeur was.

'Alleen in de lucht,' zei tante Florrie.

Ik rook de pruttelende aardbeien helemaal tot aan de schuur. De geur paste bij die ochtend, eind mei. Er lag zoveel dauw dat het gras wit leek.

Ik hoorde Moody al zodra ik achter de schuur was. Het was nog honderd meter naar de oude houten stal, maar ik hoorde hem al razen en tieren. Er sloeg iets tegen de muur en ik hoorde aan de herrie dat Moody het melkkrukje tegen het hout geslingerd moest hebben. Ik hield mijn pas in. Moody had al heel lang niet meer gemolken, hoewel hij het na paps dood, toen we nog jongens waren, wel had gedaan, tot ik groot genoeg was om het over te nemen.

'Verdomd kreng!' tierde Moody. Ik kwam net op tijd de hoek van de stal om om te zien dat hij de melkemmer weer tegen de muur smeet. Een tong melk sprong uit de emmer, sloeg tegen de muur en spatte in druppels uiteen.

'Hé,' zei ik. Moody was net zo lang als ik, maar dan slungelig en knokig.

'Die ouwe trut heeft me geschopt,' zei Moody.

Ik raapte de melkemmer op en klopte het vuil van de zijkanten. Er plakte stro aan de natte rand.

'Wat zonde van de melk,' zei ik.

'Ik zal haar eens leren wat zonde is,' zei Moody. Hij had die gelige glans in zijn ogen van een hond die niet blaft, maar wel bijt. Als Moody eenmaal driftig werd, kon hij zichzelf moeilijk in bedwang krijgen.

'Ik maak het wel af,' zei ik. Ik keek zoekend om me heen naar het krukje en zag het tussen het onkruid liggen, een eind van de muur waar het van was afgeketst.

'Dat loeder heeft me geschopt,' zei Moody. Hij keek door het middenpad van de stal alsof hij iets zocht. Ik begreep wel wat er was gebeurd. De koe had aangevoeld dat Moody een kater had en kwaad was en had haar melk ingehouden. Misschien was ze bang, of misschien was ze zijn aanraking niet gewend. En omdat ze haar melk had ingehouden, was Moody nog kwader geworden en had hij te hard aan haar uiers getrokken. Als de melker zenuwachtig is, wordt de koe ook zenuwachtig. Koeien moeten kalm zijn om melk te kunnen geven.

'Laat haar even tot rust komen,' zei ik. 'Ik maak het wel af.'

'Niemand kan mij ongestraft schoppen,' zei Moody.

'Zo'n koe weet niet wat ze doet,' zei ik.

'Ze heeft me geschopt,' zei Moody. 'Ze wist heel goed wat ze deed.' Hij keek in de stal en hij keek in de tuigkamer. Door de ochtendzon verlichte spinnenwebben hingen aan de balken in de stal.

Ik legde een hand op de flank van de koe en voelde haar huid sidderen onder mijn vingertoppen. Ze was schrikachtig en gespannen door al dat geschreeuw. Ik klopte op haar warme huid. Het zou wat tijd kosten om haar te kalmeren voordat ik verder kon melken. Ik zou haar toespreken en haar nog wat te eten geven. De zon liet de rode haren op haar rug schitteren.

Ik zette het krukje naast de koe en wilde net de emmer neerzetten toen Moody uit de voeropslag kwam met een latje dat ik gebruikte om het luik van de zolder open te houden als we hooi of maïs vanaf de wagen op zolder gooiden.

'Wat moet je daarmee?' vroeg ik.

'Die koe heeft me geschopt,' zei Moody.

'Leg neer dat ding,' zei ik.

'Uit de weg,' grauwde Moody. Hij hield het hout vast alsof het een tweezijdig zwaard was.

'Ben je gek geworden?' zei ik.

'Hoe durf je me gek te noemen,' zei Moody, en hij zwaaide met de lat naar me. Ik sprong achteruit.

'Ik melk die koe,' zei ik. Ik had al honderden keren gezien dat het veel gemakkelijker was om iets zelf te doen dan Moody zover te krijgen dat hij het deed.

'Geen koe die mij de wet voorschrijft,' zei Moody. Als Moody kwaad werd, leek het of er iets in zijn bloed in gif veranderde. Hij werd kwader doordat hij al kwaad wás. Zijn bloed begon zo te koken dat hij zich niet meer kon beheersen.

'Ga naar huis,' zei ik. 'Ik melk de koe.'

'Wou jij mij vertellen wat ik moet doen?' zei Moody. Hij zwaaide met de lat alsof hij me tegen mijn hoofd wilde slaan. Hij was maar drie jaar ouder dan ik, maar hij speelde altijd de baas over me.

'Nee, ik vertel je wat je níét hoeft te doen,' zei ik. Ik wilde hem niet nog driftiger maken.

'Niemand schrijft mij de wet voor,' zei Moody. 'En mijn kloterige broertje al helemaal niet.'

Ik deinsde niet verder achteruit, maar stapte opzij. Moody keek me aan. Zijn ogen waren zo geel alsof hij geelzucht had.

'Je hoeft je niet zo op te winden,' zei ik.

Ik bleef hem aankijken, maar zei verder niets. Als ik niet in discussie ging, kalmeerde hij misschien, dacht ik. Moody kon geen enkele kritiek verdragen. Hij kon het niet uitstaan als iemand hem tegensprak of advies gaf. Als hij zich goed voelde, kon hij zo aardig zijn als wat. Als hij het gevoel had dat hij alles in de hand had, kon hij je zo ter wille zijn als je je maar kon wensen. We konden dagen, soms zelfs weken samen werken, zolang zijn woede maar niet werd gewekt, zolang hij maar nuchter bleef. Maar de afgelopen maanden ging hij steeds vaker naar Gap Creek en Chestnut Springs en hij werd bijna elke week dronken.

Moody wist dat mama het afkeurde dat hij zich bedronk, en dat maakte hem bang. En als hij bang was dat hij fout zat, werd hij nog driftiger.

Moody keek me aan zonder nog iets te zeggen, en ik zei ook niets. Ik begon te denken dat het wel goed zou komen. Hij begon met zijn ogen te knipperen zoals hij wel vaker deed als hij confuus was, als hij een zware kater had en zich niet meer kon herinneren wat hij wilde zeggen. Toen draaide hij zich opeens bliksemsnel om en sloeg de koe met de lat.

De koe, die uit haar voerbak stond te eten, steigerde bijna van verbazing en schudde haar kop.

'Hou op!' schreeuwde ik.

'Ik zal die koe eens een lesje leren,' zei Moody. Hij haalde weer uit en sloeg de koe vlak bij haar staartinplant. Ze sprong naar voren, maar werd tegengehouden door het touw waarmee ze aan een steunbalk van de schuur was vastgebonden.

'Niet doen!' schreeuwde ik.

'Hou me maar tegen,' zei Moody. Hij hief de plank en sloeg de koe op haar schoft. Ze draaide zich om, loeide en sloeg met haar flank tegen de muur. Met een oog dat groot was van angst en verbazing keek ze achterom om te zien wat er gebeurde. Toen ze weer tegen de muur sloeg, ging haar staart omhoog en begon ze haar darmen te legen. Een angstige koe poept altijd sneller dan je denkt.

Moody hief de lat weer en sloeg haar in haar nek.

'Lafaard!' raasde ik. Hij draaide zich om en zwaaide dreigend met de plank. Ik sprong achteruit. De rand van het hout schampte langs mijn onderarm. Het bot boven mijn pols voelde aan alsof het door gloeiend ijzer was geraakt. De woede flitste als een stroomstoot door me heen. Ik had vaker geprobeerd mijn kalmte te bewaren.

Ik liep achteruit naar de voeropslag. Er hing veel stoffig paardentuig aan de muur en er stonden spaden, harken en mestvorken tegenaan geleund. Ik pakte het eerste handvat binnen mijn bereik. Het was van een hooivork met vier lange tanden. Moody stormde op me af, maar toen hij de hooivork zag, stopte hij. Ik hield de tanden op hem gericht.

'Je bent zo stom als een koe,' zei hij.

Ik was buiten adem en gaf geen antwoord. Ik was zo woest dat de lucht in mijn keel schraapte. Moody zwaaide naar de hooivork alsof we een zwaardgevecht hielden. Ik stootte de hooivork naar voren en deed een pas achteruit. Hij sloeg met de lat tegen de tanden en ik rukte de hooivork weg.

'Je bent nog stommer dan je eruitziet,' zei hij.

'Jij bent het brein van de familie,' zei ik.

Zolang ik die hooivork vasthield, kon hij me niet raken. Hij kon alleen maar proberen de vork met zijn plank uit mijn handen te slaan. Hij zwaaide hard, en ik besefte dat ik met de hooivork moest uithalen voordat hij zijn zwaai afmaakte. Ik stapte opzij en stootte toe. Moody zag de tanden aankomen voor hij zijn zwaai had voltooid en sprong weg, maar hij struikelde over het melkkrukje dat achter hem stond.

Moody viel ruggelings in het stro en de aarde. Ik stormde op hem af, hief de hooivork en richtte recht op zijn gezicht. Het zou een koud kunstje zijn om die tanden in zijn neus en wangen te drukken, maar ik hield me in. Zo zwaar wilde ik Moody niet verwonden. Ik wilde hem niet vermoorden. Ik wilde hem buiten westen slaan, zodat hij kon afkoelen voordat hij weer bijkwam.

Maar hoe moest ik hem bewusteloos slaan met de tanden van een hooivork? Ik zou hem moeten omdraaien en hem met het handvat slaan. Er zat niets anders op.

'Moody!' riep iemand. Het was mama. Tante Florrie en zij en Fay waren aan komen rennen om te zien waar die herrie vandaan kwam. Ik denk dat ze Moody en mij hadden horen schreeuwen of de koe loeien. Ze stonden alle drie te kijken hoe ik de hooivork op Moody's hoofd richtte.

Ik wilde zeggen dat Moody was begonnen. En ik wilde de hooivork omdraaien en hem met het handvat slaan. Maar op dat moment richtte Moody zich op en sloeg met de plank tegen mijn knie. Hij had geen tijd om ermee te zwaaien, hij kon alleen het uiteinde tegen mijn been drukken. Mijn knie knikte onder me weg als een knipmes dat werd dichtgeklapt. Ik probeerde mijn val te breken, maar het was al te laat.

'Ophouden!' riep mama terwijl ik viel. De pijn in mijn knie schoot door tot mijn vingertoppen en tenen en ik belandde op de harde grond. Tegelijkertijd rolde Moody opzij. Hij zette zich schrap tegen de grond en schopte me in mijn maag. Hij schopte me in mijn kruis en in mijn maag. Hij schopte tegen mijn schouder en in mijn gezicht.

Mama brulde dat hij moest ophouden. Tante Florrie en zij pakten me vast en Moody schopte weer. Slap van de pijn probeerde ik me los te wringen.

Moody was overeind gekomen, nog steeds met de plank in zijn hand. Hij zweette en hijgde. Hij had nog steeds die gelige glans in zijn ogen. Ik verwachtte dat hij weer naar me wilde uithalen, maar in plaats daarvan nam hij de plank in zijn linkerhand en zocht met zijn rechter in zijn zak. Daar was zijn stiletto, en hij knipte hem open.

Het was het mes dat hij altijd bij zich had als hij naar Gap Creek of Chestnut Springs ging. Moody stond bekend als een messentrekker.

'Stop dat ding weg,' zei mama.

Moody zwaaide met het mes alsof hij een zweep vasthield. 'Eens zien wie hier de lakens uitdeelt,' zei hij, en hij stak het lemmet naar voren. Ik kon niet wegkomen, want mama en Florrie hielden me nog vast. De punt van het mes raakte mijn borst, maar drong niet diep door. Ik kronkelde en bevrijdde me van de handen van mama en tante Florrie op mijn schouders. Ze stapten achteruit en ik sprong opzij, nog steeds met de hooivork, en ik draaide hem om zodat ik hem bij de steel vasthield, vlak boven de tanden.

Moody hield de lat in zijn linkerhand en verdedigde zich met het mes in zijn rechter. Ik stootte naar hem met het handvat van de vork. Moody weerde de slag met de lat af. Voor hij zich van de zwaai kon herstellen, sloeg ik hem met de zijkant van het handvat tegen zijn hoofd.

Hij raakte niet helemaal bewusteloos, maar hij was wel versuft. Hij deed met gebogen knieën een stap achteruit, liet de plank vallen en voelde met zijn linkerhand aan zijn voorhoofd. Toen wankelde hij nog een pas achteruit en schudde zijn hoofd.

'Ik vermoord...' zei hij, en toen stopte hij alsof hij niet meer wist wat hij wilde zeggen. Hij was zo verdoofd dat al zijn woede uit hem sijpelde. Ik dacht dat hij door zijn knieën zou zakken, maar hij bleef staan. Hij rolde met zijn ogen en leek nauwelijks iets te kunnen zien. Hij waggelde een stukje naar rechts en toen een stukje naar links. Ik hield het mes in de gaten, maar hij hief het niet nog eens.

Moody strompelde naar een kluit onkruid en kwam even op adem. 'Klootzak,' zei hij. Hij deed een paar stappen in de richting van de stal en bleef weer staan. Met zijn linkerhand tegen zijn voorhoofd, alsof hij diep nadacht, begon hij naar de dennen aan het eind van de wei te zwalken. Hij struikelde en wankelde een paar keer tussen de struiken en de stoppels, maar hij liep door.

Mama en tante Florrie keken Moody na tot hij tussen de dennen verdwenen was.

'Je bloedt,' zei Fay. Ik keek naar beneden en zag een bloedvlek op mijn werkhemd.

Tante Florrie maakte de knoopjes los. Moody's mes had een snee van een paar centimeter gemaakt.

'Zo is Moody nu eenmaal,' zei tante Florrie. 'Hij is nog niet volwassen.'

Mijn knie stak als een zweer en ik liep half hinkend achter de anderen aan naar het huis. De ochtend leek anders na wat er was gebeurd. Hij smaakte anders en hij rook anders. De zon scheen nog helder, maar het licht werd vertroebeld door wat Moody had gedaan.

Mijn knie deed zoveel pijn dat ik in de berm langs het pad ging zitten en mijn broekspijp opstroopte. Er zat een grote zwelling opzij van mijn knie die al blauw begon te worden. De plank had me vlak naast mijn knieschijf geraakt. Het scheelde maar een haartje of ik was voorgoed mank geweest. Het bot moest gekneusd zijn, want het voelde pijnlijk en zwak aan, maar de huid was nog gaaf.

Ik keek over de wei naar het dennenbos, maar zag Moody nergens. Waarschijnlijk was hij op de dennennaalden tussen de bomen in slaap gevallen. Wanneer hij zijn roes had uitgeslapen, zou hij weer tevoorschijn komen en doen alsof er geen vuiltje aan de lucht was. Dat deed hij altijd als we hadden gevochten en hij de duivel uit zijn binnenste had gewerkt.

Ik keek naar de dennen, de wei en het geploegde land langs de rivier beneden en vroeg me af hoe ik ooit weg kon komen naar een betere plek, waar ik iets belangrijks zou kunnen doen.

Het was ongeveer een maand na de vechtpartij en mijn knie was nog een beetje beurs. Het zou de warmste dag van juli worden en waarschijnlijk ook de warmste dag van het jaar. Nog voor zonsopkomst voelde ik de hitte al in de drukkende atmosfeer, de zwaarte van de lucht. Toen ik ging melken, zag ik maar weinig dauw langs het pad naar de stal. De geur van de stal, en van de koe, was scherper dan anders, maar de melk schuimde minder in de emmer dan bij koeler weer.

'Laten uitlekken en snel naar het koelhuis brengen,' zei mama toen ik met de volle emmer terugkwam.

'Dat was ik ook van plan,' zei ik.

'Melk is zó bedorven in de hondsdagen,' zei mama.

'En alle andere dagen, als je het laat staan,' zei ik. Mama en ik irriteerden elkaar snel bij warm weer. En ze deed trouwens al een tijdje snibbig tegen me. Als mama boos was, kwam de woede er langzaam uit. Het kon dagen duren voor je merkte hoe kwaad ze was. Het kwam eruit in haar gecommandeer, in haar kritiek op alles wat je deed.

Terwijl ik de melk liet uitlekken, keek ik naar het stugge kaasdoek, dat leek te smelten toen de warme melk erdoor in de aardewerken kan sijpelde. De stof verloor de vorm waarin hij was gedroogd alsof je stijfsel zag smelten. De natte stof zonk in de kan en vormde een kommetje melk.

'Ik ga bonen plukken om in te maken,' zei mama. Dat was haar manier om mijn hulp in te roepen. Het duurde een eeuwigheid om een schepel bonen te plukken, want ze waren kort en dun. Mama verwachtte dat Fay en ik haar zouden helpen de bonen te plukken en af te halen, zodat zij ze kon inmaken. Ze verwachtte niet dat Moody zou helpen, maar op mij rekende ze.

'Ik ga onder het varkenskot en bij de beek maaien,' zei ik.

'Het heeft geen zin om zo laat in de zomer nog te maaien,' zei mama. 'Het meeste onkruid is toch al verdord.'

'Het is een jungle voor slangen en wespen,' zei ik.

'Nu maaien brengt komende januari geen eten op tafel,' zei mama.

'Moet de boel dan maar verwilderen?' zei ik. Het was een oude strijd tussen mama en mij. Ik wilde graag met de zeis maaien om ons land netjes te houden, mama vond het zonde van de tijd.

'Niemand betaalt je om het onkruid rond het varkenskot te wieden,' zei mama.

'Ik krijg ook geen cent voor het melken van de koe,' zei ik, en ik liep met de uitgelekte melk de deur uit.

Zolang ik me kon heugen, hield ik van wieden. Ze zeiden dat ik dat ook van pap had. Als jongen vond ik het al leuk om de zeis te pakken en de randen van de akkers bij te werken. Ik wilde dat het allemaal op een park leek. Ik vond het prettig als onze grond er verzorgd bij lag. Het gekke was dat ik ook van onkruid hield. Ik hield van de frisse geur van licht in de zon verwelkend onkruid die op warme dagen door de bladeren dampte. Ik hield van de manier waarop het hoge onkruid op de rivieroever opschoot, in rijen achter elkaar, reikend naar de zon, elke centimeter ruimte in beslag nemend, met de distels en berenklauwen overal bovenuit.

Ik zette de kan warme melk in het koude water in het koelhuis. Het water reikte bijna tot de buik van de kan. De doek waarmee ik hem had afgedekt hield de vliegen eruit. Er stonden nog drie andere kannen. Mama of Fay zou er vanavond een halen en de melk een nacht binnen laten stremmen, en donderdag zou mama het stremsel tot boter karnen. De potten boter en kannen melk stonden in het koelhuis als mensen in de kerk die de koude lucht langs hun voeten laten strijken. Het was er net zo donker als in de kerk, en het klonk alsof er een stille dienst werd gehouden. Ik deed de deur dicht en liet de boter, de eieren, de melk en de frambozen die we de vorige dag hadden geplukt in de schemerige koelte achter.

Ik haalde de zeis uit de schuur en liet de lange wetsteen in mijn heupzak glijden. Toen zwaaide ik de zeis als een krom geweer over mijn schouder en marcheerde weg om de strijd met het grote onkruid aan te binden. Ik zou de hoge, sappige stengels met tientallen tegelijk maaien, net zo lang tot de grond zo vlak was als het gazon van een villa in Flat Rock.

Maar waar moest ik beginnen? Ik stopte bij het varkenshok en haalde de wetsteen uit mijn zak. Ik zette de zeis met het handvat op de grond en begon het blad met de steen te bewerken. Ik vond het schurende gevoel van steen op staal prettig. Ik werkte langs de rand van het blad, die stoffig werd, en toen hij begon te glanzen, draaide ik de zeis om en sleep de andere kant bij. Het blad lichtte op onder de steen. De steen op het staal klonk als een veilingmeester: wie biedt er twee, twee, twee. Wie biedt er vier, vier, vier? Verkocht aan die meneer daar met de bloem op zijn hoed!

Ik blies het grijze slijpsel van de steen en stopte hem weer in mijn zak.

'Hmpf,' zei het varken, dat tussen de planken van zijn ren snuffelde. 'Hmpf, hmpf.' Het varken was 's ochtends altijd levendig. Als het warmer werd, zou hij een plekje in de schaduw zoeken en de rest van de dag dutten, maar nu draaide hij zich zo snel als een kat om en sloeg tegen de zijkant van zijn ren in de hoop dat ik een emmer slobber voor hem naar binnen zou gooien.

Het varkenshok rook zurig. Niet alleen van de mest, maar ook van de rottende zomermodder. Het was het zure van maïskolven die in het slijk liggen te rotten, van zure melk in bedorven slobber. Het was het zurige van rottende kool en oud afwaswater. Het was het zurige van fermenterende plasjes oud water. Er lag een dikke laag zwart slijk in de ren. Het was een vettige mengeling van varkenskeutels en merg, van slib en stinkend schuim. Stengels onkruid en stinkende maïskolven lagen in het slijm te verzuren. Ik gooide elke dag armenvol vers onkruid voor het varken in het kot, en dat lag in de smurrie te weken. Het lillende beslag sijpelde door de kieren naar buiten en schitterde in de zon. De modder was dieper dan het dikste kussen. Grote drollen en kluiten modder werden door de hoeven van het varken vermalen. De vliegen hingen in een zinderende sluier boven het knorrende varken. De lucht rond het kot was een regenboog van stank en bederf, scheten en oprispingen van bedorven adem.

In de modder aan de laagste kant van het kot zocht ik in het voorjaar wormen om mee te vissen. In die zwarte, melige compost vond ik twintig wormen per spade, oranje wormen en paarse met windingen als schroeven. Ik vond larven die panisch opsprongen, als open zenuwen, en lange nachtkruipers die glansden als slangen, wormen met opgezwollen banden en blaarringen, wormen met platte zijkanten. Je kon er binnen een minuut een blik wormen opgraven. De wormen raakten met elkaar in de knoop en bevochtigden zichzelf met schuim, spuugvlokken en slijm.

In de modder en muskus van het varkenskot schoot het hoogste onkruid van de omgeving op. Maïsstengels groeiden uit het zaad in de mest. Soms groeiden er zelfs tomaten en pompoenen, maar het was toch vooral gewoon onkruid dat er groeide, alsem en berenklauw, weegbree en ijzerkruid. De karmozijnbes met zijn paarse stengels die tegen het eind van de zomer wel twee- tot drieëneenhalve meter hoog konden worden, stak overal bovenuit, maar karmozijnbes hield niet van vruchtbare grond. Het gedijde langs de randen van de overloop uit het varkenskot, in de rode klei en de uitgeloogde aarde van het oude aardbeienbed.

Ik zwaaide met de zeis langs het pad en maaide stengels kafferkoren die als tarwe vielen. Als je grassoorten laat rijpen tot ze zaad vormen, zullen ze altijd gezamenlijke wortels krijgen. Ik haalde de zeis vlak over de grond en maaide alles tot op zo'n vijf centimeter. De stengels en bladeren vielen waar ze waren gegroeid. Dit is de manier om de aarde op orde te brengen, dacht ik. Het blad maaide suizend door de dikke stengels.

Onkruid groeit op stengels, als torentjes. De planten hebben buisjes en draadjes en schachten in hun ruggengraat. Ze hebben slangetjes en aderen vanbinnen, van boven naar beneden, die het sap van de wortels naar de bladpunten pompen. Ik zwaaide met mijn zeis alsof ik een grote, kromme peddel door het water haalde. Al maaiend kwam ik in een bepaald ritme, maar 's ochtends duurde het even voordat ik het vond. Soms vond ik mijn ritme helemaal niet en dan bleef ik maar versnellen en vertragen, langere en kortere slagen maken.

Alsem heeft zijtakken die als plankjes uit de stengel groeien, geschraagd door armen. Ze bleven stevig door het sap vanbinnen tot de stengels houtig werden. Onkruid groeit en zwelt in de hete zon, maar in de loop van de dag verwelkt het een beetje en worden de punten slap. Bladeren die in de ochtenddauw nog zo knisperig zijn als nieuwe bankbiljetten, worden langzaam rubberachtig, beginnen aan de randen op te krullen en trekken samen als gemorste, ingedroogde inkt.

De grote stengels staken hun armen naar me uit alsof ze zich tegen me wilden verzetten. Ze stonden dichter op elkaar dan soldaten en hun bladeren overlapten elkaar als schilden. De armen wuifden me weg, maar ik rukte met een stap en een haal tegelijk op en de stengels vielen achterover alsof ze van achteren naar beneden werden getrokken. Dit is de manier om van onkruid veevoer te maken, dacht ik.

Ik dacht er niet aan hoe blut ik was, en ik dacht er niet aan wat ik in de herfst moest beginnen. Ik dacht er niet aan hoe belachelijk ik mezelf had gemaakt toen ik probeerde te preken. Ik dacht er niet aan hoe idioot ik overkwam en dat al mijn plannen in het water waren gevallen. Ik dacht er niet aan dat Annie me soms negeerde en met andere jongens flirtte en me zo kwaad maakte dat ik er krankzinnig van werd.

Ik rook mijn eigen zweet al en de geuren die uit het gemaaide onkruid oprezen. De bloedende stengels roken naar parfums en specerijen. De dampen die van de natte bladeren sloegen, roken alsof iemand vernis of verfverdunner had gemorst. De aroma's die uit de gevelde berenklauwen en brandnetels opstegen, brachten me in een roes. Het was een allegaartje van chemische luchtjes, olie, sap en nectar. Ik werd er bijna duizelig van. De lucht vulde zich met doorzichtige rook en kruidenmist. Er hingen wel tien verschillende dampen in de lucht.

Behalve die geuren waren er ook nog de sprinkhanen en kevers die opsprongen waar ik maaide. Stof, stukjes distel, zaadjes en gescheurde bladeren vlogen op waar de stengels weken en vielen. De lucht hing vol motten die onder de bladeren hadden geslapen, witte en lavendelblauwe vlindertjes die werden opgeschrikt door het maaien. Spinnenwebben tussen de stengels werden kapot getrokken en de spinnen sprongen voor me weg of kropen over de grond tussen de gevallen stengels. Op de grond onder het onkruid krioelde het van de spinnen, grote en kleine, zwarte en gele, tuinspinnen en harige spinnen. Sommige spinnen waren net zwarte parels, andere leken op bootjes die op hun roeispanen liepen.

Vlooien en bladmijten maakten zich los van de bewegende bladeren en kolkten als stof omhoog. Als je goed keek, leek elke stengel bezaaid te zijn met witte en gele bladluis. Ik zwaaide de zeis laag boven de grond en maaide in halve cirkels. Ik wilde dat de grond eruit kwam te zien alsof hij met een scheermes was gemaaid.

De handvatten werden bijna uit mijn handen gerukt en het blad rinkelde als een zwaard. Ik had een steen zo groot als een grapefruit geraakt en zag de witte inkeping die het blad in de verweerde bovenlaag had gemaakt. De steen zat vol groene onkruidvlekken. Ik had hem al vaker geraakt. Ik bukte me, pakte hem op en smeet hem tegen de zijkant van het varkenskot. Het varken snoof en rende van de ene kant van het hok naar de andere.

Ik laat me niet tegenhouden, zei ik tegen mezelf. Ik laat me er niet van weerhouden iets verhevens te bouwen. Ik laat me er niet van weerhouden de Heer op mijn eigen wijze te dienen. Waar geen weg is, zal ik een weg maken. Ik laat me niet in Green River opsluiten. Een leven zonder missie heeft geen zin. Ik was doordrenkt van het zweet en bezield door mijn eigen arbeid.

Ik hief het blad en inspecteerde de rand in het zonlicht. Het metaal was groen gevlekt en er plakten bladeren en stukjes stengel aan het vochtige staal. Het geflonker was bedekt met plantensap. Er zat een braam langs de rand waar de steen een hap uit de scherpte had genomen. Ik pakte de wetsteen en begon de zeis van voren af aan te wetten. De braam kreeg ik er niet uit, maar ik kon hem rondom scherp maken. De steen had een volmaakt blad beschadigd. Nog een paar braampjes erbij en het hele blad was onbruikbaar. De steen had me in de weg gestaan zoals Moody me in de weg stond en zoals mijn eigen dwaasheid me in de weg stond. Mijn gebrek aan geld stond me in de weg als ik Green River wilde ontvluchten. Ik scherpte het blad alsof ik het staal wilde afstraffen. Het voelde zacht en stevig onder de korrelige steen. Ik schaafde de randen tot het snijblad fonkelde. Ik scherpte de braam tot hij zo dun was als een scheermesje.

Mijn razernij maakte de zon feller en tekende het onkruid scherper af. Ik zag elke afzonderlijke stengel; elk blaadje en steeltje was omlijnd. Ik zag elke vlieg in de zwerm boven het varkenskot en alle zilverige nerven van de verweerde planken. Ik zag de krijtwitte vlinders fluisterzacht vliegen en de sprinkhanen die klikten en als reusachtige vlooien van plant naar plant sprongen. Mijn woede liet de lucht stralen, en ik voelde de hitte uit het onkruid en de vochtige grond opstijgen. De geuren en dampen van de grond walmden in mijn gezicht. Het gesmolten goud dat door de aderen van de planten stroomde, schroeide op mijn huid.

Het hoge onkruid was net als al het andere dat me in de weg stond.

Ik viel erop aan, steeds harder en sneller zwaaiend. Ik wilde het onkruid langs de hele oever uitroeien. Ik wilde het hele veld bedwingen. Het onkruid richtte zich naar me op, leek me uit te dagen en bood verzet. Het overstroomde zichzelf in eigen weelderigheid. Het kwam in steeds hogere golven op me af, het dreigde me te overspoelen en te begraven in een grote vloedgolf die elk pad en elke open plek, elk veld en elke weg dreigde te verdrinken. Het onkruid wierp armen en ranken vol dagbloemen uit die aan struiken en bomen bleven hangen. Doornstruiken harkten naar alles wat langskwam en vingen plukken konijnen- en vossenbont. De braamstruiken spoten op als fonteinen, krioelend van de insecten, wervelden samen rond en golfden over het andere onkruid heen.

Ik zal de boel hier eens tot leven wekken, dacht ik.

Een schuimende massa bloemen, een wieken van bloemblaadjes en stuifmeel, honingdauw en honingbijen, klitten en verstrengelde takken legde knopen in de planten en ving het snijblad in proppen en klonten vezels. Ik zwaaide steeds harder met mijn zeis en sneed stengels als palen en sappige jonge boompjes doormidden. Ik maaide stinkende moerasplanten en wilde bramen en alle jonge doornstruiken die zich aanboden. Ik maaide jonge dennen en rij na rij berenklauwen en moerasspirea. Het onkruid was groter dan ik. Ik maaide in de schaduw van het onkruid. Ik voelde me als een zwaardvechter tegenover een heel leger. Ik hakte en hakte met mijn kling die breder was dan een cavaleriesabel. Ik drong steeds dieper in de linies door.

Opeens sloeg er iets keihard tegen mijn wang. Ik keek om en zag dat het een koekoekswesp was. Er kwam er nog een op me af en ik dook opzij. En toen zag ik het nest dat als een grijs papieren brood tussen twee grote stengels hing. Het papier was gekreukt en leek op een opengereten hersenpan. Ik zwaaide met de zeis en hakte het nest doormidden. En toen hief ik de zeis en liet hem neerkomen op het nest, dat als een papieren meloen werd verbrijzeld. Een derde wesp dreef een naald in mijn voorhoofd. Ik zag dat het nest vol wespen en larven zat, als een peul vol zaden. Ik draaide me om en liep hard weg, het maaiblad achter me aan slepend.

Toen ik omkeek, zwermden de wespen boven hun verwoeste nest. Ze borrelden op in een zwarte wolk, en het varken ging tekeer alsof het gestoken was en beukte tegen het hout van zijn kot. Het nest was moeilijk te zien, want het hing op de rand van de muur van onkruid waar ik was opgehouden met maaien. Ik haastte me naar de schuur naast de maïsbak en schonk een leeg blik vol petroleum uit de fles lampolie. Ik keek of ik lucifers in mijn zak had. De petroleumlucht hing zwaar als reukzout in de lucht. Voorzichtig, hield ik mezelf voor. Langzaam, want je bent overstuur omdat je gestoken bent. Net toen ik de petroleum over het papier van het nest goot, flitste er een wesp langs mijn wang.

Ik ging zo ver mogelijk bij het nest vandaan staan, streek een lucifer aan en gooide, maar zodra de vlam het onkruid raakte, doofde hij. Ik streek nog een lucifer aan en mikte lager. Nu flakkerde de vlam op en begon zich over de stoppels te verspreiden. Het vuur klom sissend naar het hoogste deel van het nest.

De vlammen laaiden hoger op in het nog niet gemaaide onkruid, maar omdat ik tegen de felle zon in keek, kon ik het nauwelijks zien. Rook vulde de zinderende lucht. En toen hoorde ik naast het gonzen en zoemen van de wespen iets knetteren. Eerst dacht ik dat het knappende stengels waren, of knopen van stengels, maar toen knetterde het weer en zag ik een wesp in de vlammen rondcirkelen en vallen. Het knapte en siste alsof er een druppel boter in een gloeiende pan viel. De wespen vlogen sneller rond, panisch bijna. Ze waren zo ziedend dat ze de ravage van hun nest niet wilden verlaten. Ze stortten zich op het vuur en vielen de vlammen aan. En zodra ze het vuur raakten, knapten ze als popcorn. *Spat!* En *sss!* Ik vond het jammer dat ik niet nog een blik olie had om ze allemaal in brand te steken.

Maar dat had ik nog niet gedacht of ik schaamde me er al voor. Zo gek maakt woede je, zei ik tegen mezelf. Woede verwoest of laat je verwoesten. Woede laat je bulderen en openbarsten als een wespennest. Woede verandert je in een dwaas.

Toen de petroleum was opgebrand, smeulde het vuur snel uit in het groen.

Ik wendde me af en pakte de zeis en de wetsteen, die zo heet waren geworden in de zon dat ik mijn handen bijna brandde. Het was laat in de ochtend en ik moest nog ongeveer twintig are maaien voor etenstijd. Vanaf het varkenskot groeide het hoge onkruid langs de rand van het maïsveld helemaal tot aan de rivier. Bijna alles leek in bloei te staan en zich uit te strekken om zijn bloesems aan de zon te laten zien. Ik stopte de wetsteen in mijn zak en stapte achteruit, met mijn gezicht naar het varkenskot. Ik maaide achteruit, alsof ik roeide.

Ik leek te zwemmen in het zweet. Het gutste over me heen, kietelend en likkend. Het zweet haalde al het gif en de woede uit me. Het zweet waste me vanbinnen. Zweet was een doop van binnenuit, een aderlating van de woekerende boosheid. Het zweet zuiverde me van mijn wrok jegens alles wat me in de weg stond.

Tegen de tijd dat ik bij het eind van het veld was en ophield om te gaan eten, was ik doorweekt van het zweet. Toen ik naar huis liep, was het alsof ik door zweet werd omzwachteld. Ik was zo nat dat ik zin had om te zwemmen, maar ik wist dat het een slecht idee was om in de rivier te duiken als je zo gloeiend heet was. In plaats daarvan ging ik naar het koelhuis en spatte water over mijn gezicht en armen en in mijn nek. Daar koelde ik iets van af, en ik luisterde naar het water dat in de leiding murmelde alsof het uit de bijbel las.

4

Ginny

Moody was een jaar of zestien toen ik erachter kwam dat hij in de drankhandel zat. Tom had nooit iets van sterkedrank willen weten, en papa had alleen af en toe een borrel genomen als hij zich niet lekker voelde. Ik hield zelf wel van een slokje voor de zenuwen, maar ik had nooit gedronken waar de kinderen bij waren.

Moody ging 's middags naar de winkel van UG in plaats van thuis te werken, en hij kwam steeds later terug. Soms kwam hij pas thuis als wij al in bed lagen. En 's ochtends zag hij er uitgeput uit, alsof hij de hele nacht had gewerkt in plaats van geslapen.

'Moody, wat doe je toch de hele nacht?' vroeg ik hem.

'Op wasberen jagen met Wheeler,' antwoordde hij.

Het was waar dat hij destijds op maanverlichte nachten met zijn vrienden Drayton en Wheeler op wasberenjacht ging. Wheeler had een paar oude jachthonden die de halve nacht door de bergen zwierven terwijl de jongens bij het vuur zaten te luisteren. En soms roosterden ze een kip die ze uit iemands ren hadden gestolen.

'Je kunt niet elke nacht op wasberen jagen,' zei ik. Moody zag er zo afgepeigerd uit en was zo humeurig dat ik bang was dat hij een ziekte onder de leden had. Hij was altijd al mager, maar hij was nog een paar pond afgevallen.

'Er is niks mis met jagen,' zei hij.

'Hoe kun je Muir op het land helpen als je altijd moe bent?' zei ik.

De afgelopen maanden was Moody steeds minder gaan doen en Muir steeds meer. Muir haalde het veevoer en hakte hout en maakte stroop om bij de katoenfabriek te verkopen. Muir en ik molken de koeien en kookten de sorghum en daarom liet ik Muir, die pas dertien was, de helft van het geld houden dat hij verdiende met het verkopen van stroop. Dat kon Moody niet zetten.

'Waarom krijg ik geen stroopgeld?' vroeg hij verongelijkt.

Toen ik weer naar het rookhuis ging, waar we de stroop bewaarden, zag ik dat er een kan van de plank was gevallen en gebroken. De stroop liep in een glanzend bruine tong over de grond. Ik dacht niet dat die kan zelf van de plank was gesprongen, maar ik zei er niets van.

De volgende keer dat UG langskwam om een zak ongebuild meel voor het varken te bezorgen, zei ik: 'Moody doet tegenwoordig meer werk voor jou dan voor mij.' Ik probeerde het als een grapje te laten klinken.

'Hij werkt niet voor me,' zei UG. Dat wist ik wel; ik wilde hem gewoon aan de praat krijgen over Moody.

'Wist ik maar waar hij 's nachts uithing,' zei ik. 'Hij is pas zestien.'

'Wist ik het maar niet,' zei UG. UG was een jaar of zeven ouder dan Moody en hij was altijd als een zoon voor me geweest. Hij had de bouw van een pony; compact en sterk. Hij droeg een bril met een zilveren montuur dat schitterde in de zon.

'Hoe bedoel je?' vroeg ik.

'Ik wil geen klikspaan zijn,' zei UG.

'Ik ben zijn moeder,' zei ik. 'Ik heb het recht te weten wat er met mijn zoon aan de hand is.'

UG sloeg zijn ogen neer en schudde zijn hoofd. Hij liet de neus van zijn schoen door het zand slepen alsof hij een lijn trok. 'Het gaat me niks aan,' zei hij.

'Wat voor streken haalt Moody uit?' zei ik. Mijn maag voelde zo zuur dat ik dacht dat ik moest overgeven.

'Ik denk dat hij voor Peg Early werkt,' zei UG.

'Wat doet hij dan voor Peg Early?' vroeg ik, maar in mijn hart wist ik het al. Peg Early was de grootste dranksmokkelaar van Chestnut Springs. Haar man had jaren in de drankhandel gezeten, en na zijn dood had Peg het van hem overgenomen en de zaak nog groter gemaakt. Er gingen allerlei geruchten over Peg Early, dat ze de politie afkocht, en de belasting, dat ze huizen van lichte zeden had in Chestnut Springs, hanengevechten organiseerde en goktenten bestierde. Het gerucht ging dat iedereen die haar de voet dwars zette, verdween. De rillingen liepen me over de rug. Wat ze ook zeiden, was dat Peg Early regelmatig naar de kerk ging en veel geld aan de doopsgezinde gemeente van North Folk gaf.

'Wat heeft Peg Early nou aan een jongen als Moody?' zei ik.

UG zei dat Peg jongens gebruikte om 's nachts drank over de

staatsgrens te smokkelen. Ze betaalde twee dollar per vijf vaten van vijfentwintig liter die ze van Possum Holler door de bergen naar North Carolina brachten. Ze hoefden de drank alleen maar voor zonsondergang in het struikgewas achter te laten en dan wachtte Peg daar in haar open auto om hen te betalen. Ik vroeg waarom ze de drank niet met een vrachtauto de berg op reed.

'Waarom zou ze het risico nemen?' zei UG. 'Ze is op alle fronten ingedekt. Er werken wel vijfentwintig mensen voor haar.'

Ik schrok er zo van, dat ik die nacht niet kon slapen. Ik was mijn man verloren, en mijn pa, en mijn oudste dochter Jewel was in 1918 aan de Spaanse griep bezweken, en nu werkte mijn oudste zoon zich in de nesten, en diep ook. Mijn familie had zich altijd aan de wet gehouden. Het voelde of er iets in mijn ingewanden was losgeraakt. Ik moest er iets op verzinnen. Als ik Moody voor de voeten gooide wat UG had gezegd, zou hij alles gewoon ontkennen. Zo was hij. Moody zou nooit opbiechten wat hij uitspookte. Ik moest het dus anders aanpakken.

'Ik wil dat je vanavond thuisblijft,' zei ik de volgende dag tegen Moody.

'Ik ben geen kind meer,' zei Moody.

'Je hebt meer slaap nodig,' zei ik. 'Als je zo doorgaat, word je nog ziek.'

'Wil je dat ik op mijn knieën ga zitten en mijn gebedjes opzeg?' zei Moody, en hij lachte me uit.

'Je houdt je eigen groei tegen,' zei ik. Moody was zo schriel als een musje. Hij kwam nooit aan.

Die avond ging Moody gewoon weg. Hij trok zich niets van me aan. Hij was te oud om met de zweep te krijgen en ik was bang dat hij te groot en woest was om zich in bedwang te laten houden. Wat moet een moeder beginnen met een grote zoon die niet naar haar luistert? Mijn pa had nooit zulke problemen met zijn zoons gehad.

De dingen die ik vroeger deed, leken nu niets meer uit te halen. Alles wat ik over kinderen opvoeden had geleerd, was nu zinloos. Het was mijn plicht voor Moody te zorgen en hem voor problemen te behoeden, maar wat ik ook zei of deed, het leek het alleen maar erger te maken.

Op een ochtend zag ik toen Moody opstond dat hij een blauw oog en een snee in zijn wang had. Hij liep krom van vermoeidheid. Hij wilde me niet in de ogen kijken. 'Wat zie je eruit,' zei ik.

'Tegen een boom gelopen,' zei Moody.

'Je hebt gevochten,' zei Muir.

'Hou je bek,' zei Moody, en hij duwde Muir tegen de keukenmuur.

'Ophouden,' zei ik. 'Laat ik er wat kamfer op smeren,' zei ik tegen Moody.

Maar Moody wilde niet dat ik zijn blauwe oog en de snee aanraakte. Hij rukte zich los en glipte door de achterdeur naar buiten.

Kort daarna kwam Moody een nacht helemaal niet thuis. Hij kwam niet ontbijten, en toen ik Muir vroeg waar Moody was, zei Muir dat hij hem niet had gezien. Ik kan de rauwe pijn die toen door me heen sneed nog steeds voelen. Ik kon die dag niet werken en ik wist niet waar ik Moody moest zoeken. Ik pakte mijn hoed van de spijker naast de deur. 'Ik ga naar de winkel,' zei ik.

'Mag ik mee?' vroeg Fay. Fay leek meer op Moody dan wie ook in de familie.

'Jij blijft thuis,' zei ik.

Ik zag er altijd een beetje tegenop om in mijn eentje naar de winkel van UG te gaan. Misschien kwam het doordat Hicks Summey en Charlie en Blaine en anderen altijd in de winkel zaten te dammen. Het was een mannenwinkel. Ik had altijd het gevoel dat ze me aangaapten als ik er naar binnen ging. Andere vrouwen konden grapjes met de mannen maken en gewoon hun gangetje gaan, maar ik niet. Florrie praatte zo gemakkelijk met die mannen bij de kachel alsof ze in haar eigen keuken zaten.

Toen ik de winkel binnenkwam, was UG ginseng aan het wegen voor die oude Broadus Carter. Het was een zonnige dag in oktober, maar binnen was het donker, en het rook er naar koffie en het leer van de paardentuigen die UG verkocht. UG legde de ginsengwortels, die eruitzagen als de geslachtsdelen van een man, op de schaal van de balans en verschoof het gewicht langs de getallen op de arm. Hij schoof het gewicht een stukje naar links en weer iets naar rechts. 'Ik kan je maar negen dollar geven,' zei hij tegen Broadus.

'Maar dat is puike ginseng,' zei Broadus. 'Dat weet je zelf ook.'

'Het is gekweekt,' zei UG.

'Ik heb het zelf achter Pinnacle opgegraven,' zei Broadus.

'Nee, het is gekweekt,' zei UG, en hij hield een rimpelige, verschrompelde wortel op.

'Misschien zit er ook wat gekweekte ginseng tussen,' gaf Broadus toe.

UG legde een briefje van vijf en vier dollar in Broadus' hand.

'Ik ben op zoek naar Moody,' zei ik zodra Broadus weg was.

UG keek van Hicks Summey naar mij. 'Hij is hier gisteravond geweest,' zei Hicks. Hicks hing altijd in de winkel rond, en zo te zien had hij gedronken.

'Hij is vannacht niet thuisgekomen,' zei ik. Ik voelde me koud tot op het merg, hoewel het toch een zachte herfstdag was. Ik rilde en mijn stem beefde.

UG zei dat Moody voor het donker met Wheeler en Drayton was weggegaan.

'Waar ging hij naartoe?' vroeg ik.

UG keek naar de ginseng die hij net had gekocht en naar de mannen bij de kachel. Het was tien uur 's ochtends en ik wist dat hij veel te doen had. UG was een van de hardst werkende mannen die ik kende. Hij werkte zo hard als mijn man Tom vroeger.

'Ik ben doodongerust,' zei ik.

UG haalde een sleutel uit zijn zak en maakte een trommel open. De trommel had vakjes en schotjes en hij legde de ginseng van Broadus in een vakje. 'Misschien weet ik wel waar hij zit,' zei hij.

UG vroeg aan Hicks, Charlie en Blaine of ze weg wilden gaan en sloot de winkel. Ik wist dat het pijnlijk voor hem was, gezien zijn toewijding aan zijn zaak. Ik vond het ook pijnlijk om hem om hulp te vragen, maar ik had geen keus.

We stapten in UG's pick-up en reden over de snelweg naar het zuiden. We staken de rivier over en reden over de vlakte van Lewis. Bij de staatsgrens liep de weg steil naar beneden af naar het sombere Possum Holler en de misselijkmakende bochten van de Winding Stairs. Ik rilde van afgrijzen bij de gedachte aan Dark Corner en Chestnut Springs. Sinds pa me naar de Indiaanse dokter daar had gebracht, op mijn zeventiende, beschouwde ik het als een plek waar angstaanjagende dingen gebeurden.

De diepe dalen van Dark Corner zaten vol clandestiene stokerijen en plekken waar voortvluchtigen zich konden verbergen. De kroegen en herbergen langs de weg in Chestnut Springs zaten vol gokkers en slechte vrouwen. Er werden om de haverklap mensen vermoord in Dark Corner; als ze niet werden doodgestoken, werden ze wel vanuit een hinderlaag op een pad doodgeschoten. Er werd beweerd dat de politie alleen overdag in Chestnut Springs durfde te komen. De sheriff van Greenville hield zich afzijdig van wat daar gebeurde. Ik neem aan dat alle hulpsheriffs geld van Peg Early kregen.

Het was een zonnige dag, maar toch had ik het gevoel dat we in de diepte van een soort hel afdaalden. Het donker in de dalen had iets boosaardigs. Je kreeg het gevoel dat je bespioneerd werd. In de rotsen van Corbin Mountain daarboven zag ik lelijke gezichten, als van waterspuwers. De bomen leken kromgegroeid en misvormd. De rode klei in de greppels zag er giftig en bijtend uit.

'Gaan we naar Peg Early?' vroeg ik. Ik klappertandde, zo nerveus was ik.

'We moeten wel,' zei UG.

Peg Early's huis was het grootste van Chestnut Springs. Het stond hoog boven de snelweg en het had beneden een lange veranda en boven een galerij. Het was blauw geschilderd. Water uit een bergbron stroomde door een leiding in een ton op het erf. Ik had gehoord dat mensen die gewond waren geraakt bij een messengevecht in die ton werden gewassen.

Ik keek naar het valleitje aan de andere kant van de weg. Zonder al die huizen en herbergen langs de snelweg zou het een vredig oord zijn. Er groeiden esdoorns langs de kreek en een grazige weide strekte zich uit tot aan het bos. Zonder mensen was het er lieflijk geweest.

Peg Early's huis had een herberg op de begane grond. Bij de deur stond een motorfiets met paarse zadeltassen en guirlandes aan de handvatten. Hij stond scheef en leek elk moment te kunnen omvallen. Binnen hoorde ik muziek, maar ik kon niet zeggen of het een grammofoonplaat was of iemand die banjo speelde.

'Wacht hier,' zei UG. 'Ik ga binnen naar Moody vragen.'

Toen UG de herberg in was gelopen, keek ik omhoog naar de galerij op de bovenverdieping. Een meisje in een zijdeachtige ochtendjas leunde rokend over de balustrade. Ze leek niet ouder dan vijftien en haar ochtendjas hing open, zodat je haar boezem kon zien. Ze had warrige krullen, alsof ze net uit bed kwam. Ik knikte en zei hallo, maar ze tikte alleen de as van haar sigaret, die naast de pick-up op de grond viel.

Een vrachtauto die op de snelweg voorbijreed liet de geur van diesel en uitlaatgassen in zijn kielzog na. Ik hoorde een vrouw lachen, maar wist niet of het van boven of beneden kwam. Ik keek naar de andere huizen langs de weg in de hoop Moody te zien. Ik vroeg me af of Wheeler en Drayton met hem mee waren gegaan hiernaartoe.

Ik wachtte een paar minuten, maar het leken uren. Ik zat maar te draaien op mijn stoel in de cabine. Ik was Moody's moeder en het was mijn plicht hem te zoeken. Als hij moeilijkheden had, was het mijn schuld. Ik ging weer verzitten en keek naar de weg. Twee mannen hielpen een derde in een auto. Ik kon niet zien of hij ziek, dronken of gewond was.

Ik hoopte maar dat UG gauw terug zou komen om me te vertellen wat er was gebeurd. Ik wreef in mijn handen en omklemde de randen van de stoel. Ik keek naar de esdoorns langs de kreek aan de overkant en ik keek naar het stroompje water dat uit de leiding in de ton tinkelde en het oppervlak liet beven. Een wesp gonsde achter het raam van de vrachtauto.

'Waar is Moody?' zei ik knarsetandend. 'Waar is die jongen, mijn probleemkind?' Ik probeerde door de deur van de herberg te kijken, maar het was donker daarachter. De felle zon maakte het onmogelijk iets daarbinnen te zien.

Ik wiebelde op mijn stoel en toen kon ik niet langer wachten. Ik moest naar binnen, uitzoeken waar Moody zat. Ik maakte het portier open en sprong uit de cabine. Ik balde mijn vuisten en nam me voor dit tot op de bodem uit te zoeken. Ik was te ver gegaan om er nu nog van af te zien.

Toen ik over de drempel het donker in stapte, zag ik geen hand voor ogen. Het rook naar zaagsel, paprika en de weeë, fruitige dampen van sterkedrank.

'Dag dame,' zei een man.

In de schemering ontwaarde ik een man achter een met zeil beklede bar. Er stonden tafels in de zaal en achterin was een biljart.

'Ik zoek Moody Powell,' zei ik.

'Ik ken geen Moody,' zei de man achter de bar. Hij droeg net zo'n voorschoot als UG in de winkel.

'Waar is UG?' vroeg ik.

Er zaten hier en daar wat mannen aan de tafels, maar ik kon hen nauwelijks zien in het donker. In de kamer achter de bar praatte iemand.

'UG!' riep ik.

UG kwam door een deur aan het eind van de bar en ik rende op hem af. 'Waar is Moody?' vroeg ik.

UG schudde zijn hoofd en toen dook er een vrouw in de deuropening achter hem op. Ik zag haar eerst niet zo scherp. Ik weet niet hoe ik me Peg Early had voorgesteld, maar ik zal wel hebben gedacht dat het een forse vrouw was in mannenkleren en met een mannenhoed op. Toen ze dichterbij kwam, zag ik dat ze een glimmende broek droeg en zo slank was als een den. Ze had kort, grijs haar, droeg een pistool aan een riem om haar middel en hield een sigaret tussen haar vingers.

'Lieverd, ik zou je dolgraag willen helpen,' zei ze. 'Moody is hier gisteravond wel geweest, maar hij is weggegaan.'

'Hoe laat?' vroeg ik.

Een paar mannen aan de tafel achter me waren opgestaan. Ik had het gevoel dat iedereen naar me keek.

'Snoes, Moody had iets te veel gedronken en toen trok hij zijn mes. Ik moest hem verzoeken weg te gaan,' zei Peg. Ze blies rook uit haar mondhoek. Haar gezicht was zo gerimpeld als een oude maïskolf en ze had rood gestifte lippen.

'Is hij gewond?' vroeg ik. 'Ik ben zijn moeder.'

'Niet hier,' zei Peg. Haar glimlach kon ook spottend bedoeld zijn.

'Hoe laat is Moody weggegaan?' vroeg UG.

'Hoe moet ik dat weten?' zei Peg. 'Het was een drukke avond.' Ze nam een trek van haar sigaret. 'Ik wil graag helpen, maar ik kan niet van elke Jan, Piet of Klaas bijhouden wanneer hij hier is geweest.'

De man achter de bar zei: 'Wilt u iets drinken?' Uit zijn toon bleek dat het tijd was dat we vertrokken.

Zo te ruiken werd er in een van de achterkamers kip gebraden, kip met een soort paprikasaus, en de geur maakte me bijna misselijk. UG pakte mijn arm en we liepen naar de deur, maar ik wilde pas weg als ik iets over mijn zoon aan de weet was gekomen.

'Kom nog eens terug,' zei Peg. Haar stem was zo schor als een grauw.

Ik begreep wel dat zij me niets zou vertellen. Wat er ook met Moody aan de hand was, van haar zouden we het niet te horen krijgen. Ik liet me door UG het zonlicht in leiden. Ik voelde me gebleekt en uitgewrongen, alsof ik een week niet had geslapen. Traag en verdrietig klom ik weer in de vrachtwagen.

UG startte en net toen hij achteruit de snelweg op wilde draaien, keek ik naar de bovengalerij op en zag een meisje naar ons gebaren. Het was niet het meisje dat ik eerder had gezien. Dit meisje had kort, zwart haar en droeg een roze blouse. Ze zwaaide snel en wees toen naar de snelweg.

'Wat wil ze?' zei ik.

UG maakte zijn portier open en wilde iets zeggen, maar het meisje schudde haar hoofd en hield haar vinger bij haar lippen. Ze schudde haar hoofd alsof ze bang was en wees toen weer naar de snelweg.

'Wat bedoelt ze toch?' zei UG.

Ik keek naar haar wijzende vinger, maar kon alleen bedenken dat ze wilde dat we de snelweg volgden. Wilde ze gewoon dat we weggingen? Ze wees naar de weg en toen naar zichzelf.

'Ze wil ons een eind verderop langs de weg spreken,' zei ik.
UG schakelde en keerde. Het meisje op de galerij was verdwenen.
'Waar dan?' vroeg UG.
'Ergens waar we niet gezien kunnen worden,' zei ik.
Twee mannen keken ons vanuit de deuropening van de herberg na toen we wegreden. UG reed langzaam, zoekend naar het meisje of anders een plek om te stoppen. Vlak om de hoek was nog een bron, kleiner dan die van Peg Early. Hij ging bijna schuil achter de dollekervel, en UG stopte ernaast. Er liep een pad van de berg naar de bron.
Toen we een minuut in de vrachtauto hadden zitten wachten, zag ik het meisje met de roze blouse vanuit de schaduw van de dollekervel naar ons wenken. We stapten uit en volgden haar naar het struikgewas hoger op de berg. Het meisje had de hele weg vanaf Peg Early's huis gerend en was buiten adem.
'Peg zou me vermoorden als ze het wist,' hijgde ze, 'maar jullie moeten Moody bij de beek halverwege de berg zoeken.'
'Wat is er gebeurd?' vroeg ik.
'Wat voor beek?' vroeg UG.
'Josie en hij zijn betrapt,' zei het meisje gejaagd.
'Wat voor beek bedoel je?' zei UG.
'Wat deden ze dan?' vroeg ik.
'Meer kan ik niet zeggen,' zei het meisje, dat zich omdraaide en het pad af rende. Ik wilde haar naroepen, maar we waren te dicht bij Peg Early's huis en ik wist dat ze toch niet terug zou komen. Ze verdween tussen de bomen.
'Wat voor beek bedoelt ze?' vroeg ik.
UG en ik liepen terug en stapten in. Hij stak het sleuteltje in het contact. Zijn gezicht stond niet-begrijpend en zorgelijk.
'Wie is Josie?' vroeg ik.
UG schudde zijn hoofd en startte. 'De enige beek die ik kan bedenken, is die in Possum Holler,' zei hij.
Ik had mijn hele leven verhalen over Possum Holler gehoord, maar ik was er nooit geweest. We waren erlangs gekomen op weg naar Greenville en de Indiaanse dokter toen ik zeventien was. Het was een diepe, donkere kreek aan de rand van Dark Corner, zoals het ruigste gebied van noordelijk South Carolina wordt genoemd. UG reed de vlakte van Chestnut Springs af en volgde de bochtige weg naar het steilste deel van de berg. Overhangende bomen verstikten de weg met hun schaduw. In de arm van een bocht begon een smalle vrachtweg

die ik niet had zien aankomen. Hij was overwoekerd met takken, struiken en ranken, en toen UG de weg insloeg, schraapten de takken langs de voorruit en zijkanten van de cabine. Ik knipperde telkens met mijn ogen als er takken tegen de ruit vlak voor me sloegen. De vrachtauto hotste en hobbelde zo hard in de voren dat ik mijn hoofd aan het dak stootte. De weg slingerde zich langs de zijkant van de inham.

UG stopte toen hij een meisje op een rotsblok zag zitten. Haar lange blonde haar zat helemaal in de war en er zat bloed op haar jurk. De stof van het bovenlijfje was gescheurd. Haar gezicht was gezwollen van de kneuzingen. Ze zat aan een kabbelende beek, en de grond rondom haar lag bezaaid met flessen en blikken.

Toen we uitstapten en ons naar haar toe haastten, zag ik dat haar gezicht nog erger opgezet was dan ik eerst had gedacht. Haar lip was aan een kant dik en haar ene oog was gezwollen en leek net een blauw paasei.

'Ben jij Josie?' vroeg ik.

'En wat dan nog?' zei ze.

'We zoeken Moody,' zei ik.

'Wie zijn jullie?' vroeg Josie.

'Ik ben zijn moeder,' zei ik, 'en dit is zijn neef.'

'Heb je een sigaret voor me?' zei ze.

UG klopte op zijn zakken en zei toen dat hij alleen zijn pijp bij zich had.

'Dat dacht ik al,' zei het meisje. Ze praatte door haar ongeschonden mondhoek. Ze had schrammen en striemen op haar arm.

'Waar is Moody?' vroeg ik.

'Peg Early heeft ons afgeranseld,' zei het meisje. Haar stem bleef in haar keel steken.

Ik hoorde gekreun en keek langs de berg omhoog. Ik zag een mannenlaars onder een laurierstruik uit steken. Ik klom erheen, en toen ik er was, duwde ik de takken opzij en zag Moody tussen de bladeren liggen, opgepropt tegen een rotsblok.

'Laat me met rust,' zei Moody. Zijn werkhemd was gescheurd en hij bloedde uit zijn zij. Zijn wang was dik en blauw.

'Wat is er gebeurd?' vroeg ik.

'Ga weg,' zei Moody.

UG was me gevolgd en Josie strompelde achter hem aan.

'Peg was erachter gekomen dat Moody de drank versneed,' zei Josie. 'Hij versneed hem hier met water uit de beek. De mensen begonnen te klagen, want Peg lengde de drank zelf ook al aan.'

Moody rolde zich op zijn zij om ons maar niet te hoeven zien. Hij was net een gewonde hond, zoals hij zich tussen de struiken wilde verstoppen.

'Peg kwam erachter dat ik Moody hielp en toen heeft ze ons allebei afgeranseld,' zei het meisje. 'Ze heeft ons door Glover aan een boom laten vastbinden en toen heeft ze ons met een scheerriem geslagen tot Moody zichzelf onder poepte.'

'Ga weg!' jankte Moody, alsof het ondraaglijk voor hem was dat we hem zo zagen. Hij rolde zich weer om en toen zag ik de vlek op het zitvlak van zijn overall, en ik huiverde. Het was een bruin met rode vlek, alsof er bloed doorheen zat.

'Ga toch weg!' schreeuwde Moody. Ik bukte me en legde mijn hand op zijn schouder. Ik wilde hem aan mijn borst drukken.

'Peg heeft Moody en mij in bed betrapt,' zei Josie. 'Moody mocht van mij gratis omdat ik hem leuk vond. En ik hielp hem ook met het sjouwen van de drank.'

Ik wilde het haar van Moody's voorhoofd strijken, maar hij sloeg mijn hand weg. 'Heb je veel pijn?' vroeg ik. Moody lag daar alsof hij zich te diep schaamde om iets te zeggen. En hij deed zijn ogen dicht, alsof hij onze aanblik niet kon verdragen.

'Wie heeft het gedaan?' vroeg UG.

'Peg,' zei Josie. 'Ze heeft ons door die grote Glover laten pakken en vastbinden.' Ze barstte in snikken uit.

Ik had graag een schone doek bij me gehad om het bloed van Moody's gezicht en hals te vegen. Mijn hart brak als ik alleen maar naar hem keek. 'We moeten de politie erbij halen,' zei ik.

'Nee!' schreeuwde Moody, en hij draaide zich op zijn andere zij.

Ik zei tegen hem dat Peg Early wel opgepakt moest worden voor de manier waarop ze twee jonge mensen zó had afgeranseld, dat ze negenhonderd jaar zou moeten zitten.

'Geen smeris in Greenville die Peg Early arresteert,' zei Josie. 'Ze geeft ze geld.'

UG beaamde het. Als Peg ongestraft drank mocht smokkelen, hoeren aan het werk zetten en mensen laten gokken, was het niet waarschijnlijk dat ze aangehouden zou worden voor het afranselen van twee jongelui die ze op diefstal had betrapt.

'Dan ga ik naar de politie in North Carolina,' zei ik.

UG legde uit dat ze daar zouden zeggen dat ze zich niet mochten bemoeien met de rechtsgang in South Carolina. De sheriffs van North en South Carolina bemoeiden zich niet met elkaars district.

'Dan haal ik de federale politie erbij,' zei ik.

'Nee,' zei Moody.

'De federale politie zou Moody arresteren omdat hij drank over de staatsgrens heeft gesmokkeld,' zei UG.

Ik was zo woedend dat ik me omdraaide alsof ik de berg af wilde stampen. Ik stampvoette en balde mijn vuisten, maar toen zag ik in dat kwaad worden alleen maar zelfzuchtig was. Met kwaad worden kon ik Moody niet helpen en Peg Early niet straffen. Wat me nu te doen stond, was voor Moody zorgen. Woede, net nu mijn zoon zo dringend hulp nodig had, was niets dan ijdelheid.

Ik scheurde een reep stof van mijn rok en maakte hem nat in de kreek. Ik vond een lege glazen pot, schepte er water in en bracht hem naar Moody. 'Wat jij nodig hebt, is een dokter,' zei ik.

'Laat me met rust,' zei Moody.

Toen ik zijn gezicht wilde wassen, duwde hij mijn hand weg. Ik zag dat zijn handen gezwollen waren waar ze door een stok waren geraakt of tussen twee planken beklemd hadden gezeten. 'Zo diep heeft de duivel je laten zinken,' zei ik.

Ik zei tegen UG dat we Moody in de vrachtauto moesten leggen en hem naar huis brengen.

'Ik wil niet naar huis,' zei Moody.

'Je kunt hier niet als voer voor de beren en panters in het bos blijven liggen,' zei ik.

Ik zag dat Josie aan de andere kant van de kreek was gaan staan. Ik was haar helemaal vergeten, terwijl zij toch ook zwaargewond was. Ik vroeg of ze wilde dat ik haar gezicht en kapotte armen waste. Ze schudde haar hoofd en veegde het snot van haar bovenlip. Ik had nog nooit zo'n beklagenswaardig wezentje gezien. Haar jurk was bijna van haar lijf gescheurd.

'Zullen we je een lift naar huis geven?' zei ik.

'Nee,' zei ze, en ze schudde haar hoofd.

'Je moet toch ergens heen?' zei ik.

Als ze nergens anders heen kon, nam ik haar mee naar huis.

'Ik ga maar terug naar Peg, denk ik,' zei Josie.

'Dat kun je niet doen,' zei ik. Ik kon niet geloven dat ze het meende.

'Ik kan maar beter teruggaan,' zei ze.

'Je mag met ons mee naar huis,' zei ik nog, maar ze begon naar de bomen te lopen. Haar blonde haar klitte en piekte alle kanten op. Onder het lopen probeerde ze het te fatsoeneren. Ze baande zich hinkend en strompelend een weg door de bladeren en het kreupelhout de berg af.

'Hou haar tegen,' zei ik tegen UG. Ik wilde zelf achter haar aan rennen, maar hij legde een hand op mijn schouder.

'Ze weet niet wat ze anders moet doen,' zei UG.

'Je hoeft niet terug!' schreeuwde ik, maar Josie liep door tot ze achter de laurierstruiken verdween.

Moody probeerde ons van zich af te duwen, maar ik pakte hem onder zijn ene oksel en UG onder de andere en zo tilden we hem op. Hij kreunde en huilde tegen wil en dank, en hij was zo stram en beurs dat hij alleen voetje voor voetje vooruit kon komen.

'Steun maar op ons,' zei ik. Hij zette schokkerige pasjes. Het viel niet mee om langs de berg naar beneden te lopen. Ik verwachtte dat we elk moment met ons drieën zouden vallen. UG en ik moesten zijdelings lopen om Moody op de steile helling overeind te houden.

'Als je straks thuis bent, knap je wel op,' zei ik.

'Wil niet naar huis,' zei Moody.

Zijn werkhemd zag eruit alsof het door een zaag aan stukken was gescheurd. Hijzelf zag eruit alsof hij van top tot teen was gescheurd.

5

Muir

Ik kon maar niet begrijpen waarom mama en ik elkaar zo op de zenuwen konden werken. Sommige mensen zeiden dat het kwam doordat we zoveel op elkaar leken. Ik was haar zoon en ik was in haar huis opgegroeid en ze was de enige moeder die ik ooit had gehad. Maar mijn broer Moody was in hetzelfde huis opgegroeid en wij waren zo verschillend van elkaar als dag en nacht. Andere mensen zeiden dat het probleem tussen mama en mij was dat we zo verschillend waren. Mam hield van samenkomsten en samen zingen en gezelschap, terwijl ik liever in mijn eentje in de boomgaard werkte of met mijn geweer langs mijn klemmen in het bos liep.

'Pelsjagers zijn net zulke nietsnutten als fiedelaars,' zei mijn tante Florrie graag, maar zij zei het voor de grap, terwijl andere mensen het zeiden om me te kwetsen.

Ik vond het prettig om vroeg op te staan en het huis uit te zijn voordat Moody, Fay en mama opstonden. Het was een fijn gevoel om al op te zijn als het nog stil was in huis. Ik kon koffie en grutjes voor mezelf maken terwijl het nog donker was buiten. Het was zo fijn om de anderen niet te zien dat ik die grutjes en koffie soms oversloeg om maar zo snel mogelijk mijn dikke wollen jas en geweer te kunnen pakken en het donker in te glippen. Ik kon dan halverwege de kop van de rivier zijn voordat de dageraad de lucht in een gebrandschilderd raam veranderde.

Dat wilde ik die dag in januari ook doen, het jaar nadat ik had gepreekt. Ik wist dat er bont in al mijn klemmen zou zitten, overal in de Flat Woods, verderop bij Grassy Creek en voorbij de Sal Raeburn Gap. Het regende al bijna een week en al die tijd had ik niet naar mijn klemmen omgekeken. Moody en ik hadden het dak van de stal gerepareerd en ik had een stapel hout gekloofd voor op de veranda. Nu regende het niet meer en stond er een gure wind. Ik wist dat er langs mijn hele route nertsen, muskusratten en misschien zelfs vossen en wasberen in mijn strikken zouden zitten. Bont was de enige echte gouden schat van de bergen, en ik geloofde dat er een rugzak vol op me wachtte.

Ik had jaren oefening in het aankleden in het donker. Ik deed mijn best om Moody, die op de andere helft van het tweepersoonsbed lag te snurken, niet wakker te maken. Ik vond Moody het aardigst wanneer hij sliep. Ik trok mijn werkhemd en overall langzaam aan. Als je je haast in het donker, verlies je je evenwicht en stoot je ergens tegenaan. Het geheim is kalm aan doen en goed onthouden waar alles ligt. Ik vond mijn laarzen en een paar sokken en liep op mijn tenen over de koude vloer de slaapkamer uit.

Zodra ik de gang inkwam, zag ik licht in de keuken. Er was iemand op, want ik rook koffie. Ik liep op mijn tenen door de gang en zag mama aan de keukentafel de bijbel zitten lezen. Als ze niet kon slapen, stond ze graag vroeg op en dan nipte ze koffie terwijl ze De Openbaring of De Handelingen las.

'Morgen,' zei ik, alsof ik het heel gewoon vond dat ze daar zat.

'Morgen,' zei ze zonder op te kijken. Ik kende niemand die zo dol op lezen was als mama, en ze vond het vervelend om gestoord te worden. Ik ging aan tafel zitten en begon de veters van mijn laarzen te strikken. Het waren nog bijna nieuwe laarzen die ik met een deel van mijn stroopgeld bij de W.C. Russell Moccasin Company in Berlin in Wisconsin had besteld. Mama had het niet goedgekeurd dat ik zulke dure laarzen kocht.

Ze keek op van de bijbel. Ik zag de kraaienpootje om haar ogen en de rimpels rond haar mond. 'Wij oudjes kunnen amper schoenen betalen,' zei ze, 'maar de jongelui steken zich tot aan de knieën in het leer.' Zulke dingen zei ze graag. Pap had ze ook gezegd. Na paps dood had mam geleerd zuinig te doen. De mensen zeiden dat ze dat van hem had afgekeken. Ik wilde zeggen dat ik laarzen moest hebben om door de doornen en struiken te lopen, maar ik deed het niet. Ik wilde niet kibbelen, zo 's ochtends vroeg. Ik wilde alleen maar naar buiten, naar mijn strikken.

'Je doet me aan je vader denken,' zei mama, die weer van haar bijbel opkeek. 'Hij zou nog liever sterven dan iemand om hulp vragen. Hij was zo koppig als een ouwe muilezel.'

'Hij werkte harder dan ik,' zei ik. We hadden dit gesprek al heel vaak gevoerd.

'Maar hij deed het werk dat hij wilde doen, en hij liet zich door niemand iets aanpraten,' zei mama. 'Je hoefde het niet eens te proberen.'

'Ik herinner me hem amper,' zei ik, wat niet echt waar was, want ik was al zeven toen pap doodging en ik herinnerde me hem nog vrij goed. Maar hoe minder ik me herinnerde, hoe meer mama vertelde.

'Hij werd ziek na het brand blussen,' zei mama, 'maar hij deed alles zoals hij bluste. Hij verspilde geen tijd aan jagen en klemmen zetten.' Mama keek naar de bijbel alsof ze dingen van vroeger voor zich zag. Soms viel ze stil als ze over paps dood praatte en leek ze zichzelf niet meer.

'Zal ik grutjes voor je maken?' vroeg ze.

Eigenlijk had ik wel zin in een bord warme grutjes, maar als ik nu rustig ging zitten eten, zou mama me gaan vertellen wat er allemaal in en om het huis moest worden gedaan. Ze kon zich niet bedwingen, al zou ze het willen. Hoewel ik bijna al het werk deed en Moody vrijwel niets uitvoerde, kon ze het toch niet goed velen als ik naar de bergen ging, wat voor weer het ook was.

'Ik neem wel een cracker en koffie,' zei ik dus. Zodra ik de veters van mijn laarzen had geregen en gestrikt, pakte ik een beker van de plank en schonk mezelf koffie in. Mama zette 's ochtends sterke koffie. Ik moest een beker of twee drinken voor ik eropuit kon.

'Wie moet er vandaag melken?' vroeg mama. Ze sloeg een bladzij van haar bijbel om en wreef in haar handen alsof ze ze met lucht waste. Haar haar, dat grijs begon te worden, werd met kammen op zijn plaats gehouden. 'Je zult nooit echt iets verdienen met de pelsjacht,' zei mama. 'Je vader vond het zonde van zijn tijd om door het bos te zwerven.'

Ik dronk mijn koffie zo snel dat ik mijn keel bijna brandde.

'De weg boven de bron moet gerepareerd worden,' zei mama. 'Elke keer dat je eroverheen rijdt, wordt het erger.'

'Moody is niet invalide,' zei ik. Ik pakte een cracker, kauwde erop en spoelde hem weg met koffie. De gloeiende koffie deed pijn aan het puntje van mijn tong en brandde een beetje toen ik slikte. Ik moest de frisse lucht in, eropuit.

'Het hek aan de weg moet ook gerepareerd worden,' zei mama. 'Tom zorgde altijd dat het goed sloot en dat het gesmeerd was.'

Kan Moody niets aan het hek doen? wilde ik zeggen, maar het had geen zin om me te verzetten. Mama zou toch alleen maar zeggen dat Moody minder handig was met gereedschap dan ik. Ze zou zeggen dat Moody haar met de T-Ford naar de stad moest brengen, of naar de winkel om eieren af te geven. Tegenstribbelen had geen zin. Niemand kon het van mama winnen.

'Ik bid voor je,' zei mama.

Ik pakte mijn geweer uit de hoek en glipte zo snel ik kon naar buiten. Als mama erover begon dat ze voor me bad, was het hoog tijd om te gaan. Anders zou ik zeggen dat ik ook voor haar zou bidden, en daar zou ik dan spijt van krijgen. Het was beter om kibbelen en bidden gescheiden te houden. Papa en mama hadden ruzie over het geloof gemaakt, en daar schaamde mama zich nu voor. Daar had ze het meeste verdriet van als ze aan pap terugdacht, aan hun geruzie en gekibbel over de revivals waar ze naartoe ging. Wat mij het meeste pijn deed, was de herinnering aan hoe ik mezelf voor schut had gezet toen ik probeerde te preken.

Ik zette mijn voeten op de grond alsof ik er met elke stap een spijker insloeg. Toen ik om het kippenhok heen liep, raakte het uiteinde van mijn geweer het hout en begonnen de kippen binnen te fladderen en te kakelen. Rustig, hield ik mezelf voor, in elk geval tot je van het erf af bent. Je bent al net zo driftig als Moody. Je hebt al je krachten nodig voor de dag die voor je ligt. De kilometerslange wandeling en de steile berghellingen kunnen alle woede opgebruiken die je maar te geven hebt.

Toen ik langs het hek van de wei kwam, zag ik de vallei onder de sterren, het uitgestrekte land beneden dat afliep tot aan de rivier en de sterren zelf, fonkelend licht boven de dennen op de bergtop boven me. De bries was killer daar in de openlucht. Ik huiverde en liep tastend over het pad. Mijn voeten vonden het pad als ik doorliep zonder naar de donkere grond te kijken. Ik haastte me langs het hek naar de oever van de rivier.

In het donker fluisterde en borrelde het water, fonkelend onder het licht van de sterren. Je hoorde het tegen rotsblokken kabbelen en spatten. Ik snoof de moddergeur op, het aroma van doorweekte rottende bladeren. Het pad volgde de rivier bijna een kilometer door de dennen naar de monding van Cabin Creek.

Aan de overkant klom ik langs de zanderige oever omhoog naar het land van mijn neef Willie. Er brandde licht in het huis boven de weg en ik rook verse koffie en gebakken spek. Toen ik dat rook, kreeg ik spijt dat ik geen eten voor onderweg had meegenomen. Door het gekissebis met mama was ik vergeten dat ik in de loop van de dag honger zou krijgen.

Er stonden maïsstengels op Willies land, en ik sloeg ertegen met mijn ellebogen en de loop van mijn geweer. Een konijn huppelde weg door het droge onkruid. Ik liep behoedzaam over de zanderige grond, maar toch liet ik de droge maïsstengels en brandnetels ritselen. Een echte jager maakt geen enkel geluid. Alleen onhandige mensen lopen tegen dingen aan.

Het was een kilometer of acht door de vallei naar de monding van de rivier. In de meeste huizen waar ik langs kwam, brandde licht. Toen ik Willies akker was overgestoken, volgde ik de weg langs de rivier. De hond van de Banes blafte naar me, rende naar de weg en liep achter me aan. Bij de Wards brandde een lantaarn in de stal, dus daar was al iemand aan het melken. Een lantaarn die zijn gele licht op het stro in een stal werpt, doet me altijd denken aan de geboorte van Jezus in een kerstspel.

Hoe verder je de rivier volgde, hoe groter de afstand tussen de huizen werd. De velden en akkers in de vallei werden steeds smaller, en ten slotte was de rivier zelf nog maar een kreekje dat zich tussen steile hellingen vertakte en naar bronnen terugstroomde. Ik volgde de grootste vertakking tot aan de oorsprong en klom daar omhoog naar de waterscheiding. Toen ik halverwege was, had ik het ritme van mijn tred gevonden. Als ik in mijn ritme was, kon ik een hele dag lopen zonder moe te worden. Ik kon lopen zonder erbij na te denken. Terwijl ik klom, werd het lichter, en ik kon de bomen en rotsblokken langs het pad steeds beter zien. En tegen de tijd dat ik bij de bergkam was, leken de bomen die net boven de rand van de Saluda-bergen uitstaken oranje in de zon.

Mijn eerste strik was een vossenklem langs een spoor aan de rand van de Flat Woods. Ik liep erheen in de hoop een staart of rood bont in het ochtendlicht en de schaduwbanen te zien. Ik hield mijn adem in, zoals altijd wanneer ik een val naderde. Je weet nooit wat je vindt. Een pels van tien dollar, een bosmarmot of een gestolen val. Diep in het bos kan niets anderen ervan weerhouden je stalen klemmen te stelen als ze je lijn vinden.

Toen ik dichtbij was, zag ik dat de bladeren waaronder ik de klem had verstopt omgewoeld waren. En ik zag dat de ketting van de klem strak stond. Mijn hart sloeg over van opwinding, maar toen zag ik dat er niets in de klem zat. Ik rende erheen en vond niet eens een poot in de dichtgeklapte kaken van de klem. Wat de klem dicht had laten slaan, had hem ook uit de bladeren getrokken, en dat moest een vos geweest zijn. Hij moest iets aan de bladeren hebben geroken, of aan de ketting, en gewoon om te pesten de klem hebben laten springen en hem uit de grond hebben getrokken.

Ik legde mijn geweer op de grond. Ik had gehoopt er een vos mee te schieten, maar in plaats daarvan zat die vos me nu ergens in het bos uit te lachen. Die vos grinnikte voldaan om zijn streek. Ik had vijftien kilometer gelopen, alleen maar om een dichte, lege klem te vinden, en waarschijnlijk had die vos op de grond gepiest om me te vernederen of ergens in de buurt zijn behoefte gedaan om me te bespotten. Ik overwoog de klem van zijn staak te rukken en tussen de struiken te slingeren, maar ik bedwong me. Geen mens is ooit een vos te slim af geweest door zich kwaad te maken.

Ik pakte mijn handschoenen uit de zakken van mijn dikke jas, de handschoenen die ik had uitgekookt om ze van alle luchtjes te ontdoen. Ik veegde de bladeren en de rommel opzij en zette de klem weer in de kuil langs het spoor. Ik spreidde de bek open, spande de veer en strooide er bladeren overheen. En toen haalde ik een flesje uit mijn zak en sprenkelde reukwater rondom de plek. Een vos die die geur opsnoof, zou niet naar een klem zoeken. Ten slotte bedekte ik de plek met bladeren en twijgen. Ik krijg jouw pels nog wel, dacht ik, en dan span ik hem op en hang hem tussen de muskusratten, nertsen en wasberen.

Ik had mijn nerts- en muskusratvallen voornamelijk langs de oevers van Grassy Creek uitgezet. Ik had klemmen bij bijna alle uitgangen van rattengangen en onder overhangende rotsblokken gezet, waar nertsen zich graag verstoppen om op forel te loeren. Je moet klemmen altijd zo diep onder water zetten dat de nertsen en muskusratten verdrinken, want anders knagen ze gewoon hun poot af en vind je alleen maar een bloederige poot in je klem. Maar als je je klemmen te diep zet, zwemmen de ratten en nertsen er gewoon overheen, zeker in snelstromend water. Je moet je klemmen dus precies op de goede diepte zetten.

Het water in de kreek had hoog gestaan door de regen, dus waarschijnlijk zou ik vooral lege klemmen vinden. Zodra ik bij de kreek aankwam, zag ik dat de eerste klem leeg was. Ik zag de klem zelf niet, maar de ketting liep van de struik waaraan ik hem had vastgemaakt de volle kreek in en ik zag geen rimpeling of golf op het water waaruit bleek dat ik iets had gevangen. Ik moest erheen om te zien of de klem was gesprongen. Het is moeilijk om door kabbelend water te kijken, zeker als de zon erop weerkaatst. Ik moest naar de rand van het water lopen en op mijn hurken gaan zitten om het te zien. De schaduw van wat een forel moest zijn, flitste weg, maar de klem was nog open.

Had ik dat hele eind gelopen om alleen maar lege klemmen te vinden? Een kraai hoger op de berg bespotte me. Ik schopte naar de bladeren onder een berenklauw. De patronen in de zak van mijn jas hingen zwaar langs mij zij. Ik herinnerde me wat ik een week geleden had gedacht toen ik dezelfde route volgde: je weet nooit wat je in de volgende klem vindt.

Ik volgde de bocht in de kreek en kwam bij een ondiep gedeelte waar ik een klem tussen twee rotsblokken had gezet. Ik dacht dat muskusratten die naar de kreek kwamen, tussen die twee blokken in het water zouden springen. Het eerste wat ik zag, was dat de ketting in de verkeerde richting gespannen stond. Aan het eind zag ik een bult in het water die op een grote luchtbel leek. Mijn adem stokte. Het moest een nerts of een muskusrat zijn.

Het probleem was dat de klem naar het diepe was afgegleden. Ik stapte in de kreek in en zag dat er een muskusrat in de klem zat. Ik haalde de ketting in en pakte de rat, die net een grote, druipende klodder haar was, draaide me om en wilde over een rotsblok naar de oever terug stappen, maar de kei rolde als een gesmeerde kogellager onder mijn voet weg.

Er knapte iets, ik kreeg een verdoofd gevoel in mijn voet, en toen ik op de oever stapte, zakte ik door mijn enkel en struikelde. 'Wat heb je nou gedaan?' zei ik hardop. Ik hinkte naar de struiken en toen voelde ik de pijn plotseling. Je kunt je niet voorstellen dat een voet waar niet eens een wond of snee in zit zo'n pijn kan doen. De voet zat ongedeerd in mijn laars, alleen was hij gedraaid. Er was iets verzwikt en iets vanbinnen was verstuikt of gebroken. De pijn trok als een misselijkmakende gloed door mijn been omhoog. Mijn maag verkrampte en ik dacht dat ik moest overgeven.

Wat heb je gedaan? dacht ik, en ik gooide de muskusrat langs de kant. Ik moest al mijn klemmen nog af. Dat moest wel na een hele week regen. Er kwam een gure wind langs de helling naar beneden, maar de pijn was zo hevig dat ik de wind nauwelijks voelde.

Ik ging op de bladeren zitten, maar de pijn zakte niet. Het leek niet uit te maken of ik de voet belastte of niet. Ik begon de veters van mijn laars los te maken om naar de enkel te kijken, maar toen ik bijna beneden was, bedacht ik me. Als die voet dik werd, kreeg ik mijn laars niet meer aan. En ik kon niet helemaal naar huis lopen zonder mijn laarzen aan. Ik kon die voet maar beter ingesnoerd houden, met de laars als een soort verband, een soort gips, tot ik weer thuis was. Ik had weleens gehoord dat dat met een gebroken onderbeen been ook kon, erop lopen met een strak dichtgeregen laars eromheen. Dan moest het met een verstuikte enkel ook kunnen.

Ik wilde mijn route afleggen alsof er niets aan de hand was. Ik kon me niet door een verstuikte enkel laten tegenhouden. Bij mijn thuiskomst zou mama knikken en zeggen dat ze me had gewaarschuwd. Dan kon ik beter een paar pelzen hebben om de pijn te verzachten. Ik kroop naar de sponzige muskusrat en zette mijn knie op de veer van de klem. Het was niet moeilijk om hem zo ver open te krijgen dat ik de koude poot eruit kon halen, maar toen ik probeerde de klem weer te spannen, drong het tot me door hoe de pijn me had verzwakt. Mijn knie trilde en mijn hele lichaam beefde toen ik de zere enkel iets boog. Ik kreeg de bek ongeveer halfopen en moest hem toen weer dicht laten klappen.

Het was erger dan ik had gedacht. Niet alleen zou ik mijn route niet kunnen lopen, ik betwijfelde of ik de tocht over de berg en langs de rivier naar huis zou kunnen maken. Eén stap zetten was al erg genoeg, laat staan honderd meter lopen, of een kilometer, of vijftien kilometer.

Mijn geweer was niet geschikt om als kruk of zelfs maar als wandelstok te gebruiken. Iets hoger op de helling zag ik een jonge eik staan, die zich zo'n anderhalve meter boven de grond vertakte. Ik had niets groters dan een jachtmes om mee te snijden, maar ik strompelde en wankelde de helling op, me aan de bomen ophijsend. Het kostte me een paar minuten om met mijn jachtmes door het eikenhout te hakken, maar toen had ik ook een stok van zo'n anderhalve meter met een wig aan het eind. Als ik een beetje krom liep, kon ik er net op steunen.

Ik bukte me, raapte de muskusrat op en propte hem in mijn jaszak. Na al die moeite was ik niet van plan mijn ene muskusrat op te geven. Mijn tanden klapperden en mijn botten schokten van de pijn.

Ik was naar de rand van de Flat Woods gelopen voordat de zon opkwam, maar ik zag wel in dat het me de hele dag zou kosten om naar huis te kreupelen. Toen ik de bergtop eindelijk bereikte, stond er een ijzige, krachtige wind, maar ik was onder mijn jas doordrenkt van het zweet en de oksel die op de kruk rustte begon zeer te doen. Wanneer ik stopte, begon mijn voet nog meer pijn te doen dan wanneer ik liep. Het was een zwarte, valse pijn die langs de zijkant van mijn been omhoog trok, een scheurende pijn, alsof er een metaalzaag over bot schraapte.

'Ha-ha,' jouwde iemand achter me. Ik keek om, want ik wilde zien wie mijn stuntelige pogingen om vooruit te komen bespotte, maar als er iemand was, verstopte hij zich achter een boom. En door de wind kon je geen mens horen bewegen.

'Ha-ha,' hoorde ik weer. Ik keek om me heen, draaide me om en tuurde langs de helling omhoog. Werd ik door iemand gevolgd die van boom naar boom rende? De pijn was zo fel dat er schaduwen door de lucht leken te dansen.

'Wie is daar?' riep ik. Het zweet druppelde in mijn ogen. 'Wie volgt me?'

De wind ritselde door de bladeren langs de berghelling en schudde aan de laurierstruiken. 'Ha-ha,' riep de stem weer. Ik keek op en zag een kraai uit een eik achter me opvliegen. Hij was zo zwart als de duivel zelf. 'Ha-ha,' riep hij toen hij in een eik hogerop neerstreek, alsof het bos zelf me bespotte.

'Heer, alstublieft,' bad ik, 'laat me veilig thuiskomen.' Ik had al heel lang niet meer gebeden, niet sinds ik had geprobeerd in de kerk te preken en me belachelijk had gemaakt. Ik dacht dat ik het bidden eraan had gegeven, maar de woorden kwamen eruit zonder dat ik erbij nadacht. Ik had trouwens te veel pijn om te kunnen denken. Het was alsof het gebed van mijn tong rolde zonder dat ik er iets over te zeggen had.

'Ha-ha,' hoorde ik weer. Ik keek of ik de spottende kraai ergens zag, maar in plaats daarvan kwam er een paardenhoofd uit de laurierstruiken tevoorschijn. 'Ha-ha,' riep een stem. Het paard stapte naar links en ik zag Hank Richards op de bok erachter zitten. 'Ha-ha,' riep hij.

Ik maakte me uit de struiken los en hief mijn kruk om zijn aandacht te trekken. 'Ho!' riep hij. 'Ho daar.'

Ik probeerde me op te richten, maar ik was te zwak en beverig. Hank sprong van de wagen en spuugde zijn tabak uit. Hij droeg een dikke jas van rode wol. 'Wat doe jij hier?' vroeg hij.

'Ik heb mijn enkel verstuikt,' zei ik, 'daarginds, bij Grassy Creek.'

'Wat moest jij bij Grassy Creek?'

'Mijn klemmen nakijken,' zei ik.

'Dat is een heel eind weg,' zei Hank. Hij hielp me op de bok van de wagen. Nu er iemand bij was, verbeet ik mijn pijn. Hank legde mijn geweer en de kruk achter in de wagen, waar vier dode kalkoenen lagen. Hij was achter Long Rock op jacht geweest.

'Hortsik,' riep Hank. Het pad was zo smal dat we moesten bukken voor takken van laurierbomen en berken. De kalkoenenkoppen waren al even afstotelijk als de pijn in mijn enkel.

'Je weet niet half hoe blij ik ben je te zien,' zei ik.

'Toevallig ben ik vandaag hierlangs gereden,' zei Hank.

'Gelukkig maar,' zei ik.

'Meestal rijd ik over Pinnacle of Poplar Springs,' zei Hank, 'maar vandaag fluisterde een stemmetje dat ik het pad naar de rivier moest volgen.'

'Een stemmetje?' zei ik.

'De Heer moet het me ingegeven hebben,' zei Hank.

Hank was niet alleen de vader van Annie, hij was ook ouderling van de kerk in Green River en soms hield hij zelf gebedsbijeenkomsten en ging hij zelfs voor in het gezang. Hij werkte overal als timmerman, dus zag je hem zelden. 's Winters joeg hij graag op herten en kalkoenen. Ik moest bijna lachen om zijn idee dat hij een stemmetje had gehoord, maar ik was maar wat dankbaar dat ik op die wagen mee mocht rijden. Ik bedacht dat ik onbedoeld had gebeden, en slechts een paar minuten later was Hank Richards gekomen. Ik stond bij hem in het krijt.

'Ik ben heel blij dat je langs kwam,' zei ik.

'Gods wegen zijn ondoorgrondelijk,' zei Hank.

De bonzende pijn in mijn voet werd erger nu ik zat. De wagen hotste over keien en kuilen in het pad. Bij elke schok golfde de pijn door mijn voet en been.

'Wil je nog steeds preken?' vroeg Hank.

Hij was er vorig jaar ook bij geweest toen ik in Geen River wilde preken en de mensen me hadden uitgelachen. Hij was de eerste ouderling die er tegen me over begon.

'Ik heb niet meer gepreekt,' zei ik. De pijn gaf me de moed de waarheid toe te geven. 'Ik vrees dat ik geen roeping heb.'

'Die kan nog komen,' zei Hank. 'De Heer kan een ander tijdschema hebben dan wij.'

'Ik had mijn tijd volslagen verkeerd gekozen,' zei ik. Mijn gezicht gloeide in de koude lucht. Ik vond het beschamend om mijn vernedering met Annies vader te bespreken. Hank was de eerste die er tegen mij iets over zei. Ik wist niet of hij het beledigend of vriendelijk bedoelde.

'De Heer zal je leiden,' zei Hank. 'De Heer zorgt voor de zijnen.'

De avond begon te vallen. Het had me een groot deel van de dag gekost om de top van de berg te bereiken en vandaar naar de riviermonding af te dalen. Mijn lippen waren droog en mijn keel was droog. Mijn lippen leken in de gure wind op barsten te staan. De pijn had me vanbinnen uitgedroogd en gelooid.

Toen we langs de bron onder het huis van Evans reden, stopte Hank. 'Jij wilt vast wel iets drinken,' zei hij. Het leek wel of hij mijn gedachten kon lezen. Hij sprong van de bok, klauterde naar beneden en kwam terug met een koffiekan vol water.

Ik was zo dorstig dat ik het water even in mijn mond hield voordat ik het doorslikte. En toen klokte het pijnlijk door mijn keel. Mijn maag snakte zo naar het water dat het pijn deed toen het koele stroompje naar beneden gleed.

'Je hebt m'n leven gered,' zei ik tegen Hank toen we weer reden.

'Als we elkaar niet helpen, komen we nergens,' zei Hank.

Dat hoorde ik mijn hele leven al, maar dit was de eerste keer dat het echt iets voor me betekende. Ik had mama ook wel zulke dingen horen zeggen, maar dan hadden ze nooit belangrijk geleken. Nu zag ik pas hoe waar het was. De mensen redden het alleen als ze elkaar hielpen. Het kon niet anders. Ik vond het niet eens erg dat Hank had gevraagd of ik nog wilde preken, zo dankbaar was ik hem. Ik voelde dat hij me niet wilde kwetsen.

'We hoeven niets bijzonders te doen om God te dienen,' zei Hank terwijl de wagen over de oneffen weg ratelde.

Toen we bij mijn huis aankwamen, was het al donker. Hank reed helemaal tot de rand van het erf en mama kwam in de deuropening staan om te zien wie er was. Toen rende ze het erf op, met haar armen om zichzelf heen geslagen tegen de ijzige wind.

6

Muir

'Lieverd, wat zie je eruit,' zei mama.

Ik liet de kruk op de veranda vallen en ze hielp me naar de woonkamer. Fay en Moody, die in de keuken hadden zitten eten, kwamen kijken. 'Heb je een snee in je been?' vroeg Fay. Ze veegde haar mond met de zoom van haar schort af.

'Wedden dat hij door een muskusrat in zijn grote teen is gebeten?' zei Moody.

Mama hielp me naar een stoel bij het vuur.

'Heb je je been gebroken?' vroeg Fay.

'Het is maar een verstuikte enkel,' zei ik.

Ik begon de veters van mijn laars los te maken en voelde de zwelling onder het leer. De geringste aanraking van mijn voet deed pijn, maar als ik er afbleef, deed hij net zo goed pijn.

'We zullen die laars van je voet moeten snijden,' zei Moody.

'Nee!' riep ik.

'Je kunt geen leer met een mes snijden,' zei mama.

'Blijf van mijn laars af,' zei ik. 'Ik krijg hem zelf wel uit.'

'Hij wil zijn dure laarzen heel houden,' zei Moody. Hij pakte een stompje sigaar van de schoorsteenmantel en stak het aan. 'Wat kostten die laarzen?' vroeg hij. 'Een hele winter pelzen?'

Mama nam de schaar van Fay aan. Ze trok de veters uit de laars en zocht een plek om met knippen te beginnen. Er was geen gemakkelijk beginnetje te vinden. Het goudkleurig gepoetste leer was strak gestikt.

'Knip de tong er maar af,' zei ik. 'Als je de tong eraf knipt, krijg ik die laars wel uit.'

Mama begon in het leer van de tong te knippen. Telkens als de schaar mijn huid raakte, deed het pijn.

'Help me trekken,' zei mama tegen Moody. Moody pakte mijn

laars en trok met een draaiende beweging. Het deed zo'n pijn dat ik dacht dat ik van mijn stokje ging. We keken allemaal naar de laars in Moody's handen alsof we verwachtten dat hij vol bloed zou zitten of een stuk van mijn voet had meegenomen, maar er zat geen bloed in de laars en evenmin op mijn sok. Mijn sok was alleen klam van het vochtige leer.

Mama begon mijn sok uit te trekken, wat voelde alsof ze de huid van mijn voet stroopte. Mijn enkel was zo lelijk gezwollen dat het leek of hij verbogen was.

'Wriemel eens met je tenen?' zei mama. Ik wriemelde tegen de stramme pijn in met mijn tenen. 'Voor zover ik het kan zien, heb je niets gebroken,' zei mama.

'Wat een beeldig been,' zei Moody.

Terwijl Moody bij het vuur zijn sigaar stond te roken, waste mama mijn voet en enkel. Ze bleven maar opzwellen. Je zou denken dat het door het wassen kwam, maar de laars had de zwelling tegengehouden. En hoe dikker mijn voet werd, hoe meer pijn ik voelde. Ik had nooit kunnen denken dat een voet je zoveel pijn kon bezorgen zonder dat er een bot was gebroken en zonder dat de huid zelfs maar beschadigd was. Alleen het warme water leek de pijn iets te verzachten, en de hitte van het vuur.

'Ga eens wat aspirines halen,' zei mama tegen Fay. Mama bewaarde haar aspirines op de plank in de kast bij haar kruiden en andere medicijnen.

'Ik geloof niet dat aspirines helpen,' zei ik.

'Moody, ga je drank eens halen,' zei mama.

'Wie zegt dat ik drank heb?' zei Moody.

'Ga die kruik voor me halen,' zei mama.

We wisten allemaal dat Moody drank in de buurt van het huis bewaarde. Soms verstopte hij de kruik in een oude laars, soms onder een berg oude spreien. Toen Moody terugkwam en de kruik aan mama gaf, zei hij: 'Alsjeblieft,' en toen wendde hij zich tot mij. 'Heb je ook eens een excuus om mijn drank te drinken,' zei hij.

Ik heb de kleine uurtjes van de nacht altijd een holle, pijnlijke en verschrikkelijke tijd gevonden. In de nacht is er niets van het poezelige, lieve van de dingen over en voel je je machteloos tegenover de koude, naakte feiten. Als je in die kleine uurtjes te lang doordenkt, lijkt je leven niets meer waard. 's Nachts voel je je uitgekleed tot op het bot en zie je de leegte en de verschrikkingen van de wereld.

Toen iedereen naar bed was, verzachtte de aspirine de pijn iets, maar de angst en verwarring in mijn geest bleven. Alles waar ik aan dacht was vreselijk; mijn klemmen die in het water van Grassy Creek wegroestten, de nertsen en muskusratten die tussen hun kaken rotten. Ik dacht aan alles wat mama tegen me had gezegd over tijdverspilling, en dat was nog niet eens zo erg als de dingen die ik tegen mezelf zei. Ik wist niet wat ik wilde worden en ik wist niet wat ik kon worden.

In welke richting ik ook dacht, nergens vond ik hoop. Niets in Green River droeg enige hoop in zich. Zelfs als ik alles deed wat mama wilde, zou dat nog niet meer zijn dan op het land werken, maïs schoffelen en hout hakken, net als pap had gedaan. Ik zag niets boeiends in de toekomst. En zolang ik hier bleef, zou ik met Moody ruziën en me aan mama ergeren.

Ik moest hier weg, naar het noorden, naar Canada of Alaska, naar Minnesota, waar ik met een schone lei kon beginnen, waar meer en betere pelzen waren, waar allerlei soorten bont zaten, bever en lynx, marter en otter, wolverine en beer. Ik wilde Green River zo ver mogelijk achter me laten. Als ik ooit iets wilde voorstellen, zou ik voor een andere aanpak moeten kiezen.

Om de tijd te verdrijven pakte ik die nacht twee boeken van opa van de schoorsteenmantel. Het ene was een oud boek van James Gibbs dat *Architectuur* heette. Er stonden ontwerpen van kerken met heel hoge torens in en tekeningen van andere gedurfde gebouwen. Al sinds ik een jongen was, keek ik graag in dat boek. Ik keek vooral graag naar de tekeningen van kerken met spitsen die tot de wolken reikten. Het andere boek had opa vlak voor zijn dood besteld. Het heette *Mont-Saint-Michel en Chartres* en het was geschreven door iemand die Henry Adams heette. Het ging over de bijzondere gebouwen uit de Middeleeuwen, over kathedralen in Frankrijk, hoe ze gebouwd waren en waarom. Ik bladerde graag in dat boek om al die mooie dingen te lezen die Adams te zeggen had, al had ik het nooit helemaal gelezen.

Ik sloeg het boek van Adams op een bladzij open: '... en dan, met veel pijn en moeite, zult u zich moeten inspannen om te zien hoe de architecten uit het jaar 1200 alle andere problemen ondergeschikt maakten aan dat van de lichtval in de ruimte. Zonder hun licht te voelen zult u nooit hun schaduw kunnen ervaren.' Het was het soort zin dat ik mooi vond, over het ervaren van schaduwen, over gebouwen als levende wezens.

Ik bladerde door en vond een paar bladzijden verder een passage die opa had aangestreept: 'De spits is het simpelste onderdeel van de Romaanse of gotische architectuur, en behoeft de minste studie om aangevoeld te worden. Het is een stukje sentiment met een vrijwel zuiver praktisch doel. Het vertelt zijn hele verhaal in een oogopslag, en dat verhaal is het beste dat de architectuur te vertellen had, want het was exemplarisch voor de menselijke ambities in een tijd dat die het hoogst gegrepen waren.' Dat stukje las ik het liefst.

Ik sloeg nog wat bladzijden om en las wat Adams over kathedralen zei, dat ze 'hun stenen naar de hemel slingerden'. Ik keek naar de plattegronden in het boek en luisterde naar de wind in de dennen. Kon ik zelf maar zoiets bouwen in plaats van alleen mijn tijd te verdoen. Zelfs de pijn in mijn voet was het waard, als die me de weg wees.

7

Ginny

Moody wilde niets zeggen over wat er die nacht bij Peg Early was gebeurd. Hij was er de jongen niet naar om het je te vertellen als hij zich boos of gekwetst voelde. Hij zou altijd stoer proberen te doen, alsof er niets aan de hand was. Sinds Toms dood was het alsof hij zijn leven in het geheim leidde, zelfs voor zichzelf.

Nadat we hem die dag uit Possum Holler hadden gehaald en UG en ik hem uit de vrachtauto het huis in hadden geholpen, trok Moody zich in de slaapkamer terug en wilde er niet uit komen. Toen ik met een pan warm water, een oude lap en een handdoek naar hem toe ging om hem te wassen, draaide hij zich om en bleef met zijn benen stijf tegen elkaar liggen.

'Je moet echt gewassen worden,' zei ik.

'Laat het water maar staan,' zei Moody. 'Ik was me zelf wel.'

'Je zou naar de dokter moeten gaan,' zei ik.

'Ik ga niet naar de dokter!'

Ik zei tegen Moody dat hij te beurs was om zichzelf te wassen, maar hij gaf geen antwoord. Ik wist dat hij veel bloed had verloren en te verzwakt was om meer te kunnen doen dan op zijn bed liggen. Ik liet de pan op het nachtkastje staan en haalde aspirines voor hem. Ik had niets anders tegen de pijn, behalve sterkedrank, en ik wilde Moody geen drank geven.

Het deed me verdriet dat hij zoveel pijn had en dat ik zo weinig kon doen. Muir en Moody deelden een bed, maar ik zei tegen Muir dat hij op de bank moest slapen zolang Moody er nog zo beroerd aan toe was. Moody had zijn rust nodig en we mochten hem niet lastig vallen.

'Hoe heeft Moody zichzelf verwond?' vroeg Muir.

Ik vond dat ik het niet aan Muir kon vertellen, want hij was pas dertien en kon zulke dingen nog niet begrijpen. Als Moody niet wilde dat iedereen het wist en erover praatte, zou ik zo min mogelijk vertellen zonder de waarheid geweld aan te doen.

'Moody is in Chestnut Springs bij een vechtpartij betrokken geraakt,' zei ik.

'Is hij met een mes gestoken?' vroeg Fay.

'Misschien wel,' zei ik.

Ik had de snee in zijn kruis niet gezien, want Moody stond niet toe dat ik hem aanraakte. Hij liet zich door niemand aanraken. Hij was zestien jaar oud en zo groot als een volwassen man, dus ik kon de kleren niet van zijn lijf rukken om naar zijn verwondingen te kijken. Hij was net een hond die in een kelder wegkruipt om óf te sterven, óf vanzelf beter te worden. Ik vermoed dat hij die eerste dagen en nachten thuis net zo lief dood was gegaan.

Ik werd midden in de nacht wakker van een geluid. Het klonk als stromend water. Was het 's nachts gaan regenen en liep het water over de dakranden? Ik luisterde, maar hoorde geen regen op het dak. Er tikte geen regen tegen het raam. Het koelhuis stond zo ver van het huis dat je het water niet door de leiding kon horen stromen, en het water dat tussen de oevers van de rivier kabbelde en borrelde was al helemaal te ver weg. Soms kon je de waterval bij de kreek 's nachts horen, maar dit was niet het bulderen van een waterval.

Het gemummel en gemurmel stopte even en begon weer. Ik stond op, trok mijn ochtendjas aan en liep de gang in. Muir lag op de bank te slapen en ademde regelmatig. Het geluid kwam van de achterkant van het huis, niet uit de keuken of de woonkamer. Ik liep op mijn tenen door de gang naar de andere slaapkamer en luisterde aan de deur. Het geluid kwam inderdaad uit de slaapkamer.

Lag Moody in zichzelf te praten? Lag hij in zijn eentje in het donker te bidden? Ik drukte mijn oor tegen de deur en hoorde een snik die mijn hart deed stilstaan. Het was een door dekens gesmoorde snik. Het was een snik die zo ingehouden was als je hem maar kon inhouden. Ik kon niet weggaan en Moody gewoon in zijn eentje in het donker laten huilen. Ik deed de deur open en stapte de kamer in. Het huilen hield op.

'Moody,' zei ik, 'kan ik iets voor je doen?'

Er kwam geen geluid uit het bed. Ik denk dat Moody zich zo stil mogelijk hield. Ik wilde mijn hand uitsteken en hem in het donker aanraken. Ik wilde hem in mijn armen nemen, net als toen hij nog een jochie was. Ik liep op de tast naar het bed en ging op de rand zitten.

'Ik leef met je mee,' zei ik.

'Het is niet belangrijk,' zei Moody schor.

'Voor mij is het heel belangrijk,' zei ik.

'Niks is nog belangrijk,' zei Moody, die klonk alsof hij een verstopte neus had.

Ik dacht: nu zie ik een verandering in Moody. Nu kruipt hij uit zijn schulp en gaat hij vertellen wat er met hem is gebeurd. Als hij zijn hart lucht, zal hij zich beter voelen. Ik wist dat je verdriet zo diep mogelijk voelen en anderen vertellen hoe erg dat was, de beste manier was om eroverheen te komen.

'Je bent belangrijk voor de mensen die van je houden,' zei ik. Ik stak mijn hand in het donker naar Moody uit, maar zodra hij mijn hand op zijn schouder voelde, schoof hij weg. Hij dook onder de deken en wilde niet aangeraakt worden.

Als ik maar de goede dingen tegen Moody zei, dacht ik, zou ik de zwakke plek in zijn pantser kunnen vinden. Als ik die ene klonter kon laten smelten die de stroom van zijn gevoelens tegenhield, zou hij zijn hart bij me uitstorten en zijn verdriet verwerken. Hij zei echter geen woord meer. Hoe meer ik mijn best deed om hem te troosten, hoe meer hij dichtklapte. Hij had maar twee keer iets gezegd en zich toen weer teruggetrokken als een moerasschildpad. Ik besefte dat het geen zin had om aan te dringen of te smeken. Hij moest zelf willen praten. Ik bleef nog bijna een uur op het bed zitten, maar Moody verroerde zich niet en zei geen woord meer.

Een paar dagen later, toen Moody iets was opgeknapt, zag ik Muir met een potlood en een vel papier uit een schoolschrift naar de slaapkamer gaan. Toen hij terugkwam, vroeg ik hem waar dat papier voor was.

'Moody wil een brief schrijven,' zei hij.

Nu was Moody nooit een brievenschrijver geweest, al kon hij keurig schrijven als hij wilde. Op school had hij het mooiste handschrift van de klas gehad, en hij had het mooiste handschrift van de familie. Ik vroeg Muir wie Moody wilde schrijven, maar Muir wilde het niet zeggen. Hij zei dat hij Moody had moeten beloven de brief aan niemand te laten zien.

Ik was nieuwsgierig, want ik dacht dat Moody misschien aan de sheriff, de douane of Peg Early had geschreven. Ik vroeg Moody en Muir er niet meer naar, maar ik hield mijn ogen open. Alles wat Moody deed was een mysterie voor me, maar ik moest weten wat er gaande was. Ik hoorde niets meer over de brief, en toen ik Moody die avond zijn eten op bed bracht, zag ik het potlood en papier nergens, maar toen ik de volgende ochtend langs Muirs jas liep, die aan een spijker bij de keukendeur hing, zag ik een envelop uit de zak steken. Ik keek om me heen, zag niemand en pakte de envelop. Het adres stond er met potlood in Moody's keurige handschrift op.

Aan Josie Revis
Per adres Peg Early
Chestnut Springs
South Carolina

Ik stopte de brief voorzichtig terug in de jaszak, zonder hem te vouwen of kreuken. Mijn keel werd dichtgeknepen bij het idee dat Moody een brief schreef aan het meisje dat zo vreselijk was toegetakeld omdat ze hem had geholpen en van hem hield. Het was of er iemand met laarzen op mijn hart had gestampt.

De week nadat Moody de brief had geschreven en Muir hem had gepost, ging ik elke dag naar de brievenbus om de post te halen. Er kwam geen brief van Josie, of wie ook, niet voor zover ik het kon zien. Het zou kunnen dat Muir vóór mij naar de brievenbus liep en de post voor Moody eruit haalde, maar ik betwijfel het. Ik denk dat Josie zijn brief niet kreeg, en als ze hem wel had gekregen, had ze niet teruggeschreven. Als er een brief was geweest, had ik hem wel in de slaapkamer of bij het afval zien liggen. Een brief had Moody kunnen opvrolijken, maar hij bleef nors en prikkelbaar en zei niets over hoe hij eraan toe was. Hij kreeg korsten op zijn gezicht en armen, en de korsten werden hard en lieten los.

Drayton en Wheeler kwamen wel allebei een paar keer bij Moody op bezoek, en ze hadden Moody een brief kunnen geven zonder dat ik het zag, maar ik denk niet dat ze dat deden. Als ze hem een brief hadden gegeven, had ik dat wel aan Moody gemerkt.

Wat ze Moody wel brachten, was drank, dat rook ik als ik na hun bezoek in de slaapkamer kwam. Het was die muffe geur van oude pruimen die in het gras zijn gevallen en daar hebben liggen rotten. En Moody leek iets vrolijker na hun bezoekjes. Hij moet de fles onder de dekens hebben verstopt, want ik kon hem niet vinden als ik de kamer aanveegde en stof afnam. Ik trok de gordijnen open om de zon in de kamer van de zieke te laten en veegde de stofpluizen onder het bed vandaan. Ik neem aan dat hij de fles onder zijn kussen of tussen zijn benen had verstopt, want ik kreeg hem niet te zien.

Toen Drayton weer bij Moody op bezoek kwam, trok ik hem de keuken in. 'Je mag Moody geen drank geven, hoor je? Hij hoeft niet te drinken.'

'Nee, mevrouw,' zei Drayton, maar de volgende keer dat ik in de slaapkamer kwam, rook het er nog sterker naar drank. Ik dacht dat de drank Moody misschien hielp beter te worden en liet het erbij.

Na ongeveer een week kwam Moody zijn bed uit en probeerde te lopen. Hij liep stram, alsof zijn gewrichten van karton waren. En zitten deed pijn, dat zag ik wel. Toen hij zich in de schommelstoel liet zakken, vertrok hij zijn gezicht en omklemde de armleuningen. Toch hinkte hij naar de veranda en weer terug, en vervolgens naar de stal en weer terug. Hij hinkte helemaal naar het koelhuis. Hij moest er drank hebben verstopt, want toen hij terugkwam, had hij een kegel. Maar er kwam geen brief voor hem.

8

Muir

Ik stond ervan te kijken hoe behulpzaam Fay was in de tijd dat mijn voet moest genezen. Ze bracht me koffie en ze bracht mijn eten naar mijn stoel. Vroeger had het altijd geleken of ze meer van Moody hield, maar mijn verstuikte enkel zal haar genegenheid wel hebben gewekt. Voordien had ze me alleen maar geplaagd en de spot gedreven met mijn tekeningen en plannen. Misschien werd ze gewoon iets volwassener, al was ze nog steeds zo mager dat ze de nieuwe jurken die mama voor haar maakte niet uitvulde.

Toen Fay een keer met Moody in de T-Ford was meegereden naar de stad, kwam ze terug met een tekenblok en kleurpotloden die ze voor me in de koopjeswinkel had gekocht.

'Nu kun je een kasteel in Alaska tekenen,' zei ze, 'of misschien zo'n toren als die waar Rapunzel in opgesloten zit.'

De dagen daarna schetste ik het ene gebouw na het andere, net zo lang tot ik weer op mijn voet kon strompelen.

Ik had zitten piekeren hoe ik bij mijn klemmen moest komen. De T-Ford was voor de helft van mij. Ik had er honderd dollar aan meebetaald, al het geld dat ik had gespaard van de pelzen en ginseng die ik het jaar daarvoor had verkocht. Moody had maar vijfenzeventig dollar en mama had de rest betaald. Die auto was net zo goed van mama en mij als van Moody, maar omdat hij ouder was en als eerste had leren rijden, gebruikte hij hem vaker dan ik. De T-Ford stond in de maïsschuur, waar vroeger ons rijtuigje had gestaan, en wanneer Moody daar zin in had, zwengelde hij de auto aan en reed naar Chestnut Springs om drank te halen of naar een goktent te gaan. Soms kwam hij met een blauw oog of een jaap in zijn gezicht of arm thuis.

Vrijdag kon ik al redelijk op mijn rechtervoet lopen. Hij jeukte en was nog een beetje beurs. Ik kon me verplaatsen, maar ik kon nog met geen mogelijkheid helemaal naar Grassy Creek en terug lopen. Ik bedacht dat ik het beste met de T-Ford naar de kerk van Blue Ridge of Cedar Mountain kon rijden en van daar de vier, vijf kilometer naar de kreek lopen en mijn klemmen inspecteren, of althans een deel ervan. En ik kon beter zaterdag gaan en niet tot maandag wachten, want dan zou alles wat er in de klemmen zat er nog erger aan toe zijn.

Toen ik tegen Moody zei dat de auto nodig had, zei hij: 'O, nee, over mijn lijk.'

'Die auto is voor de helft van mij,' zei ik.

'Ik moet naar Chestnut Springs,' zei Moody.

'Je gaat elke zaterdag naar Chestnut Springs,' zei ik.

'En deze zaterdag ook,' zei Moody.

'Ik moet mijn klemmen nakijken,' zei ik.

'Dan ga je maar lopen, broertje.'

'Ik heb meer aan die auto betaald dan jij,' zei ik.

'Ik ben de bestuurder van die auto,' zei Moody.

'Denk je dat jij de enige bent die ermee kan rijden?' zei ik.

Moody keek me strak aan. 'Die auto gaat naar Chestnut Springs,' zei hij.

'Maar zaterdag niet,' zei ik. Ik was inmiddels net zo groot als Moody en ik had me vast voorgenomen hem niet meer over me heen te laten lopen.

Toen ik die zaterdagochtend de T-Ford wilde starten, zag ik dat alle banden plat waren. De vulkanisatielaag was met een mes opengesneden. Ik keek naar de banden en ik keek naar de reparatietrommel. Ik kon de banden eraf halen om de binnenbanden te plakken, maar er waren nog maar drie plaklapjes.

Ik liep naar het huis terug en vertelde mama wat er was gebeurd. Ze vertrok haar mond en schudde haar hoofd. 'De duivel heeft Moody in zijn macht,' zei ze.

'Moody ís de duivel,' zei ik.

'Als hij kwaad wordt, heeft hij zichzelf niet meer in de hand,' zei ze. Zoals iedere moeder probeerde ze altijd het goede in haar kinderen te zien. Als Moody iets slechts deed, zei ze altijd dat het kwam doordat hij zichzelf niet in de hand had. Volgens mij was hij gewoon een rotzak omdat hij dat zelf wilde.

Moody was in geen velden of wegen te bekennen. Hij moest die ochtend vroeg lopend naar Chestnut Springs gegaan zijn, of misschien had hij een lift gekregen van een van zijn maten, Wheeler Stepp of Drayton Jones bijvoorbeeld.

'Wat ga je nu doen?' vroeg Fay. Ze vond het beangstigend als Moody en ik ruzie hadden, maar leek het ook opwindend te vinden.

'Iemand zou Moody eens een lesje moeten leren,' zei ik.

'Zeg dat nou niet,' zei mama. 'Moody is je broer. Je moet voor hem bidden, niet met hem vechten. Vergeven, dat kenmerkt de echte christen. Moody zit vol woede. Hij is boos op de hele wereld, en hij is boos op mij.'

'Het maakt niet uit waar het vandaan komt,' zei ik.

Moody bleef de hele zaterdag weg. Ik veronderstelde dat hij met een van zijn maten naar Chestnut Springs of Gap Creek was gelopen. Het was me een raadsel waar hij het geld vandaan haalde om in South Carolina te drinken, te gokken en te brassen. Hij verkocht wel eens stroop en een paar eieren voor mama, maar verder voerde hij niets uit. Toch leek hij altijd genoeg op zak te hebben om te doen wat hij wilde, en hij was vaak weg.

Ik was de hele ochtend bezig met het plakken van de eerste drie banden, terwijl Fay naar de winkel van UG liep om wat eieren te verkopen en nieuwe plakkers te kopen. Ik had ook te paard naar de winkel kunnen rijden, maar ik vond het beter om nog niet op het paard te klimmen en eraf te springen zolang mijn enkel nog stram en beurs was. Ik verafschuwde banden plakken vanwege de stank van rubber en lijm. Ik werkte traag en moest telkens de handleiding op de doos lezen. Al werkend werd ik steeds bozer en ik bedacht wat ik allemaal met Moody zou gaan doen als hij terug was.

Ik legde de banden in de zon, waar ik het rubber beter kon zien, vond de sneden en plakte er roze plakkers op. Maar toen ik de eerste binnenband klaar had, hem in de buitenband paste en die weer op het wiel zette en toen probeerde hem op te pompen, siste de lucht eruit. Ik moest hem eraf halen, de tweede snee zoeken, die ook plakken en het opnieuw proberen. Toen werd ik zo kwaad dat ik de binnenband en de plakkers tussen de struiken gooide, en vervolgens moest ik op mijn knieën rondkruipen om alles weer bij elkaar te zoeken.

Tegen de tijd dat ik alle banden had geplakt, was het al in de namiddag, te laat om naar de Flat Woods te rijden en voor het donker mijn klemmen na te lopen. Het is al moeilijk genoeg om bij daglicht klemmen te zien en opnieuw te zetten, laat staan in het donker met een stramme, nog niet genezen enkel.

Ik was nog maar net klaar toen ik iemand het erf op hoorde komen. Ik draaide me om en zag dat het Moody was. Hij had gedronken. Ik zag het aan de fonkeling in zijn ogen en zijn manier van lopen.

'Dat je je gezicht nog durft te laten zien,' zei ik.

'Pas op,' zei hij, en hij zwaaide met zijn arm alsof hij een naderende auto wilde laten stoppen.

'Wat ben je ook een klootzak,' zei ik.

'Pas op,' zei Moody.

'Je hebt je weer van je lelijkste kant laten zien,' zei ik.

'Ik weet het, ik ben een zwijn,' zei Moody. 'Niks meer dan een zwijn.' Hij had geen vechtlust, wat ik wel had verwacht. Hij was smoorbezopen en zo slap als een lappenpop.

'Ik zou je van hier tot aan de rivier moeten schoppen,' zei ik. Ik keek of hij een mes in zijn hand had.

'Schop maar, je doet maar,' zei Moody. Hij maakte de riem van zijn overall los, stroopte hem af en bood me zijn blote kont aan.

'Ik wil mijn tenen niet vuilmaken aan die gore kont van jou,' zei ik.

'Toe dan, schop me dan,' schreeuwde Moody. Hij viel bijna om, maar hervond zijn evenwicht en viel toen alsnog. Hij kroop op zijn ene hand, met zijn overall om zijn enkels naar me toe. 'Als hier een mesthoop was, zou ik me erin wentelen om te bewijzen wat een zwijn ik ben,' zei hij.

'Hou op met dat stomme gedoe,' zei ik. 'Ik kan mijn klemmen wel vergeten, of je nu spijt hebt of niet.'

'Bont levert niks op,' zei Moody.

'Meer dan zuipen,' zei ik.

Moody kwam wankel overeind, maar hees zijn overall niet op. Hij hobbelde over het erf naar me toe. 'Je kunt tien keer zoveel verdienen als nu met je pelzen,' zei hij.

'Hoe dan?' vroeg ik. 'Door te stelen?'

'Ik zal het je verklappen,' zei Moody. 'Dat ben ik je schuldig.'

'Je bent me die banden en alle pelzen in mijn klemmen schuldig,' zei ik.

'Ik zal je uitleggen hoe je tien keer zoveel kunt verdienen,' zei Moody.

'Door drank te smokkelen?' zei ik.

'Wie heeft het over drank smokkelen?' zei Moody. 'Je hoeft alleen maar auto te rijden.'

'Ga uit mijn ogen,' zei ik. Ik gaf hem een stomp. Ik stompte hem zo hard ik kon tegen zijn borst, midden op zijn hart. En het leek alsof hij het verwachtte, alsof hij het wilde. Hij wankelde achteruit en viel, nog steeds met zijn overall om zijn enkels.

Ik viel hem niet nog eens aan. Ik was er verbouwereerd van dat hij niet had geprobeerd me te ontwijken of terug te vechten. Ik keek nog eens of hij niet naar zijn mes reikte.

'Je stompt maar raak,' zei Moody, alsof hij te dronken was om nog pijn te voelen. 'Ik zal me christelijk gedragen. Ik help je uit de brand.'

'Je kunt me niet uit de brand helpen,' zei ik.

'Je kunt genoeg geld verdienen om nieuwe klemmen en een nieuw geweer te kopen.' Hij keek me zijdelings aan, scheel van de drank. 'En je kunt genoeg verdienen om een gereedschapskist te kopen, of meer tekenpapier.' Het leek of de drank hem aan het denken had gezet, hem slimmer had gemaakt. 'Je zou ook genoeg kunnen verdienen om hier weg te gaan,' zei hij, 'om bijvoorbeeld naar Canada te gaan en daar je klemmen te zetten.' Het was alsof hij mijn gedachten kon lezen. Ik had niet gedacht dat Moody opmerkzaam genoeg was om te weten hoe ik ernaar verlangde een dubbelloops .30 jachtgeweer te kopen en uit Green River weg te gaan.

'Ik wil niks met dranksmokkel te maken hebben,' zei ik.

'Je hoeft er ook niks mee te maken te hebben,' zei Moody. Hij ging in het zand zitten met zijn overall nog onder zijn knieën. Ik had hem er nog nooit zo bespottelijk bij zien zitten, maar het leek hem niets te kunnen schelen. Ik schoot in de lach. Ik wees naar zijn smerige overall en lachte.

'Hoeveel kan ik dan verdienen?' vroeg ik, nog steeds lachend.

'Tien dollar.'

'Alleen door een eindje te rijden?' Ik speelde het spelletje mee, alsof ik er wel oren naar had.

'Alleen door een eindje te rijden,' zei Moody, die ook begon te lachen. 'Al jaag je een maand op pelzen, dan verdien je nog geen tien dollar.'

'En als ze me dan arresteren?' vroeg ik.

'Ze kunnen je niet arresteren voor het besturen van een auto,' zei Moody, 'tenzij je op een politieauto botst, of iemand dood rijdt.'

'Waarom denk je dat ik met je mee wil doen?' vroeg ik.

'Omdat je om het geld verlegen zit,' zei Moody. 'En om me te helpen. We zijn broers, dus helpen we elkaar.'

'Sinds wanneer? Zit je in moeilijkheden?' vroeg ik.

'Ik niet,' zei Moody, 'als ik maar naar Chestnut Springs kan. Help me hieruit en ik vraag je nooit meer iets. Ik kan het niemand anders vragen dan mijn eigen broer.'
'En als ik het niet doe?' zei ik.
'Dan heb je het op je geweten,' zei Moody.

Mama was verbaasd toen ik naar het huis liep en haar vertelde dat ik Moody naar South Carolina ging rijden. Ik was zelf ook verbaasd. Ik was nooit met hem meegegaan naar Chestnut Springs of Gap Creek. Ik geloof niet dat ik alleen om het geld toestemde. Ik geloof dat ik vooral de ruzie met Moody wilde bijleggen. Wanneer hij zo aardig deed, wilde ik vrienden met hem zijn, ook al was hij dronken. We hadden zo vaak ruzie gemaakt; ik wilde het per se bijleggen. Ik voelde me schuldig omdat ik hem had gestompt en hij zich niet had verweerd. En ik was benieuwd wat hij uitspookte.
Ik denk dat mama wel zag dat Moody niet in staat was zelf te rijden. Hij kwam niet binnen, maar bleef tegen het hek geleund op me staan wachten.
'Doe voorzichtig,' zei mama. Ze stond aardappelkoeken voor het eten te bakken.
'Ik doe toch altijd voorzichtig?' zei ik.
'Niet waar,' zei mama.
'Laat Muir niet gaan,' zei Fay.
'Niemand heeft je iets gevraagd,' zei ik tegen Fay.
'Hij krijgt er alleen maar moeilijkheden mee,' zei Fay.
Maar ik denk dat mama opgelucht was dat Moody en ik geen ruzie meer hadden. Ze was zo blij dat ze ons samen zag werken en plannen maken dat ze niet echt tegenstribbelde.
'Wil je ook mee?' vroeg ik aan Fay.
'Ha,' zei Fay.

Ik zwengelde de T-Ford aan en Moody ging op de passagiersstoel zitten. Hij had zijn overall opgehesen en zijn humeur was beter nu hij zeker wist dat ik hem naar South Carolina wilde brengen. Hij pakte een glazen pot van onder de voorstoel, maakte hem open en nam een slok. Toen bood hij hem mij aan, maar ik schudde mijn hoofd.
'Groot gelijk, broertje, blijf uit de buurt van die duivelse rum,' zei Moody. 'Zeker als je rijdt.'
Het begon net donker te worden. Ik deed de koplampen aan. Een konijn huppelde de weg op, zag de koplampen en sprong voor ons

uit alsof het niet van de weg af durfde. Ik was net zo bang als dat konijn, en ik wist net zomin waar ik mee bezig was.

Zodra we de snelweg naar South Carolina op reden, had ik al spijt dat ik was meegegaan. Ik was veel liever naar mijn klemmen gaan kijken, dan had ik nu bij het vuur muskusratten en nertsen zitten villen en hun pelzen op planken gespannen.

Toen we de staatsgrens waren overgestoken, leek het alsof de snelweg in een diepe put afdaalde. Er hingen populieren over de weg, die afliep langs de rand van Possum Holler, naar de bochten en zigzagwegen van de Winding Stairs die naar het dal van Chestnut Springs leidden.

'Hier afslaan,' zei Moody.

'Waar?' zei ik.

'Daar, verdomme,' zei Moody. Hij wees naar een zandweg die de snelweg met Gap Creek verbond.

'Ik dacht dat we naar Chestnut Springs gingen,' zei ik.

'Dat heb je dan verkeerd gedacht,' zei Moody.

De weg naar Gap Creek was zo hobbelig als een greppel. Hier en daar stond hij blank, er lagen grote rotsblokken die de weg versperden en zelfs op de vlakke stukken hotste je over de keien. De T-Ford denderde door de kuilen.

'En als er nu een as breekt?' zei ik.

'Dan moeten we naar huis lopen,' zei Moody, en hij nam nog een slok uit de weckpot.

We kwamen langs een paar huizen waar licht achter de ramen brandde, maar we naderden ruig gebied. We kwamen bij de rand van Dark Corner, het onherbergzaamste deel van de bergen. We reden langs verlaten blokhutten. Op een gegeven moment liep er een kreek dwars over de weg.

'Hier stoppen,' zei Moody. Ik zag alleen een groot rotsblok over de weg hangen met dichte laurierstruiken eromheen. Ik stopte en Moody stapte uit en liep een stuk terug. Ik hoorde hem met iemand praten. Ze spraken op gedempte toon, en toen hoorde ik Moody roepen: 'Wat je zegt!' Ik hoorde weer gemompel en toen riep hij: 'En of je gelijk hebt!'

Ik vroeg me af of ik moest gaan kijken wat er aan de hand was, maar ik wist dat Moody niet wilde dat ik me met zijn ruzies bemoeide, en bovendien wilde ik niet dat degene met wie hij praatte me zag. Toen ging het portier aan de passagierskant open en zei Moody: 'Help me even inladen.'

Ik zag eerst niets in het donker achter de auto. Het bos sloot de weg in en er was een waterval vlakbij. Ik verwachtte Moody's gesprekspartner in de gloed van de achterlampen te zien, maar er was geen mens, behalve Moody. Hij stak een lucifer aan en toen zag ik de grote bussen, zo groot als melkbussen. Het waren van die vijfentwintig-literbussen waar de boeren de melk in afleveren.

'Zet ze maar achterin,' zei Moody.

'Op de achterbank?' vroeg ik.

'Nee, op de achterbumper,' snauwde hij.

Ik zeulde een bus naar de auto en hees hem op de achterbank. Hij was zwaar, wel vijfendertig of veertig kilo. 'Wat ga je ermee doen?' vroeg ik. Ik wist dat er drank in zat.

'Gaat je niks aan,' zei Moody. Hij was nu heel zakelijk, volkomen nuchter.

We laadden de bussen in de auto en toen keerde ik en begon de smalle weg terug te volgen. Ik had niet gezien van wie Moody de bussen had gekocht. De T-Ford nam de hobbels aarzelend met zijn nieuwe last.

'Je zult me moeten helpen dragen,' zei Moody toen we bijna weer bij de snelweg waren.

'Je zei dat ik alleen maar hoefde te rijden,' zei ik.

'De plannen zijn gewijzigd,' zei Moody.

'Ik doe het niet,' zei ik, en ik omklemde het stuur.

'Je hebt geen keus,' zei Moody.

'Ik hoef niks,' zei ik.

'We kunnen niet de snelweg op met die lading,' zei Moody. 'De douane wacht ons op.'

Ik begreep dat Moody de hele tijd al van plan was geweest de drank door de bergen naar North Carolina te dragen, zodat hij niet bij de douaneversperring aan de staatsgrens gepakt kon worden. Hij was bang voor de sheriff van South Carolina.

Het was zwaar werk om de bussen eerst de bergtop op te zeulen en vervolgens aan de andere kant eraf. Het was al mannenwerk geweest om er een in het donker het steile pad op te dragen, maar voor twee tegelijk moest je zo sterk als een beer zijn. Nog voor ik een derde van de helling had beklommen, was ik al buiten adem en bezweet, en mijn voet was nog pijnlijk. Moody daarentegen liep met een bus in elke hand voor me uit zonder ook maar één keer te stoppen. We konden geen licht maken en we moesten onze ogen aan het donker laten wennen. In het donker is een zware last twee keer zo zwaar als bij daglicht. Ik struikelde over keien op het steile pad en liep tegen bomen op. Maar Moody kende de weg en liep gestaag door. Zo zag ik weer eens hoe taai hij was. Hij was lichter dan ik en hij had de hele dag gedronken, maar toch liep hij de berg op alsof die bussen zo licht als een veertje waren. Hij deed wat hij wilde doen, wat hij moest doen. Ik kon hem niet eens bijhouden.

Tegen de tijd dat we aan de andere kant van de berg waren en naar de snelweg liepen, was ik afgepeigerd. Ik zette de bussen in de struiken en Moody plofte op de grond neer. 'Ga de auto halen en kom hierheen,' zei hij.

'Wat ga jij doen?' vroeg ik.

'Ik blijf hier,' zei Moody, 'om ervoor te zorgen dat er niets met de koopwaar gebeurt.'

'Ik weet niet eens hoe ik bij de auto terug moet komen,' zei ik.

'De grote woudloper en jager kan de weg niet vinden?' zei Moody. 'Goed dan, aan het eind van deze klemmenroute krijg je twíntig dollar.'

Ik liep op de tast de helling op, voetje voor voetje, mezelf ophijsend aan bomen en laurierstruiken. Ik kon het pad niet zien, maar als ik op struiken of dicht gebladerte stuitte, veranderde ik van richting. Er reed nog wat verkeer op de snelweg beneden, en dat hielp me mijn richtingsgevoel niet te verliezen. Op de top rustte ik even en keek naar de sterren boven de bomen. Het leek zo vreemd om te doen wat ik deed. Ik was liever in mijn eentje in het bos geweest, kamperend.

Toen ik de T-Ford eindelijk had bereikt, zwengelde ik hem aan en deed de koplampen aan. De smalle weg lag fonkelend en gebleekt voor me nu mijn ogen aan het donker gewend waren. Het was maar een paar honderd meter naar de snelweg, en ik had het asfalt nog niet bereikt of ik zag de zwart met witte auto in de berm staan. Het was een politieauto. Het speeksel stolde in mijn keel. Ik reed behoedzaam om de auto heen en zag de sirene op het dak. Ik had altijd begrepen dat je de sheriff van South Carolina moest afkopen, maar het zag er niet naar uit dat Moody iets had betaald; anders hadden we die bussen niet helemaal over de berg naar North Carolina hoeven zeulen.

Ik was de politieauto net voorbij toen zijn verlichting aan sprong. Ik had nog nooit eerder zulk fel licht gezien als toen in mijn spiegel. De bundels waren zo groot dat ze de nacht leken te verzengen en mij te verblinden. De auto met zijn gloeiende lampen volgde me en begon me in te halen.

Wat nu? dacht ik. En toen schoot me te binnen dat er geen bussen in de auto lagen. Er was helemaal geen drank in de T-Ford te vinden, tenzij Moody zijn weckpot onder zijn stoel had laten staan. En dat had hij waarschijnlijk gedaan. Ik was nog nooit door een hulpsheriff aangehouden. Mijn hele leven werd die nacht op zijn kop gezet.

Er begon een rood licht te flitsen en ik hoorde de sirene als een gekras dat gekerm werd en toen een fluittoon. Ik zag geen plek om te stoppen, dus minderde ik vaart en reed langzaam door. De sirene begon harder te loeien. Ik trapte op de rem en stopte op de weg. Mijn voeten beefden op de pedalen.

Er kwam een man in uniform naar het raampje en ik draaide het open. 'Uitstappen,' zei hij.

Ik draaide de contactsleutel om en stapte uit. Mijn knieën knikten zó dat ik bang was dat ik zou omvallen. De klim de heuvel op had mijn herstellende enkel te zwaar belast. Er waren twee hulpsheriffs, allebei met een zaklantaarn.

'Je wilde maar eens terug naar North Carolina?' vroeg de een.

'Ja, meneer,' zei ik.

'Met een brouwseltje uit Gap Creek,' zei de ander.

'Nee, meneer,' zei ik.

Het waren grote, forse mannen allebei, en ze gedroegen zich alsof ze eraan gewend waren bevelen te geven. Ze keken onder de achterbank en onder de voorstoelen. Ze vonden Moody's weckpot onder de passagiersstoel, maar hij was leeg. Ze doorzochten het handschoenenkastje en keken onder de motorkap en onder de auto zelf.

'Waar heb je het verstopt, jongen?' zei de een.

'Nergens,' zei ik.

De ander draaide de dop van de benzinetank en snoof.

'Je bent niet naar Gap Creek gereden om een lege weckpot te halen,' zei de eerste hulpsheriff.

'Ik ben bij vrienden geweest,' zei ik.

'Ik geloof dat we een brutaaltje te pakken hebben,' zei de tweede.

'Ben je brutaal?' zei de eerste.

Ik moest tegen de auto gaan staan, met mijn handen op het dak, en ze fouilleerden me en doorzochten mijn zakken. Ik had alleen mijn mes bij me.

'Ken je Moody Powell toevallig?' vroeg de tweede hulpsheriff.

'Misschien,' zei ik.

'Waar is Moody vannacht?'

'Weet ik niet,' zei ik.

'Dit is Moody's auto,' zei de eerste hulpsheriff.

'Hij is van Moody en mij samen,' zei ik. 'Hij is mijn broer.'

'We houden je in de gaten,' zei de eerste hulpsheriff. 'Zoals we Moody, Wheeler en Drayton ook in de gaten houden.' Voor ik het goed en wel besefte, schopte hij mijn voeten onder me vandaan en viel ik hard op mijn knieën op het asfalt. Mijn enkel voelde alsof iemand een spijker door het bot had geslagen.

'Ga maar niet meer naar Gap Creek,' zei de tweede hulpsheriff.

'En nou wegwezen,' zei de eerste.

Ik stopte onder de populieren. Moody kwam pas tevoorschijn toen ik de lichten had gedoofd. Hij stond opeens bij het raampje. 'Waar bleef je zo lang, verdomme?' zei hij.

'Ik heb een praatje met een paar hulpsheriffs gemaakt,' zei ik. 'Ze zochten je.'

'Dan hebben ze niks gevonden,' zei Moody.

'Ik zou je verrot moeten slaan,' zei ik.

'Is-ie boos?' zei Moody alsof hij het tegen een baby had. 'Gaat mijn broertje huiltjes doen?'

'Als ze me nou hadden meegenomen?' zei ik.

'Zou goed zijn voor je domineescarrière,' zei Moody. 'Veel predikanten hebben in de bak gezeten.'

We legden de bussen op de achterbank en wachtten op een grote vrachtwagen die kreunend en brommend de berg op reed, terugschakelde voor de ergste hellingen en dan weer een versnelling hoger schakelde. Het leek een eeuwigheid te duren voor hij ons voorbij was, maar ten slotte was hij er en zagen we de achterlichten aan de andere kant afdalen.

'En nu?' zei ik.

'Ik zeg wel waar we naartoe gaan,' zei Moody.

'Wat ga je dan zeggen?' zei ik.

'Ik zeg je wat je weten moet,' zei hij.

'Naar het noorden, baas?'

'Nee, we brengen alles terug naar South Carolina, idioot,' zei Moody.

Ik draaide de snelweg op en begon aan de lange klim naar de Green River-vallei. De T-Ford reed soepel en geluidloos met zijn lading achterin. Ik veronderstelde dat Moody de bussen ergens bij Wheelers huis in Cedars Springs wilde uitladen, of anders op Mount Olivet, dichter bij Draytons huis. Net toen we de laatste bocht namen voordat de weg regelrecht naar de rivier afloopt, zag ik de politieauto in de oprit van het zomerhuis van meneer Leland, de katoenbaron uit Spartanburg.

'Ik dacht dat die auto was teruggegaan,' zei ik.

'Dat is de politie van North Carolina, debiel,' zei Moody.

Toen we de hoek om kwamen, begon het zwaailicht van de patrouilleauto te draaien.

'Harder,' schreeuwde Moody.

'Wat nu?' vroeg ik toen de politieauto dichterbij kwam en de sirene ook begon te loeien.

'Gas op de plank!' schreeuwde Moody.

'Die brik kan niet harder dan de politie,' zei ik. Ik begreep dat de hulpsheriffs van South Carolina de sheriff van het district Tompkins hadden gewaarschuwd. Ik voelde me alsof ik een stomp in mijn maag had gekregen. Het motortje van de T-Ford tufte, maar kon niet harder. Ik schakelde terug naar de tweede versnelling. De weg voor me leek steiler dan een dak en strekte zich steeds verder uit in de koplampen.

'Als je boven bent, kun je harder,' zei Moody.

'We komen niet eens boven,' zei ik. De politieauto kwam steeds dichterbij. Ik zag dat het een Dodge was die ons gemakkelijk kon inhalen. De auto leek wel een vuurspuwende draak met zijn rode zwaailicht. Ik gaf gas op de plank, maar het haalde niets uit. Was ik maar dood, dacht ik. Lag ik maar thuis in bed. Had ik Moody maar links laten liggen toen hij dronken en nederig thuiskwam.

'Harder!' riep Moody.

'Waarom stap je niet uit, dan kun je duwen,' zei ik.

Ik trapte weer op het gaspedaal en wenste dat ik de pedalen als die van een fiets kon bedienen. Ik boerde maagzuur op.

'Sla als je boven bent de houthakkersweg in,' zei Moody.

'Die loopt alleen maar het bos in,' zei ik.

'Hij loopt door tot Terry Creek,' zei Moody.

'En als ze onze banden lek schieten?' zei ik.

'Dat maakt weinig uit op die weg,' zei Moody.

Toen we eindelijk boven op de helling waren, was de Dodge ons tot op dertig meter genaderd en viel het licht van een schijnwerper op de T-Ford. De politieauto kwam zo dichtbij dat het leek of de flitslichten in onze auto brandden. Ik was bang dat hij onze achterbumper ging rammen, maar de auto zwenkte plotseling en kwam naast ons rijden. Ik zag dat de hulpsheriff naast de bestuurder met een pistool in zijn hand naar de berm wees om ons te laten stoppen. De politieauto duwde ons opzij. Er was nog maar vijfentwintig centimeter ruimte tussen de beide auto's. Vergeleken bij de krachtige Dodge was onze T-Ford net een rijtuigje.

'En nu, grote broer?' riep ik. Zolang de patrouilleauto naast ons reed, kon ik met geen mogelijkheid linksaf de houthakkersweg inslaan, en het was nog maar een paar honderd meter naar de afslag. Als ik werd aangehouden met al die sterkedrank op de achterbank, zouden ze me naar de gevangenis in Atlanta sturen, net als iemand die al jaren drank smokkelde. Het maakte niets uit dat het mijn eerste keer was.

'Je bent toch zo slim, zeg dan iets!' brulde ik naar Moody. Hij zat er verdwaasd bij en wist niets te zeggen.

De politieauto ging harder rijden, en ik begreep wat er ging gebeuren. Ze wilden ons afsnijden en me dwingen te stoppen. Ik trapte op de rem en de politieauto zeilde voorbij. Toen we tot stilstand kwamen, dacht ik links de afslag te zien.

'Dat is 'm!' riep Moody. 'Afslaan!'

De patrouilleauto remde honderd meter voor ons met gierende banden, maar ik wachtte niet tot hij was gekeerd. Ik gaf een ruk aan het stuur, reed met een wiel de greppel in en raakte een gifsumac, maar het wás de houthakkersweg, smal en overwoekerd. Takken zwiepten vlak boven de grond en ik schakelde terug.

'Geen gas terugnemen!' schreeuwde Moody.

'Wil je door een boom heen rijden?' zei ik.

De weg was niet meer dan een vage scheiding tussen de struiken, met scherpe bochten om boomstompen en rotsblokken heen. De route was moeilijk te volgen in het gele licht van de koplampen. Takken zwiepten tegen de voorruit en schraapten langs de carrosserie. Ik reed zo hard als ik kon en de auto steigerde als een wild paard over keien en door kuilen. Ik werd een paar keer zo hard door elkaar geschud dat mijn voet van het gaspedaal schoot. Ik werd zo door elkaar gerammeld dar ik niets in de spiegel kon zien.

'Zie jij ze?' vroeg ik aan Moody.

Hij keek over zijn schouder. 'Ik zie niks,' zei hij.

'Als ik hieruit kom, doe ik nooit meer wat je zegt,' zei ik.

'En je gaat drie keer per dag bidden, in de bijbel lezen en mama een nachtzoen geven,' zei Moody.

De weg liep door een beekje en het water spatte waaierend aan weerszijden van de auto op. Ik dacht dat we dicht bij Terry Creek moesten zijn. De jongens van Johnson hadden het bos hier en bij Lewis een jaar of drie, vier geleden gekapt, en de weg lag bezaaid met rottende stammen, stronken en takken.

Ik weet niet wie van ons het het eerst zag, maar net toen Moody 'shit!' riep, zag ik iets in de achteruitkijkspiegel oplichten. De patrouilleauto zat nog een heel eind achter ons, maar we werden nog steeds gevolgd. Ik had gehoopt dat ze de moed zouden opgeven. Ik zag het zwaailicht tussen de struiken en bomen door.

'Godver!' tierde Moody, en hij stompte tegen het dashboard.

'Heb je nog meer ideeën?' vroeg ik.

'Als je bij de verharde weg komt, doe de lampen dan uit,' zei Moody.

'Dan zie ik niet waar ik rij,' zei ik.

'Er zit niks anders op,' zei Moody. 'Tenzij jij een geniale inval krijgt.'

Ik kon niet zien hoe groot de afstand tussen ons en de politieauto was. Het kon een kilometer zijn, maar ook een paar honderd meter. De lichten dansten in en uit het zicht alsof ze op hoge golven deinden. Ze gingen alle kanten op.

'Weet je,' zei Moody, 'als je maar niet in de buurt van ons huis komt, of dat van Wheeler.'

'Wheeler zal me een zorg zijn,' zei ik.

'Als ze Wheeler arresteren, stuurt hij ze naar ons toe,' zei Moody. 'En anders doet zijn moeder het wel.'

Bij wijze van uitzondering dacht Moody eens helder. Wat er ook gebeurde, ik wilde uit de buurt blijven van de weg door Green River. Ik wilde niet dat mama me met een vracht gesmokkelde drank in de auto voor de politie zag vluchten. En ik wilde niet dat Annie of wie dan ook me zo zag.

Toen ik eindelijk bij de weg naar Terry Creek was, deed ik de verlichting uit en sloeg rechtsaf. Als ik op de weg naar Bobs Creek kon komen, kon ik van daar naar Cedar Springs rijden en vervolgens misschien naar Mount Olivet. En anders kon ik de politie afschudden op de kleine kronkelweg naar Pinnacle. Op oneffen, smalle wegen kon de Dodge niet veel harder dan onze Ford.

Ik zag eerst geen hand voor ogen. Ik reed op een zwarte muur in. Ik minderde vaart en kroop vooruit.

'Niet remmen,' zei Moody.

'Dat had ik al bedacht,' zei ik.

Het was of ik schaduwen zocht in een diepe, troebele poel. Ik wist waar de weg was, maar zag in feite niets. Het zou nog even duren tot mijn ogen aan het donker gewend waren. Ik liet de auto uitrijden. Het remlicht zou ons beslist verraden.

Net toen ik de grijze omzoming van de weg een beetje begon te onderscheiden, dook het zwaailicht weer achter ons op. Zouden ze ons volgen of terug naar het zuiden rijden? Ik denk dat ik mijn adem inhield. Mijn handen plakten aan het stuur van het zweet. De lichten achter me stopten en verdwenen. Ik haalde weer adem. En toen doken de koplampen en zwaailichten opeens weer op. Ze waren alleen achter de bomen verscholen geweest.

'Shit!' schreeuwde Moody, en hij stompte weer tegen het dashboard.

'Wat is je volgende idee?' zei ik. Ik besefte dat ik snel iets moest bedenken. Moody kon me niet helpen. Ik hoorde het klikken van een portier en voelde een zuchtje koele wind in de auto. Ik keek opzij. Moody was uit de langzaam rijdende auto gesprongen.

'Hé!' riep ik, maar Moody was al in de berm gesprongen en in het duister verdwenen.

Nu sta je er echt alleen voor, zei ik tegen mezelf. Je hebt honderd liter gesmokkelde drank achterin liggen en je rijdt in een auto die niet alleen op Moody's naam staat, maar ook op de jouwe. Als je nu uit de auto springt, vinden ze je alsnog. Dan komen ze je thuis arresteren. Ik had geen andere keus dan doorrijden. En ik had geen andere keus dan de lichten weer aandoen en zo hard mogelijk doorrijden.

Maar toen de weg weer voor me oplichtte en de bundels van de koplampen door de nacht schoten, kreeg ik een idee. Waarschijnlijk werd het niets, maar ik kon het ten minste proberen. Ik moest de politie zo ver voor zien te blijven dat ze mijn banden niet lek konden schieten, en ik moest ze zo ver voor zien te blijven dat ze het niet konden zien wanneer ik mijn verlichting weer uitdeed. Misschien had ik dan tijd genoeg om helemaal naar Mount Olivet te rijden.

Ik reed zo hard dat de T-Ford overhelde in de bochten en de bussen drank verschoven en tegen elkaar kletterden. Ik botste op hobbels en keien en door kuilen die de auto lieten opspringen. Ik moest de politie een heel eind voorblijven. In een bocht voorbij de Shipmans reed ik de berm in en sloeg bijna om. En ik reed het veld van Stanley James in voor ik de weg had teruggevonden. Maar ik hield me vast alsof ik op een steigerende slee een berg af zoefde. Ik moest bij de kruising met Bobs Creek zien te komen voor de patrouilleauto me inhaalde. Ik vond het opwindender dan ik had gedacht. Ik moest die hulpsheriffs te slim af zijn.

De weg stak de kreek over, die op die plek ondiep was en een rotsachtige bodem had. Ik was er vaker overgestoken; ik had erdoorheen gewaad bij het forelvissen en hoger langs de stroom had ik weleens klemmen gezet. Ik wist dat de bodem nog ongeveer een halve kilometer uit vast gesteente bestond, tot aan de eerste zandbanken aan de voet van de berg. Zodra ik het ondiepe water in spatte, deed ik mijn lichten uit, stopte en sloeg rechtsaf.

Stomme idioot die je bent, dacht ik toen de T-Ford aan een kant omhoog kwam en aan de andere kant zakte. De houthakkersweg was een vlakke snelweg geweest vergeleken bij de bedding van de kreek. De banden stootten op richels en hotsten over losse keien en houtblokken. Dit lukt je niet, dacht ik, en ik gaf meer gas.

De bussen op de achterbank rolden om en kletterden tegen elkaar. Als er meer ruimte was geweest, waren ze gevallen. De neus van de auto zwoegde over een richel en zakte met een plons terug in het water. Als ik in diepe modder of drijfzand belandde, was ik er geweest. De kleine auto sidderde en de motor kuchte. Ik liet hem uitrijden en wachtte om te zien of de patrouilleauto me voorbijreed.

Ik schatte dat ik zo'n dertig meter van de weg was. Als de hulpsheriffs stopten en hun schijnwerper op de kreek richtten, konden ze me zien, maar ik durfde niet verder te rijden in het donker. Als ik op een echt groot rotsblok botste, kon ik een as of het motorblok breken.

Ik wachtte op het zwaailicht. Was de politie teruggegaan? Hadden ze hun lichten gedoofd en zochten ze me nu langs de oever van de kreek? Ik wachtte en wachtte zo lang dat ik mijn adem moest laten ontsnappen en weer inademen. Ten slotte dook het zwaailicht op, en ik zag het in de kreek zakken. Daar leek de auto te stoppen. Ik dook weg alsof ze me konden zien, maar toen ik opkeek, klom het zwaailicht aan de overkant van de kreek omhoog en verdween achter de bomen. Ik draaide het raampje open en spitste mijn oren. Het loeien van de sirene stierf geleidelijk weg tot ik alleen het gemurmel en gekabbel van de kreek nog maar kon horen.

Ik sprong uit de auto en stapte in de kreek. Het koude water omspoelde mijn zere enkel, die nog meer pijn begon te doen, maar ik had geen tijd om over mijn zere voet te piekeren of hem te ontlasten. Ik rukte het achterportier open en greep een bus. De kreek was omzoomd met hazelaars, en ik dook de struiken in en vond op de tast een open plekje waar ik de bus kon neerzetten. Plonzend door de koude kreek haalde ik de andere drie bussen en legde ze tussen de struiken. Er groeiden ook doornstruiken en heide en ik liep schrammen op mijn armen en benen op.

Maar wat was het een opluchting om die drank kwijt te zijn. Zonder die bussen in de auto maakte het me niets meer uit of de politie me aanhield. Ik stuurde de T-Ford achteruit door de kreek terug, zo langzaam als ik kon zonder de motor te laten afslaan. Elke schok van de auto joeg een pijnscheut door mijn voet en enkel. Telkens wanneer een van de wielen in een poel zakte, dacht ik dat ik vast kwam te zitten. Ik moest het portier een aantal keren openen om te kijken waar ik naartoe ging. De achteruitkijkspiegel was nutteloos in het donker.

Toen ik de kruising met de weg bereikte, stopte ik en luisterde of ik een andere auto hoorde, maar het enige geluid was het murmelen van de kreek. Ik sloeg rechtsaf, deed mijn lichten aan en volgde de weg terug. Ik wist dat het na middernacht was. Het kon ook twee uur zijn. In de huizen die ik passeerde, brandde nergens licht. Het enige dat licht gaf, waren de flinters mica in de weg en de ogen van een kat of wasbeer in de berm.

Toen ik echter de vertakkingen bereikte en naar de rivier zelf reed, zag ik een man opdoemen. Hij liep voor me uit, midden op de weg, en hij liep zo krom dat ik hem voor een bejaarde aanzag. Toen ik dichterbij kwam en vaart minderde, zag ik dat hij hinkte en strompelde, waar ik uit afleidde dat hij heel oud of ziek moest zijn. Pas toen zag ik dat het Moody was. Ik stopte, ving hem in de lichtbundels van mijn koplampen en riep: 'Stap in.'

Hij draaide zich om en hield zijn hand boven zijn ogen alsof hij niets zag. Er zat bloed aan zijn neus en kin. Hij tuurde in de lichten alsof hij niet wist waar hij was. Ik zette de auto op de handrem en stapte uit om hem te helpen instappen.

'Waar heb jij gezeten?' vroeg Moody, die niet leek te kunnen geloven dat ik het echt was. Hij had natuurlijk aangenomen dat ze me hadden gearresteerd.

'Ik heb wat gereden,' zei ik.

Opeens leek hem iets te binnen te schieten. 'Waar zijn de bussen?' vroeg hij.

'Zeg ik niet,' zei ik.

'Waar is de politie gebleven?' vroeg hij.

'Die zijn nu waarschijnlijk al bij Mount Olivet,' zei ik.

Moody schudde zijn hoofd alsof hij nog steeds niet kon geloven dat hij naast me zat, dat ik niet gearresteerd was. Hij had me in de steek gelaten en daar was ik, zo vrij als een vogel.

'Waar is de drank?' vroeg hij.

'Dat zeg ik pas als je me mijn geld geeft,' zei ik.

Moody moest de rest van zijn drank hebben opgedronken, want ik zag geen fles. 'Grote klootzak,' zei hij telkens, en voordat we bij de weg naar Green River waren, sliep hij al.

9

Muir

Toen ik de volgende ochtend wakker werd en naar de keuken kreupelde, keek mama me strak aan, zodat ik me zo nietig als een worm voelde. Ze keek van mij naar haar bijbel. 'Ik zal maar niet vragen waar jullie gisteren zijn geweest,' zei ze.

Ik voelde me of ik was afgeranseld en ik voelde me alsof ik een week niet had geslapen. Ik was niet gewend zo lang op te blijven en mijn enkel was zo pijnlijk alsof ik hem opnieuw had verstuikt. Ik kon er niet op lopen.

'Je had beter je klemmen kunnen nakijken,' zei mama.

Ik schonk mezelf een kop koffie in. Ik wilde niet dat mama erachter kwam wat ik had gedaan, maar ik vermoedde dat ze wel zo ongeveer wist waar we hadden gezeten.

'Zo te zien kun je niet eens naar de kerk,' zei mama.

'Ik ga wel naar de kerk,' zei ik.

'Je hebt er weinig aan als je door de preek heen slaapt,' zei mama.

'Ik val niet in slaap.'

'Dat ik nog moet beleven dat allebei mijn zoons op zaterdagavond naar Chestnut Springs gaan,' zei mama. 'Dat had ik nooit gedacht.'

'Ik ga toch naar de kerk,' zei ik.

'Naar de kerk gaan alleen is niet voldoende,' zei mama. 'Je hart moet ervoor openstaan.'

Ik wilde iets onzinnigs zeggen, dat ik mijn hart wel met een mes open kon snijden, maar ik deed het niet. Waarom zou ik mezelf nog meer beschamen?

Het was nog schemerig, maar toen ik langs de schuur liep, zag ik de modderspatten op de auto. Het slijk uit de kreek kleefde als gedroogde mest aan de wielen en spatborden, en aan de zijkanten plakte zand en troep die nat was geworden in de kreek.

In de koeienstal was het warm en geurig. Toen ik de Jersey die Alice heette begon te melken, keek ik in de emmer. De mestgeur en de warmte van de koe brachten mijn tollende hoofd tot rust. Ik leunde tegen de warme koeienflank en luisterde naar het gerommel in haar binnenste terwijl ik molk. *'Oehoehoe,'* klonk het onder de warme koeienhuid.

Als kind ging ik niet liever naar de kerk in Green River dan andere jongens van mijn leeftijd. Ik hield van het zingen en ik hield van de spanning van een goede preek, zoals iedereen, maar dominee Liners preken waren meestal lang, zwaar en domweg triest. Meestal zat je in de kerk terwijl hij eindeloos bazelde over hoe zondig we allemaal waren en hoe ellendig we ons allemaal op de dag des oordeels zouden voelen.

De belangrijkste reden om niet naar de kerk te willen, was dat ik me er zo belachelijk had gemaakt toen ik wilde preken. Ik had tegen jan en alleman gezegd dat ik predikant wilde worden, maar toen ik eenmaal op de kansel stond, had ik alleen maar kunnen zweten en stamelen.

Een andere reden om niet naar deze kerk te willen, was de manier waarop mama er jaren geleden was behandeld, toen ze nog naar de bijeenkomsten van de pinksterbeweging in tenten en op open plekken ging. Voor mijn geboorte hielden ze een stemming in de kerk en toen werd ze uitgestoten. Oom Joe en tante Lily werden uitgestoten, en opa ook, terwijl hij degene was die de grond voor de kerk had geschonken en hem had gebouwd. Wie hoorde er nu meer bij een kerk dan de man die hem met zijn eigen handen en op zijn eigen grond had gebouwd? Ik vond het jammer dat hij geen grotere kerk had gebouwd, en dat hij niet van steen was. Een echte kerk hoorde van steen te zijn.

Mama en opa waren naar de kerk blijven gaan alsof er niets aan de hand was, en ze bleven hun tienden schenken alsof ze nooit verstoten waren. Uiteindelijk waaide het hele geval over en leek iedereen het te vergeten. En toen ik een jaar of zeven was, kwam er weer een dominee van de pinkstergemeente die bijeenkomsten op een open plek op Mount Olivet hield. Zodra mama die bijeenkomsten begon te bezoeken, hielden de ouderlingen weer een vergadering en werd mama weer uitgestoten. En weer deed ze of haar neus bloedde en bleef de kerk gewoon bezoeken.

Mama nam me mee naar zo'n bijeenkomst buiten, en ik was bang omdat ik niet wist wat me te wachten stond. Ik wist dat het het soort bijeenkomst was waar veel mensen op tegen waren en dat de dominee de mensen ervoor waarschuwde. Het was beangstigend om in het donker over de weg naar Mount Olivet te lopen en het pad te volgen naar de vallei met de open plek. Er hingen lantaarns aan palen en er stonden paarden aan bomen vastgebonden. Op een bank stond een emmer water met een scheplepel erin.

Het prieel waarin de samenkomst werd gehouden, was meer een soort skelet van palen waaraan dennen- en cedertakken waren gespijkerd. De dennennaalden blonken als koper en glas in het licht van de lantaarns.

De banken in het prieel waren gewoon planken die over boomstronken en houtblokken waren gelegd. Er was zaagsel over de grond gestrooid en er hing een lieflijke geur van dennenhars. Ik ging naast mama op een bank zitten en viste mijn mes uit mijn zak.

'Niet je mes pakken in de kerk,' zei mama.

'Dit is geen kerk,' zei ik.

'Het is hetzelfde als een kerk,' zei mama.

Toen de predikant voor de banken kwam staan, leek hij me de grootste man die ik ooit had gezien. Hij heette dominee Allison, en ze zeiden dat hij timmerman was en uit Tennessee kwam. Hij had een donkere huid en zwart haar en ogen die heen en weer flitsten.

'Wanneer de Geest beweegt, kan hij een heel volk in beweging brengen,' zei dominee Allison.

'Amen,' riep iemand achter ons.

'Wanneer de Geest beweegt, kan hij een hele vallei in beweging brengen,' zei de dominee. 'Want wanneer de Geest komt, kan hij hemel en aarde veranderen als het weer.'

'Amen,' riep iemand weer.

'Wanneer een grote revival een vallei verlicht, kun je er niet lopen zonder door de heiligheid geraakt te worden,' zei de dominee. 'Zondaren voelen het roeren van de Geest en de overtuiging zodra ze de gemeenschap betreden. De grond is geladen en de lucht is geladen door de vonk van de Geest. En je voelt de vreugde in de zachte bries boven de kreek, en in het zonlicht op een maïsveld en in de nachtelijke wind. Het water dat uit de bron in de rots komt is gezegend en het pad naar de boomgaard is gezegend.'

Dominee Allison zwaaide niet met zijn armen en liep niet heen en weer. Hij boog zich over ons heen en praatte met zijn kalme, gelijkmatige stem, en de rillingen liepen me over de rug. Die kalmte was zo griezelig. Ik durfde niet naar zijn ogen te kijken, die zwart waren en dicht bijeen stonden, als de openingen aan het eind van een dubbelloops geweer. Ik wendde mijn blik van zijn gezicht af en keek toen toch weer naar zijn ogen in het lantaarnlicht.

'Jullie zijn de vreugde vergeten, en jullie zijn de aanwezigheid van de verlosser vergeten,' zei dominee Allison. 'Want de Heer heeft gezegd: "Voorwaar, Ik ben altijd bij u, zelfs tot aan het eind van de wereld." En ik voel Hem hier en nu. Voelen jullie Hem ook? Voelen jullie zijn aanwezigheid? Hij is niet ergens daarginds bij de rijke mensen en de machtige mensen in Washington, o nee. Hij is hier, bij u en bij u en bij u.' De dominee wees eerst mensen aan de ene kant aan en toen aan de andere. Ik huiverde toen hij naar mij wees.

'Glorie,' zei mama, en ze stak haar handen op. 'Glorie halleluja!'

'De zuster voelt de aanwezigheid,' zei dominee Allison.

Ik keek naar mama en wendde mijn blik af. Ik had haar nog nooit zo gek zien doen. Haar ogen waren op de dominee gevestigd en ze keek alsof ze iets prachtigs zag. Als ik haar blik volgde, zag ik alleen die lelijke ouwe dominee, maar mama leek dolblij met wat ze zag. Ze stond op en riep: 'Dank U, Jezus, dank U voor uw zegeningen!'

De dominee bleef mama aankijken en mama begon in een stroom te praten, maar ik kon haar niet verstaan. Ik had nog nooit iemand zo vreemd horen praten, en ik begreep dat ze in tongen sprak. Ik had al mijn hele leven over de gave van de tongen gehoord. Dat vond papa nog het ergst aan de diensten van de pinkstergemeente. Het klonk zo afschuwelijk. De woorden, de geluiden die eruit kwamen, klonken als de tanden van een zaag in mijn oren. Ik drukte mijn handen tegen mijn oren en keek de andere kant op, maar ik bleef mama horen.

Ik keek naar het zaagsel op de grond, en toen keek ik naar mama en weer een andere kant op. Mama bleef praten en ik verstond geen woord van wat ze zei. Ik moest hier weg. Vrouwen riepen: 'God zegene je, Ginny!' en mannen zeiden: 'Dank U, Jezus,' en 'Zegen de zuster in Christus.' Ik kon de blik van de dominee niet verdragen en ik kon mama's gebrabbel niet verdragen. Het was of ze 'gakke, gakke, gakke' zei.

Ik stak mijn hand in mijn zak en pakte mijn mes. Ik maakte het open en hield het lemmet in het lantaarnlicht, maar ik wist niet wat ik ermee wilde doen. Ik wees met het lemmet naar de dominee en ik richtte het op de lantaarn naast zijn hoofd alsof het een geweer was. Ik geloof dat geen mens mij en het mes zag. Iedereen keek naar de dominee en naar mama. Met mijn mes op dominee Allison gericht rende ik langs mama en de preekstoel. Het mes was mijn verweer tegen het angstaanjagende, maar het hielp niet. En toen rende ik de nacht in.

Ik moest in het prieel hebben zitten zweten, want toen ik onder de bomen was en naar de mensen in het lantaarnlicht keek, merkte ik dat ik zo nat was alsof ik net uit de kreek kwam. Ik huiverde in de kille nachtlucht en mijn schouders schokten, zó bang was ik. Ik hoorde mama schreeuwen en toen zag ik haar een soort dans voor de dominee doen. En ze viel in het zaagsel. Ze rolde erin rond alsof ze een toeval had. Ze rolde over de grond als een paard dat zich in het stof wentelt. Ik wilde het niet meer zien. Ik drukte mijn gezicht tegen een boomstam en huilde.

Ik ging nooit meer met mama mee naar het prieel. En ik vergat nooit hoe ze had gekeken toen ze in tongen sprak en hoe ze had gebeefd en gesidderd toen ze naar de dominee toe liep. Ze gedroeg zich helemaal niet meer als mama, maar als iets gruwelijks dat uit de lucht was komen vallen. Ik kon nog dagen na de bijeenkomst niet naar haar kijken. Ik zat met gebogen hoofd aan tafel en liep straal langs haar heen in de keuken.

Na een week sloot dominee Allison zijn bijeenkomsten af en reisde naar een volgende revival in Pickens, in South Carolina. En mama ging weer naar de kerk, net als altijd.

Het was zo druk in huis toen Fay en mama zich optutten voor de kerk, dat ik een plekje moest zoeken om mezelf te fatsoeneren. Toen ik de melk had laten uitlekken en naar het koelhuis gebracht, pakte ik een stuk zeep van de plank op de achterveranda en liep naar de rivier. Ik moest mijn rechtervoet ontzien en langzaam lopen omdat mijn hoofd nog een beetje tolde, maar ik snoof de frisse winterochtendlucht op en liep over stoppels en onkruid naar de oever van de rivier.

Aan het water trok ik mijn kleren uit en hing ze aan de takken van een berk. Een rivierkreeft krabbelde weg toen ik in het ondiepe water stapte. Ik had mezelf vernederd en ik moest gezuiverd worden. Ik voelde alleen minachting voor mezelf. Het water was zo koud dat het brandde als terpentine en me pijn in mijn enkel bezorgde. Er zat niets anders op dan zó in het koude water te springen. Ik hield de zeep stevig vast, rende de stroom in en spatte water over mijn rug alsof ik een brand wilde blussen. Ik sloeg mezelf en viel op mezelf aan met de zeep. Het water prikte en schrijnde en verdoofde me tot in het merg.

Ik zeepte mijn oksels en nek in en wreef met de zeep tussen mijn benen. Toen liet ik me tot aan mijn nek in het water zakken. Naalden prikten in mijn huid en staken al mijn poriën leeg. Ik sprong op als een kogel uit een loop en rende naar de oever.

Niets voelt lekkerder dan na een duik in de koude rivier opdrogen in de zon. De lucht en het zonlicht leken me na de pijn van het water te troosten. Waar je huid verdoofd is geraakt, komt hij jeukend en met kippenvel weer tot leven. Ik trok mijn kleren aan, die als bont en ganzendons aanvoelden na de splinters ijs en glasscherven van het rivierwater.

Thuis trok ik mijn enige pak aan. Veel mannen gingen in overall naar de kerk, maar een pak aantrekken getuigde van meer eerbied. En ik hoopte Annie te zien. Ik wilde niet dat Annie me op zondagochtend in een overall zag.

Terwijl ik me voor de spiegel in de slaapkamer stond aan te kleden, werd Moody wakker. Zijn gezicht was grauw, alsof hij ziek was. 'Waar ga jij naartoe in je hoerenlopersbroek?' zei hij.

'Wat dacht je, op zondagochtend?' zei ik.

'Naar het gemompel en gebrom van de dominee luisteren?' zei Moody.

'Wie weet,' zei ik.

Ik deed mijn bruine stropdas om, die het pak iets uniformachtigs gaf.

'Jij gaat niet voor de preek,' zei Moody. 'Je gaat alleen om die meid van Richards te zien.'

'Wie weet,' zei ik.

Ik wilde mama en Fay met de T-Ford naar de kerk brengen, maar toen ik zat te wachten tot Fay zich genoeg had opgedoft voor de spiegel in de keuken en mama bij de haard haar bijbel zat te lezen, hoorde ik de auto starten. Hij sputterde en blafte en deed toen *tut-tut-tut-tut*. Ik rende naar buiten, maar tegen de tijd dat ik bij de schuur was, reed Moody al door het hek de heuvel naar de bron op. Ik wist dat hij de bussen ging halen die ik bij de kreek had geloosd. Ik had spijt dat ik hem had verteld waar ze waren.

Toen ik weer binnenkwam, sloeg ik de deur hard achter me dicht.

'Lopen kan geen kwaad,' zei mama, en ze sloeg haar bijbel dicht.

'Nou worden m'n schoenen vies,' zei Fay.

'Ik hoop dat hij een ongeluk krijgt,' zei ik.

'Dat is geen instelling om mee naar de kerk te gaan,' zei mama. 'Als je je zo voelt, heb je niets aan de dienst.'

Ik had gehoopt dat Annie me achter het stuur zou zien. Ik zou kunnen vragen of ze zin had om 's middags een ritje te gaan maken. Ik wist niet wat ik precies wilde, maar ik wilde de auto hebben voor je weet maar nooit.

'Zullen we gaan?' zei mama.

'Vroeger hadden we tenminste nog een rijtuigje,' zei Fay.

'We zijn altijd lopend naar de kerk gegaan,' zei mama.

Dominee Liner was een rumoerige predikant. Hij had een scherpe stem met een ratel en een klap erop. Wanneer zijn stem in de hoge registers kwam, voelde het alsof je een pets kreeg. Hij hield lange preken vol dwang. Hij preekte alsof hij de lucht rond je hoofd verdichtte en je erin liet stikken. Ik schaamde me toch al voor mezelf. Ik ging ervan uit dat ik me na zijn preek nog meer zou schamen.

Ik hoopte dat Annie Richards over haar schouder zou kijken. Ik wilde de zuivere, volmaakte huid van haar wang zien. Ik wilde zien of ze een oorbel aan haar tere oortje had hangen. Hoewel ze pas veertien was, droeg ze soms oorbellen. Haar haar glansde zelfs in het zwakke licht.

'Misschien denkt u dat u uw lelijke zonden achter een nieuwe auto of een fraai rijtuig kunt verbergen,' bulderde dominee Liner. 'Misschien denkt u dat u uw zonden op een snel paard achter u kunt laten, of door in de regen of sneeuw een bergtop te beklimmen. U denkt misschien dat u uw zonden achter goede daden, liefdadigheid en hulp aan anderen kunt verbergen. U denkt misschien dat u uw zonden achter een glimlach, noeste arbeid of geld kunt verbergen, achter een mooi huis en een nieuwe stal. U kunt zelfs denken dat u uw zonden in de kerk kunt verbergen door vooraan te gaan zitten en naar een preek te luisteren. Welnu, ik ben hier om u te vertellen dat de Heer u door heeft. Uw zonden zijn zwart en stinkend. Uw zonden zijn als stank in de neusgaten van de hemel. Dergelijke zonden laten zich nog niet in de diepste put verbergen; u kunt uw zonden niet in het diepst van een kolenmijn of op de zeebodem verbergen. De Heer ziet uw hart en Hij ziet uw zonden alsof ze in de rechtszaal als bewijsmateriaal liggen uitgestald.'

Ik keek naar Annie en ze draaide haar hoofd naar rechts. Ze keek niet ver genoeg achterom om te zien dat ik naar haar keek, maar ik zag het grijs van haar oog en het blosje op haar wang. Haar gelaatstrekken waren zowel scherp als teer. Ze wist dat ik naar haar keek. Ze wist dat ik altijd naar haar keek in de kerk.

'U denkt misschien dat u uw zonden in uw achterhoofd kunt verbergen, onder een nieuwe hoed,' zei dominee Liner. 'U denkt dat u uw bezoedelde hart onder nieuwe kleren en dure sieraden kunt verbergen. U denkt dat u uw zonden achter een prachtige zangstem of muzikaal talent kunt verbergen. U denkt dat u naar het eind van de wereld kunt vluchten om aan het werk van de Heer te ontkomen.'

De dominee zweeg even en keek ons dreigend aan.

'Welnu, ik ben hier om u te zeggen dat de Heer u door heeft. De Heer heeft in uw vervuilde hart gekeken en gezien hoe u werkelijk bent. De Heer kent uw ondeugden en ontaarding. De Heer ziet elke beweging en elke laffe uitvlucht. De Heer zal u afsnijden als een zieke boomtak. De Heer zal u straffen als de zondaren van Sodom en Gomorra. De Heer zal u uit de tempel ranselen zoals hij de wisselaars uit de tempel verjoeg. De Heer zal u van het licht in de duisternis bij zijn gevallen engelen stoten en uw naam uit het boek des levens wissen.'

Annie was te jong voor verkering, maar soms liet Hank, haar vader, haar na de kerkdienst met een jongen naar huis lopen. Ze was nu al het populairste meisje van de buurtgemeenschap, hoewel ze nog maar net veertien was en vrouwelijke vormen begon te krijgen. Soms flirtte ze met je en soms was je lucht voor haar. Ze was het enige meisje dat ik kende dat net deed of ze je niet hoorde of zag als ze geen zin had om met je te praten. Alleen al het feit dat Annie in de kerk zat, en dat ik haar kon zien, liet de kerk sprankelen en stralen.

'Wanneer u aan het eind van de weg bent,' zei dominee Liner, 'wanneer u op de drempel van de dood staat, hoe wilt u dan voor uzelf pleiten? Zal de Heer in uw hart kijken en het kankergezwel van de zonde daar zien woekeren? Zullen uw zonden op uw voorhoofd geschreven staan wanneer u voor het Oordeel staat? Zal de Heer zeggen: "Stoot hem in het duister, ik heb hem nooit gekend?" Zullen uw zonden u neerdrukken als u tracht te herrijzen bij de wederkomst van de Heer?

Mijn vrienden, velen van u die hier in de kerk zitten, zullen de dood nooit kennen. Want het eind der tijden is nabij, en de wederkomst van Christus is nabij. En de dag is niet ver meer dat de Heer met zijn engelenschaar zal nederdalen uit de oostelijke hemel en de zijnen roepen. En degenen die gered zijn, zullen opgenomen worden, en degenen die in het bloed gewassen zijn, zullen opgenomen worden, en degenen die berouw hebben, zullen opgenomen worden in de hemel. En de rest zal hier op deze koude aarde worden achtergelaten.'

Dominee Liner kwam even op adem en veegde het zweet van zijn voorhoofd. Hij had zo luid gepreekt dat zijn stem nog in de kerk weergalmde. De lucht kwam in beroering door zijn verschrikkelijke woorden. De lucht was vol schaduwen en naalden. Ik keek naar Annie, maar ze draaide zich niet om. Zij was het enige bekoorlijke dat er te zien was. De kleur van haar haar was het enige rustgevende dat er in de kerk te zien was. Ik wilde niet nadenken over wat de dominee zei. Ik voelde me nietig als een kakkerlak. Ik wilde niet denken aan wat ik die nacht had gedaan. Ik wilde alleen aan Annie denken.

Toen ik een jaar of vijftien was, ging ik de berg op om bramen te plukken. Mama wilde bramen hebben om een vruchtentaart te bakken voor het zondagse eten, en de bramen uit de wei bij de rivier waren al weg. Onderweg kwam ik door de boomgaard achter het huis van de Richards, en toen ik tussen de appelbomen, de pruimenbomen en de perelaars doorliep, hoorde ik iemand zingen. Het was Annie. Ze had toen al de mooiste stem van de kerk. Ik liep eropaf om het beter te horen.

Toen ik bij de golden-deliciousboom aan de rand van de boomgaard kwam, zag ik Annie bij de tafel staan, naast de wasteil. Ze waste haar haar in een pan en ze droeg alleen een hemdje over haar blote schouders. Ik dook achter een boom weg en verstopte me achter een hertshooi voordat ze me in de gaten kreeg.

Ik wilde Annie niet begluren, maar ik wist dat het haar verlegen zou maken als ik naar haar toe kwam terwijl ze alleen een onderrok aanhad. Ik kon er niets aan doen. Ik stond achter die struik en keek hoe ze lepels water over haar haar goot om het te spoelen en het toen begon te kammen. Hoewel het nog nat was, leek haar haar licht in de zon. Ze had slanke, volmaakte schouders en roomblanke armen. Haar nieuwe borstjes waren zichtbaar onder het hemdje.

Ik herinner me nog hoe Annie een oud liedje in zichzelf zong, 'Gentle Annie'. Het was een lieflijke melodie en ze zong zacht. Al zingend wreef ze de druppels van haar nek en schouders en droogde haar armen tot aan de polsen af. Toen waaierde ze haar haar over haar schouders uit om het snel te laten drogen in de zon. En ze kamde het langzaam uit, lok voor lok, zodat het nog sneller droogde in de zaterdagse zon. Hoe langer ze kamde, hoe blonder ze werd.

Annie ging op een ton zitten en schudde haar haar, zodat het weer over haar nek en schouders uitwaaierde. Haar stem was zo zuiver als het klinken van het ene glas tegen het andere. Hij was zo zuiver als het geluid van bronwater dat in een vijver stroomt.

Annie was zo mooi dat het me zwaar viel naar haar te kijken, maar ik kon mijn ogen niet van haar afhouden. Het leek me onmogelijk dat ze ooit van iemand zoals ik zou kunnen houden. Ik wist dat ik altijd van haar zou houden, of ze mijn liefde nu zou beantwoorden of niet. Ik nam me voor altijd van haar te blijven houden.

Toen haar haar droog was, stond ze op en pakte een wasmand. Ze liep naar de waslijn en maakte met haar kleine witte handen de knijpers van lakens, slopen, hemden en ondergoed van de lijn los. Terwijl ze de kleren vouwde en in de mand legde, begon ze weer te zingen. Ik zuchtte en besefte dat ik heel lang mijn adem had ingehouden.

'Want we weten waar de verdorvenen naartoe zullen gaan,' zei dominee Liner. 'Hun staat het vuur van de hel te wachten. Ze zijn gedoemd tot het meer van vuur. Ze worden in het eeuwige duister gestoten. Als u denkt dat u zich aan een lucifer kunt branden, als u denkt dat u zich aan een heet fornuis kunt branden, stel u dan een muur van vuur voor, tienduizend maal heter dan brandende benzine. Stel u een muur van vuur voor, heter dan een oven, heter dan een smeltkroes waarin staal wordt gesmolten.'

Dominee Liner zweeg en leunde over de preekstoel. We wachtten op het vervolg, maar hij zei niets meer. Hij keek ons alleen maar aan en we zaten er allemaal verstijfd bij, alsof onze gewrichten opeens van krijt waren, alsof we ons allemaal schrap zetten voor een klap in ons gezicht, maar dominee Liner bleef nog lang zwijgen. Hij keek naar zijn gemeenteleden alsof we allemaal uitschot waren en hij geen hoop meer voor ons had. Ten slotte gebaarde hij naar de koordirigent dat de aanvangspsalm ingezet kon worden.

Toen het koor 'Zoals ik ben' zong, zong ik wel mee, maar ik keek naar mijn handen die op de bank voor me rustten. En ik probeerde te denken aan de zon op de dennen en de noordkant van de bergwei waar de rijp de hele dag op het gras bleef liggen. Toen ik opkeek, kon ik Annie niet zien omdat die grote dikke Ruthie Tillman voor me stond. Ik wilde de mooie kleur van Annies haar zien.

'Is hier iemand met een gekweld hart?' bulderde dominee Liner boven de psalm uit. 'Is hier iemand die de behoefte voelt zijn zondige hart te luchten?'

Ik was blij dat de dienst over een paar minuten voorbij zou zijn en dat ik dan naar buiten kon, de koele bries en de zon in. Ik probeerde te bedenken wat ik tegen Annie zou zeggen als ze uit de kerk kwam. Ik zou op de treden gaan staan en als ze dan naar buiten kwam, zou ik mijn hoed afnemen en haar aanspreken.

'Luister niet naar de duivel die u in het oor fluistert nog even te wachten,' schreeuwde de dominee. 'De hel zit vol treuzelaars. De hel puilt uit van mensen die de knoop niet konden doorhakken.'

Ik moest de kerk uit zien te komen en dicht bij de deur gaan staan, anders zou een andere jongen Annie eerder kunnen vragen. Alleen een wandeling met Annie kon me helpen mezelf weer te worden. En als ze door twee man tegelijk werd gevraagd, zou Annie hen gewoon allebei negeren. Ik had het haar zien doen. Ze liep langs je heen en liet zich door niemand naar huis brengen.

'De Heer kan elk moment uit de oostelijke hemel nederdalen,' daverde de dominee. 'Met zijn engelenschaar zal hij de blauwe hemel in tweeën splijten en zijn heiligen ten hemel oproepen. Blijft u dan op deze beklagenswaardige aarde achter? Zult u tandenknarsen en de bergen en rotsen oproepen over u neer te storten?'

Ruthie Tillman deinde op de maat van de psalm en ik ving een glimp van Annies haar op. Het was de kleur die het haar van een engel zou hebben, zo fijn en glanzend in de schemerige kerk. Ze had zonlicht in haar haar.

'Als u in de hel belandt, geef dan niet deze kerk de schuld,' galmde de dominee Liner. 'Verwijt het de leden van deze kerk en de ouderlingen van deze kerk dan niet. Als u in de hel belandt, hebt u uzelf erheen gestuurd, precies alsof u een lucifer hebt gepakt en uzelf in brand hebt gestoken.'

Ik hoorde dat dominee Liner begon af te koelen. De dienst was zo goed als afgelopen. We waren bij het laatste couplet van de psalm en ik zong mee, harder dan tevoren. Ik was bijna bevrijd van de vrees en droefenis van de kerk, maar niet van de vrees en droefenis in mijn binnenste. Nog een paar minuten, dan was ik buiten. En dan zou ik Annie aanspreken.

Het gezang was nog niet verstomd of dominee Liner begon te bidden. 'Moge de Heer met ons zijn nu we naar ons dagelijks leven terugkeren. Moge de Heer ons leiden bij ons werk om ons dagelijks brood te verdienen. Moge de Heer in ons hart zien en ons helpen de zonde van de trots en de zonde van de lust te vermijden. Moge de Heer ons onze geheime gebreken en openlijke schijnheiligheid vergeven. En moge de Heer ons vrede geven. Amen.'

'Amen,' zei een aantal mensen her en der in de kerk.

Toen ik buitenkwam, was het alsof de wereld in mijn ogen uiteenspatte. Het licht was zo fel dat het pijn deed aan mijn ogen, maar de frisse lucht op mijn gezicht was verzachtend. Ik knipperde en hield een hand boven mijn ogen. En toen zag ik Moody naast de treden staan. Hij stond precies op de plek waar ik me had willen posteren. En hij stond erbij alsof hij net met alle anderen uit de kerk was gekomen. Hij glimlachte naar me toen ik hem zag.

'Alles goed, broeder Muir?' zei hij, en hij tikte tegen zijn hoed.

'Jij hebt hier niks te zoeken,' zei ik.

Het was net iets voor Moody om te bedenken hoe hij me het meest op stang kon jagen. Hij was weggereden om de drank te halen en naar Wheeler te brengen, en vervolgens was hij naar de kerk gegaan en had hij gewacht tot de dienst uitging. Ik zag de T-Ford op het parkeerterrein staan.

'Maak dat je hier wegkomt,' zei ik.

Moody tikte tegen zijn hoed en glimlachte naar iedereen die uit de kerk kwam. Hij glimlachte alsof hij de dienst had bijgewoond en de preek had gehoord. Ik keek of ik meer jongens bij de deur zag staan wachten. Ik zag Sam Willard, die achteraf stond, bij de levensboom, en Calvin Simpson stond aan de andere kant van Moody. Ze stonden achteraf omdat Moody er was. Moody had zo'n reputatie als messentrekker dat de andere jongens geen ruzie met hem wilden krijgen.

Er kwamen meer mensen naar buiten en volgens mij werd het tijd dat Annie kwam. Mama en Fay stapten het zonlicht in. Mama zag Moody en mij op de treden staan. 'Ga mee naar huis,' zei ze tegen ons.

'Ik kom later thuis,' zei Moody.

'Het is nu tijd om naar huis te gaan,' zei mama. Ze glimlachte, want iedereen stond voor de kerk mee te luisteren. Ze waren benieuwd hoe het tussen Moody en mij zou gaan. Ik dacht dat ik Annie zag aankomen, en toen was ze verdwenen. Haar moeder kwam naar buiten en ik zei: 'Hoe maakt u het, mevrouw Richards?' En Moody tikte tegen zijn hoed en zei: 'Goedendag, mevrouw Richards.'

Maar in tegenstelling tot wat ik had verwacht, liep Annie niet achter haar.

Toen wist ik waar Annie naartoe was. Ik weet niet hoe het wist, maar ik zag het in een flits voor me. Ik stapte achteruit en liep langs Sam Willard. En toen ik om de levensboom heen was gelopen en de hoek van de kerk was omgeslagen, rende ik naar de achterkant. Annie had Moody en mij bij de uitgang van de kerk zien staan, en ze had mama tegen ons zien praten, en toen had ze zich omgedraaid en was door de kerk teruggelopen. Er zat geen deur in de achtermuur, maar wel een laag raam waar ik als jongen doorheen klom wanneer opa het kerkhof maaide. De achtertuin van de kerk grensde aan het maïsveld van de Richards' aan de bergzijde, en ik wist dat Annie door het raam naar buiten wilde klimmen en door het maïsveld naar huis lopen om Moody, mij en de andere lastige jongens te ontwijken.

En ja hoor, toen ik bij de achterkant van de kerk aankwam, zag ik haar achterwaarts door het raam naar buiten klimmen. 'Kom, ik help je naar beneden,' zei ik, en ik pakte haar onder haar oksels.

'Waar kom jij vandaan?' vroeg Annie. Zodra ze op de grond stond, maakte ze zich van me los en streek het haar uit haar ogen. Ze bloosde een beetje.

'Ik dacht dat je wel wat hulp kon gebruiken,' zei ik.

'Zag het ernaar uit of ik hulp nodig had?' zei Annie.

'Het is niet de gebruikelijke weg om de kerk te verlaten,' zei ik.

'Beter dan je door zo'n stel idioten te laten lastig vallen,' zei Annie. Haar trui was gedraaid en ze trok hem recht. Haar figuur was slank, jong en volmaakt.

'Laat ik maar even met je mee naar huis lopen,' zei ik.

'Geen mens houdt je tegen,' zei Annie. Ze stond erbij alsof ze wachtte tot ik wegging. Ze was verlegen, denk ik. Ik wist dat ik nu de juiste woorden moest vinden.

'Zullen we naar de bron lopen om iets te drinken?' vroeg ik.

'Ik heb geen dorst,' zei Annie.

'Ik heb dorst gekregen van al dat gepraat over de hel,' zei ik.

'Ga dan zelf,' zei Annie.

'Als we door de dennen lopen, ziet niemand ons,' zei ik.

Naar de bron wandelen, dat hadden verliefde stelletjes altijd al gedaan na de kerk. Papa en mama waren naar de bron gelopen toen ze elkaar net kenden, in de jaren negentig van de negentiende eeuw. Het was ongeveer een halve kilometer door de dennen, langs de wei en dan naar de Canadese dennen die de bron overschaduwden. In de namiddag, voor de avonddienst, liepen jongens en meisjes erheen om water te drinken en dan stopten ze om in de schaduwen van de dennen te kussen. Soms namen ze een emmer van de bank achter in de kerk mee die ze vulden zodat de rest van de gemeente ook iets te drinken had. Veel stelletjes hadden zich tijdens die wandelingen van en naar de bron verloofd, en veel huwelijken waren begonnen tijdens de omweg van de bron terug naar de kerk.

Ik vroeg me af of ik Annie zou kussen. Ik had haar nog nooit gekust. En ik wist niet of ze wel in de stemming was om zich te laten kussen. Haar haar schitterde in de zon alsof er kristallen in hingen. De schaduw van de Canadese dennen leek bijna op het nachtelijke duister na de verblindend felle zon. Zodra we in de schaduw kwamen, pakte ik Annies hand. Nu moest ik iets zeggen, want ik had haar hand gepakt.

'Zou je het leuk vinden om naar Mount Mitchell te gaan?' vroeg ik.

'Je bent nog nooit naar Mount Mitchell geweest,' zei Annie.

'Maar ik heb een T-Ford waarmee we erheen kunnen rijden,' zei ik.

'Ik dacht dat de T-Ford van Moody was,' zei Annie.

'Hij is voor de helft van mij,' zei ik.

'Waarom rijdt Moody er dan altijd in?' vroeg Annie.

Het met dennennaalden gecapitonneerde pad kronkelde naar de rotsen bij de bron. De bron zelf had een doorsnede van meer dan een meter. Er lag wit zand op de bodem, en langs de rand flitsten hagedissen. Flinters mica glinsterden als sterren.

Ik pakte de scheplepel van de stok en schepte water voor Annie. Ze pakte de lepel aan, nam een slokje en gooide de rest terug. 'Het water uit populierenbronnen smaakt lekkerder,' zei ze.

'Er gaat niets boven een dennenbron,' zei ik.

Ik pakte de lepel, schepte water voor mezelf en liet het over mijn tong walsen zoals ik had gelezen dat wijnproevers dat met wijn doen. 'Canadese dennen geven het water een kruidige smaak,' zei ik.

'Ik proef geen kruiden,' zei Annie.

Ik boog me naar haar over en kuste haar met mijn natte lippen. Ik streek licht langs haar mond, zodat haar lippen ook nat werden. 'Proef je dat niet?' zei ik.

Ze wendde zich af. 'Ik moet naar huis,' zei ze. 'Anders komt papa me zoeken, of stuurt hij een van mijn broers.' Ze begon het pad terug te volgen. Ik hing de scheplepel terug en volgde haar.

Net toen we uit de dennen op de weg kwamen, hoorde ik het *tut-tut-tut* van een T-Ford. Toen we in het zonlicht stapten, zag ik dat het Moody was. Hij moest bij de kerk hebben gewacht tot we terugkwamen. Hij reed de auto van het parkeerterrein de weg op en stopte bij ons. Er trok een brede glimlach over zijn gezicht, alsof hij erg in zijn nopjes was.

'Zal ik je naar huis rijden?' riep hij naar Annie.

'Annie loopt met mij mee,' zei ik.

'Zo te zien was je anders niet op weg naar haar huis,' zei Moody.

'We gingen er net heen,' zei ik. Ik zette mijn voet op de treeplank en drukte mijn hand tegen het raam alsof ik de Ford weg wilde duwen.

'Annie mag het zelf zeggen,' zei Moody.

'Niemand heeft je gevraagd hier te stoppen,' zei ik.

'Wind je toch niet zo op, broertje,' zei Moody. 'De laatste keer dat ik je zag, liep je niet zo goed met die enkel van je.'

'Ik kan best lopen,' zei ik. 'Kom op, ga weg.' Ik gaf een klap tegen de zijkant van de auto.

'Je zegt het maar,' zei Moody. 'Kom, stap in,' zei hij tegen Annie, en hij maakte het portier voor haar open.

Voor ik nog iets kon zeggen, stapte Annie in de auto. Ik had tegen Moody willen zeggen dat hij weg moest gaan, maar ze stapte in en sloeg het portier dicht. Moody liet de motor brullen en toen hij wegreed, spatte het grind onder de wielen op. Ik kreeg een kiezel tegen mijn knie en de banden trokken voren in het stof op de weg. Ik keek de over de kuilen en richels hotsende T-Ford na tot hij om de hoek verdween.

10

Ginny

Na het verlies van je man ben je een paar weken of maanden in de rouw en dan zeg je tegen jezelf dat het voorbij is, dat je met nieuwe wilskracht en nieuwe vrijheid je leven gaat voortzetten. En je houdt jezelf voor dat de liefde een gewoonte is waar je overheen groeit en die je samen met je verdriet zult vergeten. Je moet zulke dingen achter je laten, in de wijsheid en waardigheid van je weduwschap.

Als je dat denkt, zal blijken dat je ongelijk had. Want juist wanneer je het het minst verwacht, zeven maanden of zeven jaar later, dringt de herinnering aan je geliefde zich op en grijpt je bij de keel. En dan zal het lijken alsof hij weer bij je is. Na Toms dood, maanden na zijn begrafenis, kon het gebeuren dat ik een hoek omsloeg of een koe zat te melken, en plotseling door iets aan zijn stem werd herinnerd, aan de manier waarop hij met de schoffel kon wroeten of bij het haardvuur zat te knikkebollen. Ik voelde zijn aanraking, en de tranen sprongen me in de ogen. Ik kon aan het strijken zijn, of zelfs op weg naar de brievenbus, en denken aan de eerste keer dat ik hem zag, of hoe hij in slaap sukkelde als hij bij het vuur zat te proberen de krant te lezen, of hoe hij winden liet in zijn slaap, en dan werd mijn keel dichtgeknepen en kropen er gevoelens uit het binnenste van mijn maag omhoog.

Ik heb namelijk ervaren dat onze dierbaren nooit helemaal weggaan. Ze komen terug in onze momenten van grootste droefenis en opperste vreugde. En ze komen altijd onverwacht. Je zwoegt om het hooien af te krijgen of je kijkt naar de zonsopkomst, en daar zijn ze. Ze staan ergens achter je, en opzij van je. Soms kijken ze door jouw ogen en luisteren door jouw oren. Ze zijn dicht bij onze oren, en dicht bij je wezen achter je ogen.

De dierbare doden zijn bij ons, gaan met ons en komen tot ons in onze momenten van verschrikking, en in onze slaap en onze dromen. Ze komen tot ons in onze gebeden en bidden met ons mee. Ze zijn in onze arbeid en in ons zweet. De dierbare doden ritselen op klaarlichte dag in de bries onder de populieren en 's nachts in de wind in de dennen en in het murmelen van sprankelend water.

Toen ik nog een jong meisje was, veronderstelde ik dat oude vrouwen elke gedachte aan liefde hadden opgegeven, maar ik had het mis. Het is waar dat nacht na nacht en week na week beminnen een gewoonte is waar je afstand van kunt doen, afstand van moet doen als je geliefde er niet meer is, maar de behoefte aan liefde, de hunkering naar liefde gaat nooit over.

Na Toms dood schrok ik vaak 's nachts wakker en dan voelde ik de leegte en de kilte van het bed en de leegte in huis. Gedurende de jaren van ons huwelijk hadden we vaak genoeg ruzie gehad en apart geslapen, soms maanden achtereen, maar er was altijd een hereniging geweest. Er was altijd de verrukking van de verzoening geweest. Er was altijd de belofte dat de ruzie zou worden bijgelegd en dat we weer één lichaam zouden zijn. Ook als we apart sliepen, wist ik dat Tom vlak boven me op zijn veldbed op zolder lag. En op een avond zou hij me lang aankijken in het lamplicht en eraan toe zijn zich bij me in de slaapkamer te voegen alsof het onze eerste nacht was en dan werden we weer één lichaam.

Maar na zijn dood schrok ik vaak in het holst van de nacht wakker en beeldde me in dat ik was aangeraakt. Dan lag ik daar met het gevoel dat een hand mijn huid had gestreeld, mijn borsten en mijn buik. Zo hard had ik het nodig om betast en vastgehouden te worden. Ik had te veel in me dat door liefde naar boven gehaald moest worden. Zo oud was ik nog niet. Ik had een paar grijze haren, maar ik was niet te oud om liefde nodig te hebben.

Gedraag je naar je leeftijd, vermaande ik mezelf. Gedraag je naar je leeftijd waar je kinderen, pa en Florrie bij zijn. Gedraag je naar je leeftijd in het gezelschap van de dominee, de gemeente en de Heer.

Het verlangen naar liefde vulde me als het verlangen naar het gezelschap van de Heilige Geest. Ik hunkerde zo naar liefde dat ik langs de rivier liep, de heuvel op, naar de top van de wei. De wind fluisterde krankzinnige dingen in mijn oor en ik wreef in mijn handen en legde ze op mijn heupen.

En ik merkte dat ik in mezelf praatte. Ik had in mezelf gepraat toen ik jong was, maar ik was eroverheen gegroeid. Een paar maanden na Toms dood was ik melkbussen met kokend water uit de ketel aan het schrobben en toen vroeg Florrie, die me hielp drogen: 'Ginny, wat zei je?'

'Ik zei niks,' zei ik.

'Wel waar,' zei Florrie. Florrie mocht altijd graag koppig en kritisch zijn. 'Je praat in jezelf.'

'Ik weet toch zelf wel wanneer ik praat en wanneer niet?' zei ik.

'Je zei iets als dat een katvis nog niet zou willen eten wat Lily voor Joe kookt,' zei Florrie, en ze giechelde.

Ik zal wel rood geworden zijn, want dat was exact wat ik had gedacht, wat een wankele kokkin en huishoudster mijn schoonzusje Lily was. Ik schaamde me ervoor dat ik mijn gedachten hardop had uitgesproken. Ik vroeg me af wat ik nog meer had gezegd in de veronderstelling dat ik het alleen maar dacht.

'Je praat veel onder het werk,' zei Florrie.

'Ik mompel maar wat in mezelf, zei ik, maar ik vroeg me af wat ik nog meer zou kunnen hebben geopenbaard, want ik dacht vaak over dingen die met de liefde te maken hadden. In weerwil van mezelf dacht ik vaak aan mannen en vrouwen samen. Ik dacht aan aantrekkelijke jongemannen, hun manier van praten en hun lichaamsbouw. Ik dacht aan Hank Richards, die uit Gap Creek was verhuisd naar het woninkje dat mijn broer Locke achter de kerk had gebouwd voordat hij terug naar het leger ging. Hank had net zulke sterke schouders als Tom en hij was een knappe man. Hij was nu al tot ouderling benoemd. Hij was een jaar of zeven, acht jonger dan ik en zijn nek en schouders waren ongelooflijk sterk. Zijn zwarte haar viel golvend over zijn voorhoofd. En zijn ogen waren zo blauw als de oktoberlucht.

Schaam je, zei ik tegen mezelf. Hank is met een andere vrouw getrouwd, en hij is jonger dan jij. En al was hij vrijgezel, dan zou hij je nog niet zien staan. Ik had altijd gedacht dat Florrie de wellustelinge van de familie was, en nu dacht ik zelf aan de liefde van een getrouwde man, nog maar een paar maanden na Toms dood.

Wat is de remedie voor de mijmeringen van een vrouw van middelbare leeftijd? Ik denk dat ik van Tom had geleerd dat de remedie voor de meeste kwalen van deze wereld nog harder werken is. Als je zorgen hebt of verstrooid bent, richt je je aandacht weer op het werk dat je onder handen hebt. Zweet en een voldaan gevoel kunnen de meeste zorgen die zich in onze geest nestelen en niet meer weg willen grotendeels verjagen.

Toch kan zelfs de zwaarste arbeid je geest soms niet van dagdromen bevrijden. Zweet maakt het bloed alleen maar warmer. En wat je moe maakt, zet je aan tot nog meer gedagdroom. Ik dacht aan jongemannen in overall zonder hemd eronder die aan mijn zij met me meewerkten. Ik dacht aan wat ze zouden zeggen onder het werk. Ik dacht eraan dat we op het heetst van de dag naar de bron zouden lopen om water te drinken.

En zelfs bidden hielp niet, want wanneer ik bad, stelde ik me een jonge dominee voor die die woorden uit de bijbel voorlas die me altijd hadden opgewonden. Ik zag een jongeman met lang, krullend haar en een blond baardje voor me, net als de prentjes van Jezus, die mijn lievelingswoorden uit het Nieuwe Testament zei: 'Ik ben de ware wijnstok.' 'Ik ben de weg, de waarheid en het leven.' 'Ik ben de wortel en het geslacht Davids, en de blinkende morgenster.' 'Eer Abraham was, ben ik.'

Dat soort bidden maakte me alleen maar opgewondener. Ik dacht aan de jonge voorzanger die ik op de revival in Crossroads had gezien. Als hij zong, was het of hij elke spier in zijn lichaam en elk grammetje kracht in zijn stem legde, in de noten en de woorden die hij zong.

Ik sta aan de oevers van de bruisende Jordaan
en werp een verlangende blik...
O, wie zal mij vergezellen?
Ik moet naar het beloofde land toe gaan.

En wanneer ik de Heer vroeg me een teken te zenden dat mijn eenzaamheid en de wanhoop van mijn weduwschap voorbij zouden gaan, en wanneer ik me op de hogere dingen probeerde te richten, zag ik een beeld voor me van het millennium, van het Nieuwe Jeruzalem dat in de Openbaring wordt voorspeld. En wat ik voor me zag, was een wereld met bomen en weiden langs kreken waar jongens en meisjes in dunne gewaden liepen en dansten in de schaduw van bomen en druivenpriëlen. In het paradijs liepen ze hand in hand en kusten elkaar op een bergtop met uitzicht op een kristalheldere zee. Ik verhielp mijn probleem niet door aan zulke dingen te denken.

Uiteindelijk leerde ik me meer om mijn kinderen te bekommeren dan om mezelf. Ik zag in dat ik een zelfzuchtige moeder was geweest toen Tom nog leefde, en dat ik te veel met mezelf en mijn eigen gevoelens bezig was geweest. En ik dacht meer aan Pa, en hoe zijn hart was verzwakt en hem in de steek had gelaten. Ik dacht aan de zieken en behoeftigen in de gemeenschap. Wanneer de lucht in mijn hoofd te dicht en drukkend werd, wees ik mezelf erop dat mijn kinderen zonder vader moesten opgroeien, en dat ik genoeg van hen moest houden voor twee ouders. Ik dacht eraan hoe trots Jewel was, mijn oudste dochter, en ik dacht eraan hoe boos en wrokkig Moody was, en hoe gemeen hij tegen Muir deed, en ik vroeg me af in hoeverre ik hem zo had gemaakt. En ik bedacht hoe verward en opgewonden Muirs ideeën waren, terwijl hij pas negen of tien was. En ik bedacht hoe jong Fay was, en dat ik nooit mijn best had gedaan te zorgen dat ze zich niet meer voor me hoefde te schamen. Ze gaf mij de schuld van de ruzies met Tom, en van Toms dood. En ik bedacht weer dat ze zonder vader moesten opgroeien. Ik wist toen nog niet dat Jewel in 1918 aan de Spaanse griep zou sterven. Ik wist niet wat me te wachten stond.

Pas toen ik me om mijn kinderen ging bekommeren, verdwenen mijn eigen probleempjes naar de achtergrond. Dat wees me erop dat ik altijd eerst en vooral op mijn eigen pleziertjes uit was geweest, terwijl het me pas echt vreugde schonk mijn kinderen voorrang te geven. Het was een eenvoudige raad, maar het was de enige die hielp.

Je bent beproefd in het vuur van het verlangen, zei ik tegen mezelf. Je hebt door de woestijn gedoold en in de vlammen van je verlies. En je zult al je liefde en al je arbeid richten op degenen rondom je, degenen die je het naast staan. Je zult je opnieuw aan je gezin gaan wijden.

Desondanks bleef het opwindend om naar de sterke jongemannen te kijken die in augustus de rogge dorsten. Ze zwoegden in de hitte en het zweet droop van hun lijven. Ik zag hoe ze het kaf dat aan hun schouders plakte van zich af sloegen. En ik dacht aan de Cherokees die op diezelfde grond aan de rivier hun kamp hadden opgeslagen. Ik dacht aan de dapperen die hun balspel in het veld uren hadden volgehouden, tot ze zo warm en bezweet waren dat ze wel een duik in de diepe, fluisterende vijvers moesten nemen.

TWEEDE LEZING

1922

11

Muir

Het was aan het begin van de herfst toen ik wakker werd en regen op het dak hoorde. Het was geen geratel of zelfs maar geklop op de dakpannen. Het klonk meer als een getik en gemurmel langs de balken. Wanneer de regen gestaag van een dak loopt, klinkt het alsof de goten slikken. En het huis doet eenzaam aan, verloren in een oceaan van regen.

Toen ik terugkwam van het melken, dropen mijn hemd en hoed van de regen. Mijn schoenen maakten natte sporen op de keukenvloer. Mama zei dat ik niet op het deeg mocht druipen. Ze wilde pasteitjes bakken en er stond deeg op het fornuis te rijzen. Zodra ik de melk had laten uitlekken, bond ik een doek over de kan om ermee naar het koelhuis te lopen.

'Trek eerst eens droge kleren aan,' zei mama.

'Muir wil geen droge kleren aan,' zei Moody. 'Hij voelt zich als een vis in het water.'

'Je kunt beter water drinken dan whisky,' zei ik.

'Je bent een droge,' zei Moody.

Ik was blij dat ik weer de regen in kon, weg uit de bedompte keuken. Tijdens de herfstregens was ik altijd liever buiten. De regenwereld is zuiver en sussend. Toch weet ik niet wat me precies de regen in lokt. Misschien dat de schone druppels die van alle planten, bladeren en dennennaalden vallen de seconden en minuten tellen en wassen. Misschien is de regen de zuiverste klok. Ik walgde van mezelf sinds ik met Moody naar Gap Creek was gegaan. Misschien kon de regen me schoonwassen.

Ik zette de melk in het koelhuis en luisterde naar de regen die daar op de cederhouten dakspanen viel. Het was donker en muf in het koelhuis. Toen ik de regen weer in stapte, zag de buitenwereld er vrolijker uit. Op regenachtige dagen is het licht zo nevelig dat het me aan een kerk doet denken, en aan de avondschemering, en het licht onder bomen en struiken. Het licht op regenachtige dagen is zacht voor de ogen en brengt me tot rust. Ik voelde me veilig en onbespied in het zwakke licht.

Ik liep naar de schuur, pakte een jutezak van de stapel en sloeg hem om mijn schouders. Op regenachtige dagen houdt een jutezak veel regen van je rug en je blijft warm. Met de zak om mijn nek en bovenarmen voelde ik me alsof ik een cape droeg, of een soort liturgisch gewaad. De ruwe stof, zo ruw als boombast of bindsel, werd zwaarder naarmate hij meer regen opnam en zou uiteindelijk als een wapenrusting op mijn schouders wegen.

Moody en mama plaagden me er altijd mee dat ik zo graag in de regen werkte, maar ik kon er niets aan doen. Ik wilde er niets aan doen. Als het regende, kon ik niet domweg binnen blijven zitten, in het haardvuur staren en naar het getik op de balken luisteren. Ik kon hooguit een uur binnen blijven, in tijdschriften en architectuurboeken bladeren of in *Pilgrim's Progress* lezen, maar dan moest ik echt iets anders doen. Ik moest naar buiten, de regen in. Als ik binnen bleef, kreeg ik hoofdpijn en het gevoel dat ik iets belangrijks miste. Ik kreeg de kriebels van mezelf als ik gewoon bleef zitten.

De druppels liepen over de rand van mijn hoed en zo, met die jutezak over mijn schouders, haalde ik een hamer en spijkers uit de voeropslag in de stal. Het was de ideale dag om het hek om de wei te repareren. Als het regent, kun je beter niet de akkers opgaan en de modder tussen de rijen planten schoffelen, maar je kunt nog best in het onkruid langs een hek werken, als je het niet erg vindt om nat te worden. Ik pakte de tang en een rol ijzerdraad om de gaten in het hek dicht te maken.

Er waren een paar stukken prikkeldraad losgeraakt, en ik spijkerde ze weer aan de palen. Op andere plekken was het prikkeldraad geknapt, en daar moest ik nieuw prikkeldraad tussen vlechten. Je spant schuttingdraad door het om een stok te wikkelen, dus sneed ik een jonge tak van een bitternoot af om als spanner te gebruiken. Het was fijn om het draad weer recht en strak tussen de palen te zien lopen. Het gaf me het gevoel dat er misschien toch nog orde en hoop op de wereld was.

'Niemand anders dan jij zou zich nu buiten wagen,' zei een stem. Het was tante Florrie. Ze was over de heuvel gekomen om mama en Fay te helpen met de pasteien. Florrie was de enige ander die ik kende die graag in de regen liep. Ze had een oude jas om haar schouders geslagen, maar haar hoofd onbedekt gelaten. Haar doorweekte haar droop en plakte aan haar slapen en voorhoofd. Tante Florrie had scherpe trekken, zwarte ogen en een huid die zo donker was als die van een zigeunerin. Ze had nog geen rimpeltje in haar gezicht en als ze wilde, kon ze werken als een man.

'Je bent net als je vader,' zei tante Florrie. 'Tom werkte ook zo graag in de regen.'

'Had mama op hem ook zoveel te vitten?' vroeg ik. Ik kon tante Florrie gemakkelijker naar pap vragen dan mama.

'Ginny kon er niets aan doen,' zei Florrie. 'Ik denk dat ze Tom nooit heeft begrepen.'

De aarde rond een paal was weggespoeld en de paal was scheef gezakt. Ik zette hem recht en begon hem met een bijl in de natte grond te slaan. 'Wacht, ik houd hem voor je vast,' zei tante Florrie. Ze hield de druipende paal met twee handen rechtop terwijl ik erop sloeg.

Ik dreef de paal dieper de grond in en het prikkeldraad spande zich als gitaarsnaren.

'Tom was een heel goeie vent,' zei tante Florrie. 'Je doet me sterk aan hem denken.'

'Hij werkte harder dan ik,' zei ik. Bij elke slag met de bijl spatte er water van de paal.

'Als je eenmaal weet wat je wilt, ga je vanzelf harder werken,' zei tante Florrie. Ze hield een stuk prikkeldraad stevig tegen de paal en ik spijkerde het vast. Regendruppels liepen langs haar wangen.

We volgden het hek tot het dennenbos. Een overhellende paal moest gestut worden. Ik keek om me heen, zoekend naar een jong boompje waar ik een paal uit kon snijden. 'Ik vind het vervelend dat je zo nat wordt,' zei ik.

'De regen geeft me het gevoel dat ik jong ben,' zei tante Florrie. Ze klonk als een jong meisje. Ik hakte een dennetje om en sneed de takken eraf. Toen scherpte ik de stam aan een kant, zodat ik hem in de grond kon slaan.

De stut was een provisorische oplossing, maar het beste wat ik kon doen zonder de paal helemaal te vervangen.

Tante Florrie waarschuwde me dat ik me niet door een meisje moest laten beperken. 'Je hebt grote plannen,' zei ze. 'Zet die liever door.'

Op hetzelfde moment zag ik een flits en knetterde de bliksem in de lucht. De donder was zo dichtbij dat het klonk alsof de lucht zich binnenstebuiten keerde en er boven ons met deuren werd geslagen. De grond was zo nat dat hij onze schoenen naar beneden zoog. We volgden het pad, maar zorgden dat we het prikkeldraad niet aanraakten. Er schoot weer een bliksemschicht door de lucht.

'Ik hoop dat ik niet getroffen word voordat ik iets heb gedronken en me bij het vuur heb gewarmd,' zei tante Florrie.

'Ze zeggen dat je dorstig wordt van in de regen werken,' zei ik.

'Alleen van huilen krijg je meer dorst,' zei tante Florrie.

De volgende ochtend stond ik vroeg op om de koe te melken. Ik liet de melk uitlekken en bracht de kannen naar het koelhuis. Mama bakte eieren en kookte grutjes. Toen ik aan tafel ging zitten, wist ik al wat ik ging doen. Ik had het 's nachts besloten. Moody was die nacht niet thuisgekomen en de T-Ford stond in de schuur.

'Ik ga naar Canada,' zei ik. Ik schonk wat stroop op mijn bord en doopte er een cracker in.

'Hoe?' vroeg mama.

'Met de Ford,' zei ik, en ik nam een grote slok koffie.

'Dat vindt Moody niet goed,' zei mama.

'Moody kan me niet tegenhouden,' zei ik.

'Dan houd ik je tegen,' zei mama.

'Mijn besluit staat vast,' zei ik met alle vastberadenheid en kalmte die ik kon opbrengen.

'Nou, dan maak je het maar weer los,' zei mama.

Ik dronk mijn koffiekop leeg en stond op. Ik had die nacht mijn plannen gemaakt en ik wist wat me te doen stond. Sinds ik Moody had geholpen de sterkedrank uit Gap Creek te halen, ging niets meer zoals ik wilde. 'Ik heb hier niets te zoeken,' zei ik. 'Ik ga naar een plek waar de pelzen beter zijn.'

'Je geeft alles op,' zei mama. 'Je familie, je vrienden. Het wordt je dood.'

'Als ik hier blijf, kan ik ook doodgaan.'

Mama wendde zich af en keek naar de emmer water op het aanrecht. Ik wist dat ze huilde. Mama had altijd de verwachting gekoesterd dat ik iets gewichtigs zou gaan doen, iets als predikant worden, en ze rekende erop dat ik alles opknapte wat ze in en om het huis gedaan wilde hebben. Aan Moody vroeg ze niets. Ze vitte op me en ze kibbelde met me, maar ze verwachtte van me dat ik deed wat ze zei. Die ene keer in mijn leven ging ik doen wat ik zelf wilde, zelf moest doen.

Ik had eenenzeventig dollar gespaard van het stroop verkopen, en ik had het geld in een blikje in de schuur verstopt, waar Moody het niet kon vinden. Ik wist precies wat ik mee moest nemen als ik in Canada op pelsjacht wilde gaan. Ik pakte mijn dikke jas en mijn laarzen uit de slaapkamer. Ik pakte mijn lange onderbroeken, mijn wollen sokken, dikke werkhemden en broeken in. Ik pakte mijn handschoenen, mijn jagersmes en mijn wintermuts in.

Mijn bagage vulde de achterbank van de T-Ford bijna. Ik legde mijn klemmen op de bodem van de auto en schoof het geweer onder de kleren op de achterbank.

'Je vriest daar nog dood,' zei mama. Ze was naar het hek gelopen en keek hoe ik de auto inlaadde. 'En dan weet niemand wat er met je is gebeurd.'

'Ik schrijf je een brief.'

'Stuur je me een ansichtkaart met een mountie erop?' vroeg Fay, die ook naar buiten was gekomen en naast mama was gaan staan.

'Laten we bidden voordat je gaat,' zei mama.

Ik boog mijn hoofd terwijl mama bad, maar ik luisterde niet naar wat ze zei. Ik deed mijn ogen niet dicht en keek naar de rode aarde op het erf en het mos onder de Canadese den het dichtst bij me. Het was oktober en de maagdenpalm bloeide weer op de rivieroever. Het erf lag bezaaid met dennenappels, net eitjes. Ik vroeg me af of ik die rode aarde ooit nog zou zien.

Toen mama amen zei, keek ik op en zag hoe zorgelijk ze keek. 'Eerst sterft mijn man aan de tyfus, dan gaat mijn vader dood, mijn oudste dochter gaat dood, mijn oudste zoon wordt dranksmokkelaar en nu gaat mijn jongste zoon naar Canada,' zei mama. Ze liep op me af en omhelsde me, en Fay omhelsde me ook.

'Ik kom van de zomer terug,' zei ik, en ik begon snel de auto aan te zwengelen. Ik keek mama niet recht aan. Toen ik achter het stuur zat, klopte ik op mijn zakken om te zien of ik mijn geld nog had. Mama en Fay wuifden me na toen ik het erf af reed. Mijn hart bonkte onder mijn borstbeen, maar ik klemde mijn kiezen op elkaar en zei tegen mezelf: rustig, idioot die je bent, anders kom je nooit in Canada aan.

Ik stopte bij het hek, stapte uit, maakte het open, reed erdoor, stopte weer en sloot het achter me. Ik reed langs het stroopfornuis en het dennenbosje, langs de boomgaard op de heuvel en om de vallei met de bron. Ik reed langs de plek van het oude huis, het eerste huis op onze grond, dat mijn overgrootvader had gebouwd.

Bij de kerk sloeg ik rechtsaf. Ik wilde langs het huis van de familie

Richards rijden, al wist ik niet goed waarom. Ik was nog boos op Annie, maar misschien wilde ik in het voorbijgaan een glimp van haar opvangen. Misschien hoopte ik dat ze me zou zien en dat ze dan zou weten dat ik uit Green River wegging en spijt zou krijgen dat ze me zo slecht had behandeld. De zon kwam net op en er zat niemand op de veranda van het gezin Richards. Ik zag een kat in elkaar gedoken tussen het onkruid langs de weg zitten. En toen zag ik mevrouw Richards, die in het gangpad in de stal zat te melken. Ik zwaaide naar haar, maar ze zat gebogen te melken en zag waarschijnlijk helemaal niet wie er langs kwam.

In mijn achteruitkijkspiegel zag ik hoe het huis van de familie Richards een oranje gloed kreeg in de opkomende zon.

Ik reed de snelweg op en kwam langs de winkel van UG. Zo te zien was hij dicht, maar ik claxonneerde toch maar, voor het geval UG vroeg was gekomen en al dingen uitpakte en op de planken zette. Er kwam rook uit de schoorsteen, dus hij had de kachel al aangemaakt.

Ik had de route die ik wilde volgen al vaak in gedachten doorgenomen. De I-25 langs UG's huis liep helemaal tot Toledo in Ohio. Van Toledo zou ik naar Detroit rijden en van daar naar Canada. Ik hoefde het asfaltlint maar te volgen dat bijna in een rechte lijn naar het noorden liep, door Tompkinsville en Ashville, door Marshall langs de rivier de French Broad en door Tennessee naar de Cumberland Gap.

Vanaf de Cumberland Gap stootte de snelweg door naar het noorden, door Berea in Kentucky het *bluegrass*-gebied in, door Lexington en verder naar Cincinnati. Het was een koele najaarsdag en ik reed vrolijk weg van mijn zorgen, weg uit Green River. De kleine auto tjoekte bergen op en zoefde ze af. Ik reed langs mensen die suikerriet sneden en mensen die stroop kookten. Ik reed langs mensen die maïs op wagens laadden en mensen die in lange loodsen op berghellingen tabak droogden.

Gewoon kalm blijven, zei ik tegen mezelf, en ik klopte op het stuur. Toen ik de Cumberland Gap in reed, herinnerde ik me dat een van mijn betovergrootouders daar tijdens de Burgeroorlog was gesneuveld. Ik herinnerde me dat Daniel Boone honderdzestig jaar geleden dezelfde route naar Kentucky had gevolgd. 'Je rijdt door de geschiedenis naar de toekomst,' zei ik. Ik vond het goed klinken en zei het nog eens. 'Je rijdt door het verleden naar de toekomst.' En ik dacht aan sergeant York, die niet al te ver hiervandaan in de Cumberland Mountains in Tennessee woonde.

Toen het later werd, begon ik me af te vragen waar ik moest overnachten. Ik reed de zonsondergang ten noorden van Lexington tegemoet. Als er bossen waren geweest, was ik gestopt en had ik tussen de bomen gekampeerd, maar ik was in het bluegrass-gebied en al het land werd in beslag genomen door welvarende boerderijen met witte omheiningen en geschilderde stallen. Het was voor het eerst dat ik een plek zag die er precies zo uitzag als het hoorde. De witte omheiningen, de stenen poorten, de lanen naar witte villa's met witte zuilengalerijen tussen eikenbomen, de geschilderde stallen met windvaantjes erop en de grote, slanke paarden zagen er allemaal net zo uit als op de foto's die ik in tijdschriften had gezien. Hier geen ruwhouten, ongeschilderde schuren, geen sloten en maïsvelden op rotsgrond. Ik kon me nauwelijks voorstellen welke weelde zulke boerderijen kon onderhouden. De T-Ford rolde en ratelde door. Ik begon moe te worden en mijn rug was stram en pijnlijk na een hele dag zitten. Ik had de afgelopen nacht ook niet veel slaap gekregen.

Na zonsondergang, toen ik over de donkere snelweg reed en me zorgen begon te maken, zag ik een bord VAKANTIEHUISJES 75 CENT PER NACHT. Het zag er niet naar uit dat ik een plek zou vinden om te kamperen en ik kon niet de hele nacht blijven rijden. Ik was zo stram dat mijn nek pijn deed als ik mijn hoofd draaide. Ik volgde de pijl op het bord naar het terrein.

Het kantoor bevond zich in een echt huis, en toen ik mijn vijfenzeventig cent had betaald, gaf de vrouw die me had ingeschreven me een sleutel en wees naar een rij huisjes tussen de dennen. 'U hebt nummer zes,' zei ze.

'Waar kan ik hier iets te eten krijgen?' vroeg ik.

'U hebt een kookplaatje op de kamer,' zei ze, en ze deed de deur dicht.

Er hing een snoer lichtjes boven de weg langs de huisjes. Ik was zo stijf van het rijden dat ik amper nog kon lopen, en ik was zo moe dat alles onwezenlijk leek. Ik liep daar wel naar nummer zes te zoeken, maar het voelde alsof het iemand anders was.

Ik vond mijn deur, maakte hem open en deed het licht aan. Je hebt nog nooit zo'n kaal kamertje gezien. Het huisje was maar iets groter dan het bed, en verder waren er alleen een ladekast met een verweerde spiegel erop en een plankje met een kookplaatje. De matras zag er dun en bultig uit. De wasruimte was in een apart gebouw, en ik haastte me de nacht in om naar de wc te gaan. De mensen liepen het gebouw in en uit en ik probeerde een praatje te maken, maar daar leek niemand zin in te hebben.

'Weet u ook wat voor weer het in het noorden is?' vroeg ik aan een man die zijn handen stond te wassen aan een van de wastafels.

'Geen flauw idee,' antwoordde hij zonder me zelfs maar aan te kijken. Ik was blij toen ik naar mijn huisje terug kon rennen en de deur achter me dichtdoen.

Ik pakte rozijnen en crackers uit mijn rugzak, die ik zittend op het gammele bed opat terwijl ik in de spiegel keek. In het licht van het ene peertje leek mijn gezicht grijs, een soort gelig grijs, en ik zag er ouder uit dan ik was. Ik had gerammeld van de honger, maar toen ik begon te eten, verdween mijn trek. Ik wilde alleen nog maar liggen en slapen. Ik was vermoeider dan wanneer ik mijn klemmen had nagekeken of de hele dag met veevoer had gezeuld. Ik was moe van het stilzitten en tobben over de weg die voor me lag. Mijn rug was zo beurs alsof ik met een stok was afgeranseld.

Misschien kwam het door de opwinding omdat ik voor het eerst van huis was, of doordat ik zo moe was van het rijden, maar ik viel niet als een blok in slaap, zoals ik had verwacht. Ik was zo afgemat dat ik dacht dat ik zo weg zou zakken, maar toen ik in bed lag, had ik het gevoel dat ik nog steeds reed. Ik voelde het schokken en ratelen van de T-Ford. Ik dacht telkens dat ik over kronkelwegen reed en in de bochten op vrachtauto's moest letten. Het leek of alles vergroot en vervormd werd en dan weer stukje bij beetje kromp.

God, bad ik in het donker, als U niet wilt dat ik naar Canada ga, ga ik niet. Als U wilt dat ik terug naar huis ga om mama en Fay te helpen, hoeft U me maar een teken te geven. Ik doe alles wat U wilt, als u me maar zegt wat dat is. Ik lag in het donker op een soort teken te wachten. Toen ik in slaap viel, moet ik nog steeds aan dat teken hebben gedacht, want voor ik het wist was het licht en was het alweer acht uur 's ochtends.

Ik ging naar de wasruimte, schoor me en waste mijn gezicht en deed niet eens een poging aardig te doen tegen de andere mensen. Toen ging ik terug naar het huisje, pakte mijn spullen en ging weer op weg.

Ongeveer anderhalve kilometer verder langs de snelweg zag ik een pension met een bord ONTBIJT 25 CENT. Ik stopte en at er eieren, grutjes en koffie en crackers met jam. Zodra ik de koffie en de grutjes in mijn buik had, begon ik me beter te voelen. Toen de koffie me warmde en de grutjes, eieren en jam me vulden, werd de wereld weer overzichtelijk en viel de ochtend op zijn plaats. Ik zag in dat ik deed wat ik moest doen. Je gaat naar iets beters, over een lange, zigzaggende weg, dacht ik.

Om tien uur stak ik de grote brug naar Cincinnati over. Ik wist dat die brug was gemaakt door dezelfde man die de Brooklyn Bridge had ontworpen. Het was het grootste door mensenhanden gemaakte ding dat ik ooit had gezien, maar ik had geen tijd om er lang naar te kijken, zo dicht, snel en grillig was het verkeer. En toen ik de brug over was, was het verkeer weer zo luid en druk dat ik ook geen tijd had om naar de stad te kijken. Ik volgde gewoon de brede straat en probeerde de auto's die voor me heen en weer zwenkten te ontwijken. Ik hoorde toeterende claxons en zag flitsende lichten op kruispunten. Ik volgde gewoon de I-25 en stopte met alle andere auto's voor de lichten, en als ze op groen sprongen, stoof ik vooruit. Ik had niet eens tijd om naar de gebouwen en parken te kijken, zo druk had ik het met proberen niet tegen andere auto's op te botsen en uitkijken naar wegwijzers. Ik zag een grote kerk links van me, maar had geen tijd om ernaar te kijken.

Ik rook de stad door het open raam. Het was een stank van olie, uitlaatgassen en rottende dingen als rotte kool en bedorven vlees. Maar ik rook ook verbrande dingen, verschroeid haar en brandende chemicaliën. Het bulderende lawaai maakte me bang. De kakofonie van claxons en gierende remmen klonk alsof de wereld verging, of boven op me viel. Een politieman blies op zijn fluitje en wees naar me, of naar de auto achter me. Ik zag een man met een gezicht dat alleen uit korsten bestond op de stoep liggen. Ik omklemde het stuur en beloofde mezelf dat ik een andere keer terug zou komen om Cincinnati te bekijken. Ik reed van het ene stoplicht naar het andere en sloeg de ene hoek na de andere om. Ik werd een beetje misselijk toen ik in de heuvels langs de chique huizen reed, en toen was ik de stad uit.

Ik was zo opgelucht dat ik zonder ongelukken door Cincinnati heen was gekomen dat ik wel kon juichen. Toen ik eenmaal op het platteland was, sloeg ik op het stuur en lachte hardop in het besef dat ik voor het eerst van mijn leven in het Noorden was, dat ik in elk geval de rivier de Ohio was overgestoken. Ik was de eerste van onze familie die in het Noorden kwam sinds mijn grootvader in de Burgeroorlog als krijgsgevangene naar Elmira in de staat New York was gebracht.

Het boerenland van Ohio was zo mooi dat het pijn aan mijn ogen deed. De maïs was geoogst en de akkers waren al geploegd voor de winter. De velden werden begrensd door eiken- en essenhagen. Ik zag spannen prachtige Percherons ploegen. De aarde was net zwarte zijde die draad voor draad werd omwoeld. Thuis ploegden we pas aan het begin van het voorjaar, maar ik had gehoord dat het beter was de aarde voor de winter open te leggen en in de koude maanden te laten ademen.

Ik reed door het stadje Lima. Het land daarachter was zo vlak als de bovenplaat van een kookkachel en de geploegde aarde zo donker als snuiftabak. Er was in de wijde omtrek geen rivier of heuvel te bekennen. Ik zag stapels buizen langs de randen van de velden lopen. Ik vermoedde dat die voor de afwatering werden gebruikt.

Een kilometer of vier, vijf ten noorden van Lima merkte ik dat ik door een grote rode auto werd gevolgd. Toen hij vlak achter me kwam rijden, zag ik dat het een Duesenberg was. De grote auto haalde me in en reed me voorbij. Als ik zo'n auto had, dacht ik, was ik al in Canada geweest.

Maar zo'n anderhalve kilometer verderop zag ik de glimmende rode auto langs de weg staan. Hij was in de berm gezet, met de motorkap omhoog. Toen ik dichterbij kwam, rende er een man in een bruin pak de weg op die met beide handen naar me zwaaide. Ik trapte het rempedaal en de koppeling in en minderde vaart, maar bijna voordat ik was gestopt, had ik er al spijt van. Ik had beter gewoon door kunnen rijden. Er zaten meer mensen in de Duesenberg, en de man die me had aangehouden, droeg het duurste pak dat ik in tijden had gezien. Hij snelde naar mijn auto en stak zijn hoofd door het open raampje.

'Zeg, kerel, zou je me een lift naar het volgende benzinestation kunnen geven?' zei hij. De manier waarop hij 'kerel' zei, raakte een pijnlijke plek ergens in mijn maag, maar nu ik eenmaal stilstond, kon ik niet zomaar wegrijden.

'Wat mankeert eraan?' vroeg ik.

'De V-snaar is geknapt. Ik moet een nieuwe halen,' zei hij.

Ik kon geen enkel excuus bedenken om iemand in nood op de snelweg niet te helpen. Ik hoorde een vrouw in de auto lachen.

'Natuurlijk, stap in,' zei ik, maar de man had het portier al opengemaakt en zat al bijna. Ik smeet mijn dikke jas op de achterbank.

'Je bent een kei, kerel,' zei hij. Hij rook naar een soort scheerwater. Hij had een enorme kinnebak en een keurig snorretje, maar er klopte iets niet aan zijn gezicht, alsof zijn ene oog lager zat dan het andere of zijn ene wang gedeukt was en zijn neus scheef stond.

Toen ik bij de rode Duesie wegreed, lachte de vrouw in de auto weer. Ik kon me niet voorstellen wat er zo leuk was aan een geknapte V-snaar.

'En, kerel, waar ga je naartoe?' vroeg mijn passagier. Hij stak een sigaret op en bood mij er een aan.

'Dank u, maar ik rook niet,' zei ik.

'Gelijk heb je,' zei hij.

'Naar het noorden van Michigan, Canada misschien,' zei ik.

'Canadees vuurwater halen?' zei hij, en hij gaf me een klap op mijn schouder.

'Nee, ik ga op pelsjacht,' zei ik.

Ik vroeg me af of de man een pistool onder zijn chocoladebruine pak had. Mijn geweer lag achterin, onder al mijn spullen.

'Wat voor pelzen?' vroeg de man.

'Nerts, muskusrat, misschien bever en otter,' zei ik.

'Je besterft het daar van de kou, kerel,' zei de man. Hij tipte de as van zijn sigaar door het raampje en liet het puntje een paar seconden in de wind gloeien.

'Hé, heb je een meisje in Carolina?' vroeg hij toen.

'Niet meer.'

'Kom, je moet toch iemand hebben, zo'n grote knappe bink als jij?' zei de man.

'Ik dacht dat ik een meisje had,' zei ik.

'Kom je te kort, de laatste tijd?' zei hij. 'Ga je daarom naar Canada? Die eskimo's bieden je hun vrouw aan als je bij ze op bezoek komt.'

'Nee, ik wil alleen bont vangen,' zei ik. De man gaf me het gevoel dat ik verlamd was en nauwelijks kon praten.

'Een bontje is ook een poes, kerel,' zei de man.

'Het bont is daar beter vanwege de koude winters,' zei ik.

'Het bont is daar beter, die is goed,' zei de man.

Ik keek in de spiegel en zag de grote rode auto. Hij doemde achter ons op en haalde ons snel in.

'Hé, is dat uw auto niet?' zei ik.

De man keek niet eens om. 'Zou kunnen,' zei hij, en hij pufte aan zijn sigaar. 'Zit je ergens mee, vent?'

'Ik dacht dat u zei dat de V-snaar...'

'Het zijn slimmeriken; ze hebben hem vast al gemaakt,' zei de man.

Ik omklemde het stuur en vroeg me af wat er nu zou gebeuren. De Duesenberg bleef een paar seconden vlak achter ons rijden, passeerde ons en was ons een paar tellen later al ver vooruit.

'Wachten ze niet op u?' zei ik.

'Zit over mij maar niet in, kerel. Gewoon doorrijden,' zei de man.

Mijn handen plakten aan het stuur en mijn voet trilde op de koppeling als ik moest schakelen. Ik reed nog een paar minuten door en zag de grote auto toen bij een kruispunt staan.

'Zo, professor, laat me er hier maar uit.'

'Bij de auto?' vroeg ik.

'Nee, aan de andere kant van de maan,' zei de man.

Ik trapte op de rem, en nog voor de T-Ford was gestopt, sprong de man uit de auto en sloeg het portier dicht. 'Pas maar op dat je geen geslachtsziekte krijgt van die Canadese bontjes,' schreeuwde hij over zijn schouder. 'En blijf van de Canadese drank af, begrepen?'

Ik trapte de koppeling in, schakelde in z'n een en reed zo hard mogelijk weg. Nog geen kilometer verder zag ik de rode auto weer aankomen. Hij passeerde me in een windvlaag. Geen van de inzittenden gaf er blijk van me te zien. De Duesie verdween snel voor me uit het zicht en ik voelde het zweet op mijn voorhoofd en onder mijn armen, en het beven van mijn voeten op de pedalen. Pas minuten later had ik weer oog voor het mooie boerenlandschap waar ik doorheen reed.

Ik stopte bij een cafetaria in Findlay om te lunchen. Het was de eerste keer dat ik voet op Noordelijke bodem zette, maar het asfalt zag er niet anders uit dan in Asheville. De mensen deden drukker, maar waren niet knapper om te zien of beter gekleed. De gebouwen, auto's en kleren zagen er allemaal wel duur en nieuw uit. Ik zat daar hotdogs te eten en mezelf te feliciteren met het feit dat ik nog leefde. Ik vroeg me af wat ik zou hebben gedaan als de man in het bruine pak een revolver op me had gericht. De kranten stonden elke dag vol berichten over gangsters in het Noorden, vooral in en om Chicago. Er zouden zelfs gangsters zijn die hun vijanden tot in de bergen van North Carolina achtervolgden.

Die nacht logeerde ik weer in een toeristengelegenheid in het noorden van Ohio, maar dit huisje was iets luxueuzer dan dat in Kentucky en kostte twee dollar. Na de lange dag op de weg ging ik op het bed in het huisje zitten en telde mijn geld. Ik was met eenenzeventig dollar vertrokken, maar als ik zo veel geld bleef uitgeven aan benzine, overnachtingen, eten, olie en nieuwe binnenbanden, zou ik nog maar een paar dagen kunnen reizen, en dan had ik niet genoeg over om met klemmen zetten te beginnen. Waar ik ook terechtkwam, ik zou er werk moeten zoeken. En als ik me wilde bedenken en terug naar huis gaan, moest ik dat doen zolang ik nog genoeg geld had om de terugreis naar Green River te kunnen maken.

Het grootste deel van de nacht lag ik klaarwakker naar het verkeer op de snelweg te luisteren. Het was een vreemd idee dat ik nu in het Noorden was, maar ik wist niet of ik wel echt het gevoel had dat ik er was. Misschien dacht ik het alleen maar.

Toen het licht was, pakte ik mijn goedkope koffer in en draaide de neus van de T-Ford weer naar het noorden. Hoe vlak het land ook was, ik voelde dat het gestaag naar water afliep. De lucht was frisser en er stond een vochtige noordwesten wind. Naarmate ik verder reed, zag ik minder boerderijen, en ze werden kleiner. En elk stadje leek een eigen fabriek te hebben. De zon scheen, maar er hing een zweem van lavendel of rood in de lucht. Roet, dacht ik, van de fabrieksschoorstenen en treinen. Het werd drukker op de snelweg, veel meer vrachtauto's en bussen. De weg werd breder, met aan elke kant twee rijstroken. Ik omklemde het stuur en hoopte dat ik geen lekke band zou krijgen.

Halverwege de ochtend stak ik de grote brug naar Toledo over. Je hebt nog nooit zoiets gezien als waar ik toen doorheen reed. Langs de snelweg stonden drie enorme fabrieken, zo hoog als kleine bergen, met het ene rangeerterrein na het andere. Er stonden grote loodsen van golfplaat met laadperrons als veranda's. Ik had zulke dingen wel op foto's gezien, maar wat je niet aan een foto ziet, is de schaal. Er waren stenen gebouwen die wel veertig hectare in beslag namen. Ik kwam langs graansilo's zo hoog als Meetinghouse Mountain. Sommige waren zo hoog dat ze hun schaduw over de snelweg wierpen.

Ik reed door, zo ver als het was van Green River naar Tompkinsville, zonder iets anders te zien dan fabrieken, loodsen, silo's en portaalkranen. Waar woonden de mensen allemaal? Ik zag rangeerterreinen die glommen als net geploegde akkers. Hoeveel mensen waren ervoor nodig geweest om dit allemaal aan te leggen? En hoeveel waren er nodig om de hele boel draaiend te houden?

Toen ik de stad Toledo zelf uiteindelijk bereikte, bleek die een teleurstelling te zijn. Hij was niet anders dan de andere steden waar ik doorheen was gekomen, hooguit iets groter. Ik had er willen stoppen, maar besloot me gewoon met de verkeersstroom te laten meevoeren. Ik stopte met alle andere auto's, vrachtwagens en bussen voor rood en liet me meestuwen als water dat door een dam breekt. Ik had het idee dat ik niet eens kón stoppen, al zou ik willen. Ik maakte mezelf wijs dat ik nergens kon parkeren. Ik wist dat als ik nu stopte, ik zou omkeren en dat het dan gedaan was met mijn reis. Iets dreef me ertoe met het verkeer mee te blijven razen. Het belangrijkste was nu geen lekke band te krijgen in die zee van verkeer, want dan zou ik verdrinken. Ik lette op verkeerslichten op kruispunten en politiemannen die het verkeer regelden. Ik wilde niet opvallen tussen alle anderen.

Niemand had me ooit verteld dat steden zo rumoerig zijn. Ik raakte uit mijn doen van al die blèrende claxons, gierende remmen en sirenes. Ik wist niet meer wat ik wilde. Er kwam een vrachtauto voor me rijden en ik zag niet meer waar ik naartoe wilde of waar ik moest afslaan. Een trolleybus klingelde en raakte mijn bumper op een haartje na. Al had ik willen stoppen, het had niet gekund. Het rook naar rotte eieren en verbrande motorolie. Het stonk naar gesmolten rubber. Een vrouw schoot achter een kind aan de weg op, vlak voor de T-Ford, en ik kon haar ternauwernood ontwijken. Voor een café waren twee soldaten aan het vechten.

Toen ik voor mijn gevoel wel veertig kilometer had gereden, zag ik eindelijk weer fabrieken en spoorrails om me heen. Ik zag weer lange loodsen en grote opslagtanks. Er waren bergen steenkool en grind en kranen die als ganzennekken naar de toppen van die bergen reikten. Ik moest in de buurt van een meer zijn, want links van me zag ik pieren, brede schepen, rijbruggen en kranen. Dat moest het Eriemeer zijn. Ik was bij de Grote Meren aangekomen en ik wilde stoppen om een kijkje te nemen, maar er was geen plek om te stoppen en te kijken langs de snelweg. Veel fabrieksterreinen en dokken hadden hoge hekken langs de snelweg.

De auto's reden hier harder dan in de stad en ik moest met de stroom mee blijven bewegen. De weg boog af naar het noordwesten, weg van de haven, en ik zag nog maar één loods en daarachter moerasland. Ik rook modder en ranzig water. Ik wilde het meer zien, dus sloeg ik snel af, het laadterrein van de lange loods op. Langs de zijkant liep een perron tot in het water. Er lagen bergen touw en grote klossen kabels op het perron.

'Hé daar,' riep iemand.

Ik keek om me heen en zag een man met een klembord in de deuropening van de loods staan. 'Kan ik iets voor u doen?' vroeg hij.

'Ik wilde alleen even naar de dokken kijken,' zei ik.

'Wat bedoel je, "even naar de dokken kijken"?'

'Gewoon, even kijken,' zei ik.

'Mag ik je dan vragen dat elders te doen?' zei de man.

'Ik wilde alleen maar kijken,' zei ik. Ik kon niets anders verzinnen.

'Doorlopen, maat,' zei de man. 'Wegwezen hier.'

Het was of hij me een stomp in mijn maag had verkocht. Mijn geweer lag achter in de auto onder al mijn spullen. Ik vond het jammer dat ik het niet bij me had, dan had ik die noorderling met zijn grote mond kunnen laten zien wie de baas was. Ik bleef nog even bij de auto staan en probeerde iets snuggers te bedenken om te zeggen. De wind die van het meer kwam was ijzig koud en ik begon te rillen. Ik ben nog niet in Canada, dacht ik. Als ik een noorderling vermoord, krijg ik Green River nooit meer te zien. Ik zal het kerkhof waar opa en pa liggen nooit meer zien, en ook de zuidkant van de bergwei op warme winterdagen niet meer. Mijn knieën knikten.

'U hebt het recht niet zo tegen me te praten,' zei ik.

'Hoe?' zei de man met het klembord. Hij stapte van het perron en liep op me af. Hij keek naar de kentekenplaat van de T-Ford. 'Zeg maar tegen Metcalf dat hij een uitgekookter iemand moet sturen als hij ons wil bespioneren,' zei hij.

'Ik wilde alleen het meer zien,' zei ik.

De man met het klembord trapte tegen een band van de T-Ford. En toen keek hij naar me alsof ik een zwerver was. 'Misschien ben je écht zo stom als je eruitziet,' zei hij.

'Let op uw woorden,' zei ik.

'Als je Carolina ooit nog terug wilt zien,' zei hij, 'zou ik maar in die ouwe brik stappen en maken dat ik wegkwam.'

Er kwam een boot bij het dok aan. Hij was groter dan een speedboat. Ik denk dat het een kruiser was.

'Donder op!' schreeuwde de man.

Ik stapte in de auto en schakelde. De man stak zijn hoofd door mijn raampje. 'Zeg maar tegen Metcalf dat hij m'n kont kan kussen,' gilde hij in mijn oor.

Met bevende handen sloeg ik linksaf, de snelweg op. Ik moest helemaal terugrijden langs die kilometers loodsen, bergingsterreinen en vervlochten rails. Er kwam gele rook uit een paar schoorstenen die op mijn huid brandde. Er hing een grijs met paars waas boven de snelweg.

En waar wil je nu naartoe? zei ik tegen mezelf. Het verkeer maalde om me heen en claxons loeiden en kwaakten. Ik reed zonder om te kijken de stad in en de stad uit. Ik hield het stuur stevig vast en lette op de stoplichten. Ik overwoog de hele tijd om te keren en die man met het klembord neer te schieten of toch ten minste een klap voor zijn kop te geven. Hij had me beledigd en vernederd. Ik was het mezelf verplicht hem neer te schieten.

En toen drong het opeens tot me door dat die boot die bij het dok aankwam uit Canada gekomen moest zijn en drank uit Canada aan boord moest hebben gehad. Daarom had die man me zo snel weg willen hebben en daarom was hij zo kwaad geworden. Hij dacht dat ik een spion was van een andere dranksmokkelaar die Metcalf heette. Metcalf was een concurrent, of hij zou voor de douane kunnen werken. Ik reed door zonder erover na te denken waar ik naartoe ging. De stank van uitlaatgassen en fabrieksrook vulde de T-Ford en maakte me duizelig.

Ik wist dat er ook andere mensen in het Noorden moesten zijn, nette mensen, maar die zaten achter muren verstopt en waren onbereikbaar voor me. In de steden en dorpen moesten ook mensen zijn die naar de kerk gingen, nette mensen, dominees en bouwvakkers, leraren en architecten, maar ik wist niet hoe ik die kon vinden.

Goed, ik had twee dagen opgepropt in de auto gezeten en niet één keer lekker gepoept. Ik was gewend elke dag te werken en kilometers te lopen. En ik was gewend meer te eten dan in die kleine restaurants en cafetaria's onderweg. Mijn woede jegens die man met het klembord moest iets in me wakker hebben gemaakt, want ik voelde pijn en een doffe onrust in mijn darmen.

Alleen zat ik midden in het verkeer in Toledo in Ohio, en er was geen plaats om te stoppen en ik kon niet afslaan. Ik probeerde te bedenken waar mensen die door een stad reden naartoe konden. Er waren wel benzinestations met wc's erachter, maar ik zag nergens een benzinestation. In de provincie waren er altijd wc's achter de kerk, maar in de stad zag ik geen wc's bij de kerken.

Ik stak de rivier de Maumee over en daarachter stonden weer fabrieken en grote gebouwen. Ik probeerde me te herinneren hoe ver het nog was naar het open land ten zuiden van de rivier. Ik was zo opgewonden geweest toen ik naar Toledo reed, dat ik niet had opgemerkt waar het boerenland plaatsmaakte voor de rand van de stad.

Mijn kompas lag op de stoel achter me. Ik was van plan geweest het in de bossen in het hoge Noorden te gebruiken. De blauwe naald sidderde en wees weg van de richting die ik volgde. Het blauwe wijzertje beefde net zo als mijn handen op het stuur. Ik wilde dat ik gewoon kon stoppen om mijn behoefte te doen.

In de bossen hoef je je geen zorgen te maken om wc's. In het bos kun je gewoon lekker achter een boom gaan zitten. Op de snelweg wist ik niet eens waar ik kon stoppen en parkeren. Overal stonden winkels en huizen. Ze konden me wel arresteren alleen omdat ik was gestopt.

De pijn stak binnen in me, een doffe, trieste pijn die als verdriet voelde. En toen werd hij scherper, en ik omklemde het stuur alsof het me meesleurde. Ik ging harder rijden en kreeg het klamme zweet op mijn slapen. Er leek geen eind te komen aan de gebouwen, winkels en kantoren. Eindelijk zag ik een dennenbosje in de verte. Het was niet meer dan vier are bomen, een groepje, maar geen echt bos. Maar het was groot genoeg en er stonden geen huizen in de buurt. Ik reed over de berm een vrachtweg op. Zodra de auto stilstond, sprong ik eruit en rende naar de bomen. En zodra ik vanaf de weg niet meer te zien was, liet ik mijn broek zakken en hurkte.

Het was alsof er iets in me ontplofte. Er barstte een donderend onweer los in mijn darmen en alles knalde eruit. Het voelde alsof alles wat ik ooit had gegeten uit me kolkte. Het voelde zo lekker dat het pijn deed. Ik zweette, zo slap was ik, en ik hield me vast aan een struikje. Het was hemels om gewoon een rustig plekje te hebben om te kakken.

Ik had de wereld van de Blue Ridge Mountains achter me gelaten, waar je wc's had waar je maar wilde en waar je kon uitstappen en om je heen kijken zo lang je maar wilde.

Mijn binnenste gloeide van bevrijding. Mijn ingewanden gonsden van een zo intense opluchting en bevrijding dat ik me bijna verdoofd voelde. En ik voelde me herboren.

12

Ginny

Ik had altijd gehoopt dat er iets terecht zou komen van Muirs gepraat over het bouwen van een huis of zelfs een kasteel. Ik wist wel dat hij geen kasteel ging bouwen, maar als ieders eigen huis zijn kasteel is, zou Muir een huis kunnen bouwen. Al sinds hij een kleine jongen was, had hij pa's oude architectuurboek bestudeerd. Het was een boek dat pa lang geleden tijdens een van zijn uitstapjes naar Greenville had gekocht, en er stonden plaatjes in van kerken en andere kunstige gebouwen in Londen. Al sinds hij een jongen was, had Muir er plattegronden en tekeningen van kerken uit nagetekend.

Muir kon een potlood en een willekeurig vodje papier pakken, de achterkant van een envelop of een stuk van een papieren zak, en dan schetste hij er een huis, een brug, een toren of een kerkspits op. Hij tekende graag kasteelmuren, en hij trok rechte lijnen langs een lat uit de schuur. Hij mat en gomde. Hij werd kwaad en gooide het papier weg, en voor je het wist, zat hij weer op een nieuw stuk papier te tekenen.

Ik wist dat het altijd moeilijk voor Muir zou blijven om met anderen te werken. Misschien had hij dat een beetje van Tom. En misschien had hij het van mij. Tom liet zich niet graag commanderen, en hij wilde altijd aan zijn eigen plannen en projecten werken, op zijn eigen land. Muir had van jongs af aan graag willen werken, maar alleen aan dingen die hij zelf had bedacht. Hij wilde op zijn eigen manier aan zijn eigen hoog gegrepen plannen werken. Als ik Moody en hem samen maïs liet oogsten of een hek repareren, konden ze een tijdje dikke vrienden zijn, maar voor je het wist, was Muir alweer driftig omdat Moody de baas over hem speelde en hem plaagde. Muir deed nooit wat je zei.

Ik hoopte dat Muir zijn levenswerk zou vinden, maar ik wist dat het geen zin had om hem iets op te dringen. Als hij dacht dat je hem iets opdroeg, werd hij koppig en tegendraads. Ik had gewild dat hij dominee zou worden. Ik dacht dat hij een natuurtalent was, dat hij ervoor in de wieg was gelegd. Maar het werd een mislukking. Ik had altijd gewild dat Moody en hij samen zouden werken, maar hun ruzies werden steeds erger. Het enige dat ze ooit samen hadden gedaan, was met de T-Ford naar Gap Creek rijden om een lading sterkedrank op te halen. Muir schaamde zich ervoor en dacht dat ik het niet wist. Ik wist dat hij geen dranksmokkelaar zou worden, zoals Moody, maar ik maakte me zorgen om zijn schuldgevoelens en ontreddering.

Toen Muir dus zijn spullen in de T-Ford pakte en naar Canada ging, hield ik mezelf voor dat het zo misschien maar beter was. Natuurlijk was ik ongerust toen hij zomaar vertrok, zo jong en onzeker als hij nog was, en hij kon verongelukken met die auto, of door gangsters beroofd worden. Canada was ver weg en er vroren mensen dood. Ik had Jack London gelezen en herinnerde me 'Een vuur maken'.

Toen Muir de auto begon vol te laden om naar het noorden te reizen, voelde het alsof mijn hart in ijs bekneld zat. Ik besefte dat ik hem op geen enkele manier kon tegenhouden. Hij was zo ongelukkig en verlangde er zo naar zelf zijn weg te zoeken. Hij walgde zo van zichzelf en hij schaamde zich zo voor zichzelf. Een moeder kan weinig beginnen met een zoon die door demonen wordt opgehitst.

Mannen moeten hun werk op hun eigen manier zoeken, dat had Tom me wel geleerd. Ik kon alleen toekijken en bidden dat Muir behouden zou blijven, en dat hij bij ons terug zou komen.

De ochtend dat Muir naar Canada was vertrokken, voelde het huis leeg, ook al waren Fay en Moody er nog. Het was in het vroege najaar en ik ging eieren rapen en de koeien melken. Toen ik de melk liet uitlekken, dacht ik: alles hier doet ontworteld en veraf aan. Ik was eraan gewend dat Muir hier zijn gangetje ging. Ik was eraan gewend op hem te vitten. Hij was het kind waarop ik al mijn hoop had gevestigd. Hij was de zoon die vorm gaf aan de dingen die ik had gewild en verwacht toen ik nog jong was.

'Wie gaat de aardappels rooien?' vroeg ik aan Fay en Moody.

'Muir gaat de aardappels rooien, zoals altijd,' zei Moody.

'Hoe kan Muir nou aardappels rooien als hij in Canada zit?' vroeg Fay.

'Muir is terug voordat zijn bandensporen van het erf verdwenen zijn,' zei Moody. 'Zijn geld raakt op en dan komt hij regelrecht naar huis.'

Ik wilde het voor Muir opnemen. Ik wilde zeggen dat hij zich best kon redden en de weg naar Canada vinden als hij dat wilde. Hoe erg ik het ook vond om hem te zien gaan en hoe graag ik ook wilde dat hij terug zou komen, ik wilde niet denken dat Muir terug zou komen omdat hij het niet had gered en een slappeling was. Ik moest er niet aan denken dat hij weer een nederlaag zou moeten lijden. Wat dat betreft hebben moeders een dilemma. Ik wilde niet dat Muir zou falen in het verwezenlijken van zijn ambities, maar ik wilde hem ook niet verliezen. Ik werd heen en weer geslingerd en ik had verdriet.

'Wie gaat er vandaag karnen?' zei ik. Het stremsel bij de haard kon geroerd en afgegoten worden.

'Ik wil wel karnen, als ik maar op de veranda kan zitten slapen terwijl ik het doe,' zei Moody. Moody had die ochtend al gedronken; ik rook het aan hem. Zijn aanbod verbaasde me.

'Het stremsel is klaar,' zei ik.

Ik vond het hartverwarmend dat Moody me zo ter wille was. Kwam het doordat hij blij was dat Muir weg was? Of miste hij Muir nu al? Ik was oud genoeg om te weten dat je tegenstrijdige gevoelens kunt hebben, maar hoe het ook zij, het was een genoegen Moody zo behulpzaam te zien.

Die dag en de dag erna werkte Moody harder dan hij in jaren had gedaan. Hij plukte zoveel vossenbessen tussen de bomen bij de rivier dat ik twaalf potten jam kon maken. Hij repareerde het hek van de wei, zodat het niet meer piepte en over de grond schraapte als je het opendeed. Hij spande zelfs het paard in en hielp me het loof dat Muir van het maïsveld had gesnoeid in de wagen te laden en achter de schuur op te slaan.

Ik begreep dat Moody zo tegendraads was geweest omdat Muir ruzie met hem maakte. En hij schaamde zich nu Muir weg was, misschien wel voorgoed, en hij probeerde zijn leven te beteren. Muir en Moody hadden al die jaren het slechtste in elkaar naar boven gehaald.

Ik had Muir altijd voorgetrokken, en ik denk dat Moody daarom zo nijdig om zich heen bleef slaan. Diep in mijn hart hield ik meer van Muir. Moody voelde zich prettiger, meer op zijn gemak, nu zijn jongere broer weg was. Ik was de schuldige. Ik was blij met zijn hulp en zijn ommekeer, maar ik voelde me ook schuldig.

Moody hielp me appels plukken in de boomgaard om cider te maken. We raapten alle appels die in het gras waren gevallen, wasten ze in een teil bij het koelhuis en pletten ze in de ciderpers. De lucht raakte vervuld van de geur van rijpe, vermalen appels. Moody zweette en de lucht van alcohol die hij uitademde vermengde zich met de geur van rijpe appels.

'Waar zou Muir nu zijn, denk je?' vroeg ik. Muir was drie dagen weg.

'Waarschijnlijk zit hij nu op de Noordpool en probeert hij een ijsbeer te kussen,' zei Moody.

'Ik hoop dat hij geen autopech krijgt,' zei ik.

'Die T-Ford zit zo simpel in elkaar dat je hem met kauwgom en een blikje kunt repareren,' zei Moody.

'Hij heeft warme kleren nodig in het Noorden,' zei ik. Ik draaide de schroef van de pers aan en het goudkleurige sap schuimde door de spleten, liep in het gootje en stroomde naar de tuit. Verse cider ruikt heel zoet en mild.

'Muir kan een ijsbeer afschieten en onder zijn vacht slapen,' zei Moody. Hij had een vrolijke bui, en hoe harder hij werkte, hoe vrolijker hij werd. Ik had hem nog nooit zo lang en gestaag zien werken.

'Ik hoop dat Muir in het Noorden naar de kerk gaat,' zei ik. Het sap borrelde en bruiste uit de spleten in de pers en stroomde naar de emmer onder de tuit. Vliegen en wespen zoemden om ons heen.

'Misschien kan hij voor de wolverines preken,' zei Moody terwijl hij meer appels in de pers gooide.

'Het heeft zijn hart gebroken dat zijn preek mislukte,' zei ik.

'Misschien wordt hij toch nog dominee,' zei Moody.

Ik dacht bij mezelf dat Muir eigenlijk nog maar een kind was.

Die nacht droomde ik van Muir. Hij was ver weg, maar ik zag hem de T-Ford duwen, alsof die zonder benzine stond of panne had. Hij duwde de auto door het vlakke land over een weg met doornen en struiken aan weerszijden. En toen zag ik dat hij de auto niet over een weg, maar door een rivier duwde. Het water reikte tot zijn knieën en hij duwde de T-Ford. Het was een modderige rivier en de stroming was snel, en ik hoorde het bulderen van zandbanken of een waterval in de verte, maar Muir had het zo druk met duwen dat hij het niet hoorde. Kijk uit, riep ik, en ik wilde hem aanraken. Maar hij kon me niet horen en bleef maar door dat modderige water ploeteren. Ik stak mijn hand weer uit, maar ik kon hem niet bereiken. En toen zag ik dat er geen wielen onder de T-Ford zaten. En toen werd ik wakker en hoorde de krekels op de bergwei.

13

Muir

Ik stopte bij een wegrestaurant tussen Dayton en Cincinnati. Het was bijna donker en het licht binnen was zo fel dat ik met mijn ogen knipperend op een kruk ging zitten. Ik bestelde koffie en twee hotdogs met alles. Ik snakte naar de uien en chilisaus op de worstjes.

Er kwam een handelsreiziger in een glimmend gestreept pak naast me zitten die zijn zachte grijze hoed op de bar legde. 'Hoe gaat het, makker?' vroeg hij. Ik knikte en at door. Ik wilde niets meer met onbekenden te maken hebben, maar hij klonk alsof hij van thuis kwam. Hij boog zich naar me over en vroeg waar ik naartoe ging.

'North Carolina,' zei ik met mijn mond vol.

'Daar kom ik vandaan,' zei hij. Hij vertelde dat hij uit Raleigh kwam en advertenties voor Mail Pouch-tabak verkocht. Het was fijn een vriendelijke stem te horen.

'Wat doe je helemaal hier?' vroeg hij met een knipoog. 'Als ik vragen mag?'

Ik zei dat ik van plan was geweest in Canada op pelsjacht te gaan, maar dat ik me had bedacht.

'Waarom zou je doodvriezen in Canada terwijl het meeste bont van Amerika gewoon thuis in North Carolina zit?' zei hij.

'Waar dan?' zei ik.

'Nou, ten oosten van Raleigh, langs de rivier de Tar,' zei hij. 'Ik kom er vandaan, en waar de rivier van Rocky Mount via Tarboro naar Greenville stroomt, zitten zoveel muskusratten dat ze een plaag voor de boeren vormen.'

'Vangt niemand ze dan?' vroeg ik.

'Natuurlijk worden ze wel gevangen,' zei hij, 'maar het zijn er zo veel dat het niks uitmaakt.'

Hij beschreef de dennenbossen langs de Tar en de gangen van de muskusratten langs de oevers. Hij zei dat de winters er zacht waren en dat ik wel gek zou zijn als ik naar Canada ging terwijl onze eigen staat meer bont had dan je kon vangen, al werd je honderd. Toen ik wegging, gaf hij me zijn kaartje.

Ik stapte in de T-Ford en onderweg naar Cincinnati dacht ik onafgebroken aan de muskusratten aan de Tar en de dennenbossen op de vlakten in het oosten van North Carolina. Ik dacht aan de zachte winters daar en de honderden dollars aan pelzen die ik er in één seizoen zou kunnen vangen. Alles wat meneer MacFarland had gezegd, had me overdonderd. Ik overnachtte in een klein toeristenpark iets ten noorden van Cincinnati. Ik droomde de hele nacht over honderden muskusratten met glanzende pelzen.

De nacht daarop kwam ik in Green River aan. Om twee uur sloeg ik de weg naar Green River in. De oneffen, rotsachtige zandweg schudde me wakker. Een buidelrat stak voor me de weg over. Toen ik die grijze buidelrat zag, wist ik dat ik niet terug naar huis kon. Zo plotseling drong het tot me door. Als ik naar huis ging, zouden mama, Moody en de rest van het dorp weten dat ik verslagen was. Ik zou weer verslagen zijn. Ik was mislukt als predikant en ik was mislukt als pelsjager in het Noorden. Ik had drank voor Moody gesmokkeld. Ik kon UG niet onder ogen komen in de wetenschap dat ik hem nog geld schuldig was.

Wat ik deed, was de T-Ford bij het hek naar de wei stoppen. Ik zette de motor uit, deed de lichten uit en zat daar in het donker. De afkoelende motor kraakte en tikte. De krekels en sprinkhanen tjirpten luid in de wei en de bomen boven de weg. In Toledo had ik er bovenal naar verlangd weer thuis te zijn. Ik had de grond van Green River onder mijn voeten willen voelen, maar nu ik er was, kon ik mama niet onder ogen komen. Ik zou mezelf niet eens onder ogen kunnen komen als ik domweg het erf op reed en toegaf dat ik had gefaald. Ik schaamde me nog steeds voor mezelf.

Ik wilde pelsjager worden en ik wilde de vrijheid van de bossen en rivieroevers. Ik kon me niet tevreden stellen met alleen maar op de boerderij werken in het besef dat ik een mislukkeling en een lafaard was. Ik zat daar in het donker en luisterde naar het bloed in mijn oren.

Terwijl ik daar in de auto zat, begon zich een plan in mijn hoofd te vormen. In plaats van vernederd terug naar huis te gaan, zou ik deze winter langs de rivier de Tar op pelsjacht gaan. Ik kon in een paar maanden honderden dollars verdienen met de muskusratten die ik ving. De winters waren er zacht en ik kon in de dennenbossen langs de rivier kamperen. Ik kon van konijnen en eekhoorns leven om mijn geld te sparen en ik kon een deel van de staat zien dat ik nog nooit had gezien. En als ik terugkwam, zou ik niet zo voor gek staan als nu. Misschien kon ik dan respect voor mezelf opbrengen.

Ik zat in het donker en rilde toen ik bedacht hoe goed mijn plan was. Ik had nog veertig dollar over, genoeg voor een treinkaartje. Ik zou de T-Ford niet meenemen, maar hem hier laten, zodat Moody en mama hem konden gebruiken. Ik zou mijn klemmen en alles naar het station moeten brengen en ze daar naar Rocky Mount aan de rivier de Tar laten versturen. En dan zou ik de auto met een briefje bij het hek zetten en terug naar het station lopen.

Ik pakte mijn kaart van North Carolina en bekeek hem bij het licht van lucifers. De Tar stroomde door Rocky Mount, Tarboro en Greenville. Het was maar een dag reizen met de trein. Ik kon buiten slapen en honderden muskusratten vangen. Waarom was ik daar niet eerder opgekomen? Ik wist alles van muskusratten vangen. De Heer toonde me hoe ik uit Green River weg kon komen en hoe ik niet zo'n mislukkeling hoefde te zijn.

Ik zou in het bos moeten wonen en ik zou een boot moeten hebben om mijn klemmen in de rivier te zetten, maar die kon ik kopen als ik er eenmaal was. Ik had mijn klemmen, geurflesjes, dikke jas en laarzen al. Ik zou ze allemaal in een doos stoppen en naar Rocky Mount laten sturen. Ik zou een briefje in de auto bij het hek leggen om te laten weten dat ik langs de Tar op pelsjacht was en in het voorjaar terug zou komen. Ik vond het zo'n kostelijk plan dat ik grinnikte in het donker.

Ik had nog nooit zo'n lange treinreis gemaakt. Ik was alleen naar Tompkinsville, Spartanburg en Asheville geweest. Ik had het oosten van de staat nog nooit gezien, maar wel foto's van de vlakke velden, de lome rivieren tussen het moerasland en de uitgestrekte dennenbossen van de kustvlakte. In de trein naar Asheville had ik alsmaar aan Annie gedacht, aan hoe ze eruit zou zien als ze iets volwassener was. Ik was nog kwaad op haar omdat ze met zoveel jongens flirtte.

Ik moest die reis gewoon maken. Ik was opgewonden en droevig tegelijk. Je moet ver weggaan voordat je kunt terugkomen en opnieuw beginnen, zei ik tegen mezelf. Als je naar het westen wilt, moet je eerst naar het oosten. Het klonk als iets dat ik in een boek over Columbus had gelezen.

Ik keek door het treinraam naar de bomen op de heuvel, de gele populieren en goudkleurige bitternoten, de rode en oranje esdoorns. Ik zou een hele berghelling vol kleurige herfstbomen willen tekenen. Ik klopte op de bankbiljetten in mijn zak. Het knisperende geld leek te leven.

In Asheville moest ik twee uur wachten op de volgende trein. Ik moest mijn koffer, mijn geweer en mijn jas naar de stationshal dragen. De grote doos met jachtgerei werd als vracht vervoerd. Ik zat omringd door mijn spullen in het station en zocht naar bekende gezichten in de menigte. Iedereen die ik zag, was een vreemde voor me. Overal waar ik kwam, had ik bekende gezichten gezocht, alsof ik nog in Green River was.

De trein naar het oosten vertrok uiteindelijk om tien uur. Ik zwoegde me met mijn bagage naar binnen en nestelde me op een bank. Dit wordt een lange reis, die je maanden vrijheid schenkt, zei ik tegen mezelf toen ik Asheville zag verdwijnen. Nadat we om Beaucatcher Mountain waren gereden, langs de vele zomerhotels en -huisjes en het sanatorium voor tbc-lijders in Oteen, begon de trein aan de lange klim langs de rivier de Swannanoa naar de top van de Blue Ridge.

We stopten even in Swannanoa en Black Mountain en toen kropen we door de inham in de bergwand en begonnen de spiralende afdaling naar de Piedmont. Onder een bergkam in de diepte liep een tunnel. Ik had gelezen dat de aanleg van de spoorbaan in de bergen een van de spectaculairste bouwwerken ten oosten van de Rocky Mountains was. De staat North Carolina was voor de Burgeroorlog al een aantal malen met de aanleg begonnen en probeerde daarna nog tien jaar de spoorlijn te voltooien, maar de helling was te steil en een groot deel van de bergkam bestond uit massief graniet onder een dun laagje aarde en bomen. Tot twee keer toe werd het geld bijeengeschraapt en vervolgens verduisterd door hoge medewerkers van de spoorwegmaatschappij. Uiteindelijk werd de spoorlijn aangelegd door dwangarbeiders. De staat was te arm om dynamiet te betalen, dus werd de bergwand eerst verhit met enorme houtvuren en vervolgens natgemaakt met ladingen ijskoud rivierwater. Zo ontstonden er barsten in het graniet en konden ze het met klauwhamers brokje voor brokje losbikken. Er ontstonden rellen en messengevechten in het kamp van de dwangarbeiders en veel van hen kwamen om bij het bouwen van de hoge steigers. Uiteindelijk kwamen de rails vanuit

Morganton in het westen en Asheville in het oosten in 1879 midden in de tunnel bij elkaar.

Toen we uit de tunnel kwamen, zag ik de locomotief diep onder me door een bocht puffen. De rails wikkelden zich met wel acht of tien bochten om de berg. Voor me had ik misschien wel honderd kilometer uitzicht over de heuvels aan de voet van de berg en de herfstbossen tot waar de akkers met graanschoven en de rode klei van de geulen in de nevel verdwenen. Het was of ik een grens was overgestoken en nu een nieuwe wereld aan mijn voeten zag liggen. Terwijl we de berg af draaiden en zwenkten en door kleinere tunnels raasden, voelde ik dat mijn verdriet vermengd raakte met vreugde. Ik zag de grote fontein op het stationsplein van Old Fort zijn waaier geveerd water verheffen in de bries. Ik zag een rivier die naar beneden slingerde en zich in een rotsachtige bedding vertakte.

We stopten in Hickory, Statesville en Winston-Salem, en toen in Durham en Raleigh, en die hele dag bleeg ik ervan doordrongen wat een grote, prachtige staat dit was. De steden leken bijna op die in het Noorden die ik had gezien. In het centrum stonden hoge gebouwen en bij de stations zag ik glimmende auto's. En er waren veel pakhuizen en naar tabak geurende terreinen met fabrieken en loodsen. De tabaksgeur hing als transparante rook boven de steden.

In de namiddag kwam er tussen Burlington en Durham een groep studenten voor me zitten. Ik begreep uit hun gesprek dat ze een debat op Davidson College hadden bezocht en nu teruggingen naar Trinity College. Ze moesten gewonnen hebben, want ze klonken luid en zelfvoldaan. Ze droegen allemaal een blauwe blazer en een wit met blauw petje. Als de conducteur uit de buurt was, gaven ze een platte zakflacon aan elkaar door. Ik kon niet uit hun gesprek opmaken waarover ze hadden gedebatteerd.

'Ik lachte me bijna dood toen hij zei dat "betrokkenis bij de armen deel uitmaakte van het huidige maatschappelijk bewustzijn". Ik geloofde mijn oortjes niet. Ik vroeg me af of hij "betrokkenheid" en "bekommernis" door elkaar haalde.'

'Ja, dat was fraai,' zei een andere jongen.

'En toen hij het eenmaal had gezegd, kon hij er niet meer mee ophouden. Hij heeft het wel tien keer herhaald.'

'Ja, dat was kostelijk, echt kostelijk,' zei weer een andere jongen.

'Nee, het was fraai; laten we zeggen heel fraai.'

'Als je wilt.'

'Ik heb eens een leraar scheikunde gehad,' zei de eerste jongen, 'die het woord "oxygeen" niet kon uitspreken. Het leek echt ondoenlijk voor hem te zijn. Hij kwam niet verder dan iets als "okkiegeen". Hij vermeed het zo lang mogelijk door het te vervangen door "element zestien", "zuurstof" en "O_2", maar aangezien het scheikunde was, moest hij het uiteindelijk toch weer zeggen, en dan kwam het er altijd uit als "okkiegeen".'

'O, kostelijk.'

'Nee, fraai, mijn beste, fraai.'

'Ach wat, jij bent dronken. Pas maar op dat we niet uit de trein worden gezet.'

'En diezelfde scheikundeleraar kon ook geen "aluminium" zeggen. Hij maakte er altijd "alubidium" van.'

'Hou op, liegbeest dat je bent.'

De conducteur keek heimelijk naar de jongens toen hij door onze coupé kwam, maar hij zei niets. Volgens mij ben ik slimmer dan het hele stel bij elkaar, zei ik tegen mezelf toen ik naar hun gegrinnik zat te luisteren.

Het was al nacht toen de trein in Raleigh aankwam. Ik moest weer twee uur wachten op de trein verder naar het oosten. Ik borg mijn koffer en geweer in een grote bagagekluis op en liep de stationshal uit om de hoofdstad van de staat te bekijken. Ik wilde het monument zien waarover ik zoveel had gelezen, en het regeringsgebouw zelf, maar toen ik het vond, was ik enigszins teleurgesteld. De koepel zag er onaf uit en was niet groter dan die op veel rechtbankgebouwen. Ik was een beetje verdwaasd van de lange dag reizen. Ik liep naar het monument voor de Burgeroorlog en las de inscriptie onder het marmeren standbeeld: HET EERST BIJ BETHEL, HET VERST BIJ GETTYSBURG EN CHICKAMAUGA, HET LAATST BIJ APPOMATTOX. Het was al na twaalven, en ik bestudeerde de woorden in de schijnwerpers en dacht aan opa bij Petersburg en Chickamauga.

Het was tussen drie en vier uur 's nachts toen ik in Rocky Mount uit de trein stapte. Hier en daar brandde straatverlichting, maar alles was dicht. Ik had gehoopt dat iemand me de weg zou kunnen wijzen. Volgens mijn kaart liep de rivier midden door de stad, en aangezien die niet groot was, dacht ik dat ik er nooit meer dan een kilometer vandaan zou kunnen zijn, maar ik wist niet welke kant ik op moest. Ik pakte de kaart en bekeek hem onder een lantaarn, maar ik kon de kleine lettertjes niet lezen. Het had trouwens toch geen nut om in het donker op zoek te gaan. Ik wilde zo snel mogelijk de stad uit, maar iemand zou me moeten helpen mijn klemmen en voorraden te dragen. Bovendien wilde ik iets eten voordat ik naar de rivier ging.

Ik ijsbeerde in de klamme vroege ochtend over het perron om warm te blijven. De kou van de vochtige lucht trok in mijn botten. Mijn koffer en mijn geweer lagen op de bordkartonnen doos bij de stationsdeur en ik stond er telkens bij te rillen voordat ik weer begon te lopen. Mijn kleren leken geen enkele bescherming tegen de kou te bieden. Ik keek op de klok boven de stationsdeur en zag dat het tegen vijven liep.

Ik besefte nu pas dat ik de hele tijd stank had ingeademd, een modderige, bedorven lucht van oude natte vodden die te lang hebben gelegen. En ik rook nog iets, niet zozeer vis als wel een geur van aardwormen en misschien rotte eieren. Het moest de rivier zijn, en de stank van de wc's achter de krotten langs de rivier. En dan was er nog een geur van natte as en door de regen gewassen ranzige botten.

Ik stond op het perron te stampvoeten en in mijn handen te klappen. Dus zover is het al met je gekomen, zei ik tegen mezelf, dat je om vijf uur 's ochtends op een onbekende plek staat dood te vriezen en te verhongeren? En dat allemaal alleen maar om muskusratten te vangen, geld te verdienen, niet naar Green River terug te hoeven. Het viel niet mee er de logica van in te zien toen ik daar stond te bibberen in de vochtige kou.

Tegen kwart over vijf kwam er een postauto aan waar een man in uniform uitstapte die een zak uit de laadruimte tilde. Toen hij me zag, zei hij: 'Wacht u op de trein, meneer?'

'Nee,' zei ik klappertandend, 'ik ben meer dan een uur geleden uit de trein gekomen.'

'Kan ik iets voor u doen?'

'Ik heb hulp nodig om mijn spullen naar de rivier te dragen,' zei ik. 'Ik ga aan de rivier kamperen.'

'Met dit weer?' zei de man.

'Ik ga muskusratten vangen,' zei ik. 'En misschien een paar nertsen.'

'Er zit hier niet veel bont, jongen. Je zit hier verkeerd.'

'Niet volgens de berichten die ik heb gehoord,' zei ik.

'Wat voor berichten?' vroeg de man, maar voordat ik hem kon vertellen wat de handelsreiziger had gezegd, klom hij in zijn cabine en reed weg. Toen hij ratelend uit het zicht verdween, voelde ik me kouder en vermoeider dan ooit. Hoe bedoelde hij: er zat hier niet veel bont? Zou die handelsreiziger hebben gelogen? Waarschijnlijk was die man van de post zelf pelsjager en wilde hij anderen bij de rivier weg houden. Of had hij vrienden en familieleden die pelsjager waren? Of misschien was hij gewoon geen aardige man. Sommige mensen hebben er een hekel aan als er pelsjagers op hun terrein komen.

Om kwart voor vijf ging er een café verderop in de straat open, maar ik durfde mijn bagage niet op het perron achter te laten en het was te veel om in mijn eentje naar het café te dragen. De man van de post had me onzeker gemaakt. Ik wilde zo snel mogelijk naar de rivier.

Op dat moment reed er een oude zwarte man langs in een wagen met een muilezel ervoor. Er lagen stapels zakken in de wagen, alsof hij ging malen. Ik rende de treden af en riep hem.

'Ho,' zei de oude man, en hij trok aan de teugels. Hij leek verbaasd me te zien.

'Ik geef u een dollar als u mij en mijn bagage naar de rivier buiten de stad brengt,' zei ik.

'Waar buiten de stad?' zei de oude man. 'Ik was op weg naar de molen.'

'Breng me naar een goede plek aan de rivier om te kamperen en ik geef u twee dollar,' zei ik.

De oude man zette de wagen langs het perron en samen laadden we de doos, de koffer en het geweer bij de zakken. Toen klom ik naast hem op de bok. 'Powell is de naam,' zei ik, en ik stak mijn hand uit.

'Dito,' zei de oude man, en hij klapte met de teugels.

'Bedoelt u dat u ook Powell heet?' zei ik.

'Zo is dat,' zei de oude man.

Toen we de stad uit reden, begon het net licht te worden in het oosten. Ik had gezien dat de stad uit rijen straten met kleine huizen bestond, de meeste met een paar bomen op het erf. De straten liepen over heel vlak laagland. Precies op de rand van de stad reden we langs een winkeltje en ik vroeg de koetsier te stoppen. De winkel ging net open, en ik rende naar binnen en kocht blikken bonen met varkensvlees, een zak rijst, koffie en suiker. Daar kon ik mee voort tot ik tijd had om een eekhoorn te schieten of een paar vissen te vangen.

'Hoe wil je je klemmen in de rivier zetten?' vroeg de oude man toen we weer reden.

'Ik moet een boot zien te krijgen,' zei ik.

'Hoe wil je aan een boot komen?' vroeg hij.

'Kent u iemand die boten bouwt?' vroeg ik.
'Trammel bouwt boten,' zei de oude man.
'Waar woont Trammel?' vroeg ik.
'Een kilometer of vier, vijf stroomopwaarts. Ik wijs het je wel.'
'Heeft hij veel boten gebouwd?' vroeg ik.
'O, Trammel bouwt al zijn hele leven boten,' zei de oude man. 'Voor een dollar of vijf, tien, bouwt hij een prima boot voor je.'

Nadat ik het treinkaartje had gekocht, had ik nog zesentwintig dollar over. Ik klopte op het geld in mijn zak. We ratelden langs tabakspakhuizen en een leerlooierij, en toen waren we in de natuur. De weg volgde de rivier en ik wierp mijn eerste blik op de Tar. Hij stroomde zo snel als vuur tussen de begroeide oevers. Ik had niet zo'n sterke stroming verwacht in zulk vlak land. Er staken geen rotsen boven het water uit en er lagen er geen op de oever, zoals bij bergrivieren. De hele rivier leek in een enkele, massieve stroom te deinen en spatten. Er waren nog huizen in zicht en ik was nog te dicht bij de stad om te kamperen.

'Waar wil je naartoe?' vroeg de oude man.
'Ik moet ergens in een bos kamperen,' zei ik.

De weg week van de rivier af en kwam er niet meer bij terug. Ik zag dat de koetsier niet veel zin had om verder te rijden. Ik neem aan dat hij zijn maïs naar de molen moest brengen.

'Daar woont Trammel,' zei hij, en hij wees naar een huis ver achter de velden, dichter bij de rivier.

De wagen kraakte en slingerde en ik zag moerasachtige bossen voor me. De rivier moest er een halve kilometer bij vandaan zijn. 'Ik stap hier wel af,' zei ik toen we bij het dennenbos waren. De grond lag laag, maar de bomen boden tenminste enige beschutting tegen de wind. De oude man en ik tilden de doos van de wagen en droegen hem de struiken in.

'Zitten hier muskusratten?' vroeg ik toen ik hem zijn twee dollar gaf.

'Waar genoeg modder is, zitten muskusratten,' zei de oude man.
'Het ziet er hier modderig genoeg uit,' zei ik.

De oude man vouwde de dollarbiljetten op, stopte ze in de voorzak van zijn tuinbroek en klom op de bok. Hij klapte met de teugels op de rug van de muilezel en reed weg met zijn zakken maïs.

Ik moest drie keer op en neer lopen, eerst met mijn koffer en geweer, toen met de helft van de inhoud van de doos en ten slotte met de doos zelf. Ik moest een plek zoeken om te kamperen, en ik begreep al snel dat mijn tent niet te dicht bij de modderige stroom kon staan. In de bergen zijn de oevers van kreken stevig en rotsachtig, maar hier was de grond drassig en laag.

Het kostte me een halfuur om een betrekkelijk droge plek te vinden op zo'n twee-, driehonderd meter van de rivier. Het speet me dat ik de oude man niet had gevraagd waar de dichtstbijzijnde bron was, want zonder schoon water kon ik geen koffie zetten. Ik was moe en ik had slaap nodig. Ik maakte een vuur en warmde een blik varkensvlees met bonen op. Toen ik het hele blik had leeggegeten, rolde ik mijn deken uit en ging liggen. Ik was zo moe dat ik me van top tot teen beurs voelde. Zelfs mijn gewrichten waren beurs van de lange treinreis.

Terwijl ik daar lag, hoorde ik een kraai ergens in het bos. Kraaien klonken overal hetzelfde. Een paar honderd meter verderop knerpte een kar over de weg, maar ik nam niet de moeite mijn hoofd op te tillen om te kijken. Ik hoopte alleen maar dat mijn kamp niet te zien was vanaf de weg. En toen hoorde ik niet al te ver uit de buurt de stoomfluit van een trein naar de bergen in het westen.

Toen ik wakker werd, was het halverwege de middag en scheen de zon warm in het struikgewas. Het leek wel augustus in plaats van oktober, zo warm was het. Met zulk weer werden de pelzen dun, en dunne pelzen leverden minder op. Ik zou meer muskusratten moeten vangen om het verschil goed te maken.

Ik was stram van het op de grond slapen en nog beurs van de nacht in de trein. En mijn hoofd leek verdoofd te zijn door de onbekende omgeving en het wakker worden op dat uur van de dag. Ik dacht dat het me een paar dagen zou kosten om de rivier te verkennen en een boot te laten bouwen. Ik kon er rustig de tijd voor nemen. Het was zo warm dat het niet het seizoen leek te zijn om klemmen te zetten. Misschien zou het weer gauw omslaan. Ik hoopte op een koude winter, al moest ik dan buiten slapen.

Ik at nog een blik bonen met varkensvlees, raapte mijn spullen zo goed mogelijk bij elkaar en legde ze op een hoop. Toen strooide ik er bladeren overheen zodat ze niet zouden opvallen tussen de struiken. Vervolgens pakte ik mijn canvas veldfles om water te gaan zoeken. Ik moest water hebben. Het was het eerste dat ik moest vinden.

Ik schatte dat ik op ongeveer anderhalve kilometer afstand van het huis van Trammel was, en ik besloot daar te gaan kijken. Ik liep door de struiken naar een sloot met een veld erachter en daarachter weer een veld. Het was geen anderhalve kilometer lopen, maar eerder vier of vijf. Uiteindelijk zag ik dan toch een verweerd houten huis achter de stoppels van een maïsveld staan.

Toen ik dichterbij kwam, kropen er meer dan tien jachthonden onder de veranda vandaan, die een symfonie van geblaf en gejank inzetten. Tegen de tijd dat ik bij het erf was, hadden ze alle partijen gezongen, van partij geruild en de hele symfonie nog eens vertolkt. Een oude zwarte man, twee jongere zwarte vrouwen en een stel kinderen kwamen de veranda op en wachtten tot ik bij hen was.

'Koest,' zei de man tegen een van de honden, en hij schopte ernaar. De hond ontweek zijn voet moeiteloos.

Ik vroeg hem of ik mijn veldfles bij zijn put mocht vullen.

'Maar natuurlijk, help jezelf,' zei de oude man.

De put stond opzij van het huis en de honden snuffelden om mijn voeten toen ik erheen liep. Ik haalde de houten emmer op en vulde mijn canvas veldfles. Ik tilde hem hoog op, zodat de honden er niet aan konden likken, en liep terug naar de voorkant van het huis. De hele familie stond nog op de veranda en het erf.

'Ik heb gehoord dat u boten bouwt,' zei ik tegen de man.

'Ach, ik ben te oud om boten te bouwen,' zei de oude man.

'Ik heb iets anders gehoord,' zei ik. 'Ik zoek een boot om van de winter muskusratten te vangen op de rivier.' Een van de grootste honden sprong op en zette zijn poten tegen mijn borst.

'Luther, af,' zei een van de vrouwen. 'Liggen jij.' Ze pakte de steel van een hark van de veranda en sloeg de hond. 'Ik zal je leren mensen te bespringen,' zei ze. De geslagen hond piepte en kroop naar de zijkant van het huis.

'Hoeveel vroeg u toen u nog boten bouwde?' vroeg ik.

'In het verleden een dollar of zes,' zei de oude man. 'Maar ik heb nu reumatiek in mijn schouder, dus kan ik nog maar moeilijk timmeren en zagen.'

'Ik geef u zeven dollar voor een roeiboot,' zei ik, 'als u hem snel maakt, voor het pelsjachtseizoen begint.'

Trammel schopte in het zand. Hij was krom en zijn hals was gerimpeld, maar je kon zien dat hij een sterke kerel was geweest. Zijn ene oog was zo gezwollen dat het bijna dicht zat. Zijn overall was verschoten, maar er waren vouwen in de pijpen gestreken. 'Voor minder dan tien kan ik die schouder niet kwellen,' zei hij.

De jachthonden draaiden snuffelend om me heen en op het erf liep hier en daar een kip te pikken. Het erf was schoongeveegd. Je zag de bezemsporen in het zand.

'Ik bied acht,' zei ik. 'Hoe snel kunt u hem af hebben?'
'Ik moet er minstens negen voor hebben,' zei Trammel.
'Hoe snel kunt u hem af hebben?' zei ik.
De oude man dacht even na en spuugde op de grond. De kippen stormden op de fluim af. 'Op zondag mag ik niet werken,' zei hij. 'Misschien een dag, vijf dagen, zes... Ongeveer een week.'
Voordat ik wegging, vroeg ik of er een goede bron in het bos was, niet al te ver van de rivier.
'Is er geen bron bij het oude huis van Coggins?' zei een van de vrouwen.
'Nee, die zit vol modder van de grote overstroming,' zei de andere vrouw.
'Er is er een aan de andere kant van de rivier,' zei Trammel. 'Een kilometer of vijf, zes verderop, schat ik.'
Toen ik wegliep met mijn veldfles, voelde ik dat ze me nakeken, die oude man, de twee vrouwen en alle kinderen, maar ik keek niet om en ik stopte pas toen ik het maïsveld was overgestoken en bij een rij bomen kwam. En toen ik daar eindelijk omkeek, was het huis niet meer te zien.
De volgende dag baande ik me de hele dag een weg door struiken en moerassen op zoek naar een bron om bij te kamperen. De bronnen die ik vond, lagen óf in het moeras, zodat ik er niet kon kamperen, óf zo dicht bij een weiland met koeien dat ik het water niet durfde te drinken. De bronnen zaten trouwens toch vol rotte bladeren en modder en moesten eerst uitgegraven en schoongemaakt worden. De troep en het schuim op het water deden me aan tyfus denken. Mijn vader was aan de tyfus overleden. De bronnen in de bergen zijn krachtig en het koude, heldere water perst zich uit de top of de wand van de berg. De bronnen hier waren trage stroompjes die door de troep sijpelden en erdoor werden opgeslokt. Op sommige plekken waren de plassen bedekt met roestig slijm en een metalig uitziend, paars met blauw vlies en een vettige laag. Muggen zwermden rond rottend hout.
Mijn laarzen kwamen vol krassen en modder en mijn broek bleef achter de doornen haken. Ik wist niet waar ik mijn kleren zou kunnen wassen. Ik had struiken uit elkaar geduwd op zoek naar vaste, droge grond. Ik keek overal langs de rivier naar prenten van muskusratten uit, maar vond ze niet. Was ik aan de verkeerde kant van de rivier, of op de verkeerde plek? Volgens de handelsreiziger had ik midden in muskusrattenland moeten zitten.
In de namiddag liep ik een kilometer of wat stroomafwaarts naar

een brug en stak over om de andere kant te verkennen. Het begon al donker te worden, maar tussen een groep gele dennen vond ik een vrij krachtige bron en op nog geen honderd meter daarvandaan een lapje droge grond. Het was bijna recht tegenover de plek aan de overkant waar ik die ochtend mijn spullen had achtergelaten. Ik kon beter wachten tot de boot klaar was voordat ik ze ging halen, anders moest ik alles naar de brug zeulen en aan de overkant weer omhoog sjorren. Ik had maar een paar prenten van muskusratten gezien en helemaal geen prenten van nertsen. Ik ving wel een prent van een wasbeer langs een zijriviertje op en ik liet een stinkdier ver voor me op het pad lopen.

De vier daaropvolgende dagen had ik het druk met sporen van muskusratten zoeken. Ik begon me af te vragen waar de pelzen zaten. Ik sliep in de struiken vlak bij de weg en elke ochtend liep ik naar Trammel om mijn canvas veldfles te vullen. De oude man kreeg de planken pas maandag van de zagerij. Woensdag had hij het skelet van de boot af. Misschien kwam het door de reumatiek dat hij zo langzaam werkte, maar hij leek beslist geen haast te hebben.

Ik werd moe van het wachten op de boot. En ik had nog steeds geen noemenswaardige sporen van muskusratten gevonden. De volgende dag liep ik helemaal naar de stad om proviand in te slaan. In de winkel zaten mannen rond de kachel, net als bij UG. Twee oude kerels zaten te dammen. Ze leken me niet eens op te merken.

Met mijn rugzak vol blikken en broden liep ik over de stoffige weg en door de velden terug naar mijn kamp in de struiken. Als ik thuis was geweest, had mama nu het nieuws met Fay en mij besproken, en met tante Florrie. En Moody zou iemand bespotten. We zouden bij het vuur zitten praten over wat er in de krant stond. Mama vond het prettig om de krant te lezen en bij te blijven. Als er een akelig verhaal in stond, merkte ze op dat zulke ellende in de bijbel wordt voorspeld, in het boek Openbaring.

Toen ik daar zo door de tabaksvelden, katoenvelden en dennenbossen liep, en toen langs de brede, modderige rivier, leek niets oog te hebben voor mijn problemen. Bladeren die van eiken en populieren waaiden, landden verspreid in de velden. Eenden vlogen kwakend en krassend in de verte over de rivier. Een enkele wolk hoog boven me werd beschenen door de late zon. Ik hoopte maar dat ik niet door mijn geld heen zou zijn voordat ik vellen begon te vangen en te verkopen.

Ik was van plan geweest van mijn geweer en hengel te leven, maar ik was bijna een week bezig geweest een plek voor een kamp te zoeken, water uit Trammels put te halen en prenten van muskusratten te zoeken. Ik had weinig wild gezien, maar ik had een aantal eekhoorns geschoten en een keer een kwartel gemist. Nu ik zoveel geld had uitgegeven aan meel en koffie, sardines, bonen met varkensvlees en de snoeprepen waar ik geen weerstand aan leek te kunnen bieden in de winkel, werd het tijd dat ik voor mijn eigen vlees ging zorgen.

De volgende dag kostte het me een uur om een konijn te vinden en te schieten dat me maar één maaltijd opleverde. Er waren te veel honden in de omgeving die de konijnenbevolking bleven uitdunnen. Maar er zaten wel eekhoorns in de eiken en bitternotenbomen verder weg van de rivier, en in afwachting van de boot leefde ik steeds vaker op gefrituurde eekhoorn en eekhoornstamppot. Ik schoot er een paar die de wolf in hun pels hadden, dikke vette maden die in hun vacht wroetten, en die gooide ik weg. De aanblik van al die dikke maden vlak bij het malse vlees benam me de eetlust en maakte me de eekhoorns tegen.

Ik probeerde wel in de modderige rivier te vissen, maar ving zelden iets. In de bergen had ik mijn hengel maar hoeven uitwerpen om forel te vangen in de Green River en de heldere toevoerkreken, en na de regen kon ik met wormen in de diepere poelen vissen, maar in die grotere, vieze stroom kon ik de poelen niet vinden. Het water was zo troebel dat je niet kon beoordelen hoe diep het was. Ik dacht dat de stilstaande plekken misschien dieper waren. Ik sneed een wilgentak af en bond mijn lijn eraan vast, maar ving alleen bodemwroeters en een keer een baars van vijfentwintig centimeter. Mijn maag kwam in opstand bij het idee dat ik iets zou moeten eten dat uit die bruine, stinkende rivier kwam.

Ik had gehoord dat de rivier de Tar zijn naam te danken had aan de teerovens langs de oevers dichter bij de kust, maar iemand anders zei dat de rivier zo was genoemd vanwege de donkere plekken die uit de moerassen de stroom in sijpelden. Waar die naam ook vandaan kwam, hij leek terecht te zijn, want de taaie zwarte modder en het slik leken op teer, al roken ze dan meer naar rotte eieren en ranzig vet. De modder plakte aan alles waar de stroom langskwam en perste dikke slijmkussens omhoog in draaikolken.

Vrijdagmiddag had die oude Trammel de boot dan eindelijk af en kwam hij hem met zijn door een muilezel getrokken wagen naar mijn kamp brengen. Ik vond de boot er een beetje grof uitzien. Niet alle verbindingen sloten goed aan. Het hout was niet geschuurd en alleen de teer in sommige naden kon het water tegenhouden.

'Is dat groen hout?' vroeg ik. De planken zagen er niet uit of ze goed gedroogd waren.

'Ze moeten nog tegen elkaar aan zwellen,' zei Trammel. 'Nieuwe boten lekken altijd een beetje.'

We droegen het bootje naar de rivier en zetten het in de modder. Toen ik Trammel zijn negen dollar had gegeven, had ik er zelf nog maar vijftien over. Ik zou snel pelzen moeten vangen, maar zelfs al ving ik de volgende dag al muskusratten, dan zou het nog een maand duren voor de vellen droog genoeg waren voor de verkoop.

Ik pakte de twee vers gesneden roeispanen en liet mijn nieuwe vaartuig in de modderige stroom te water. Ik moest naar het kamp in de struiken roeien en mijn spullen over de rivier naar het hogere terrein in het dennenbos brengen. Toen ik echter in de rivier dreef en stroomopwaarts probeerde te varen, merkte ik dat ik nog veel over roeien moest leren. Ik had weleens met een kano over de rivier en op het meer bij de katoenfabriek gepeddeld, maar ik had nog nooit echt geroeid. Het leek zo simpel, maar de rivier voerde me snel mee stroomafwaarts en ik draaide in een kringetje rond. Toen ik eindelijk recht lag en weer stroomopwaarts wilde roeien, zag ik hoeveel terrein ik had verloren. Trammel stond naast zijn muilezel op de oever naar me te kijken.

Tegen de tijd dat ik zo'n twee- of driehonderd meter stroomafwaarts was gesleurd, begon ik te beseffen hoe ingewikkeld mijn taak was. Niet alleen moest ik gelijkmatig roeien, aan beide kanten even snel en diep, en tegelijkertijd de stroming overwinnen, maar er mankeerde ook iets aan de vorm van de boot. Hij was een beetje scheef en helde naar links over, tenzij ik harder aan de linker roeispaan trok. Nog eens honderd meter verder kreeg ik de combinatie van stroming en draaien door en dreef ik niet meer in kringen rond. Ik kreeg de boot onder controle en begon langzaam stroomopwaarts te vorderen.

Gestaag en hard roeiend bereikte ik uiteindelijk de plek van de tewaterlating, maar toen was die oude Trammel al weg. Er stond een paar centimeter water in de boot. Toen ik hem in de modder bij mijn kamp aan wal trok, spoelde er nog meer water over de bodem en in mijn sokken. Niet alleen roeide ik in een scheve boot, ik zou ook nog eens tegelijkertijd moeten roeien en hozen. Mijn enige hoop was dat de natte planken binnen een nacht aan elkaar zouden zwellen.

Die middag bracht ik al mijn bezittingen naar mijn nieuwe kamp aan de overkant van de rivier. Maar terwijl ik het tentje opzette, zag ik al dat als ik een redelijke route wilde uitzetten, ik heen en weer langs de rivier zou moeten trekken en overnachten waar ik toevallig die avond was. Als ik alles meenam en de boot sloeg om, was ik mijn hele uitrusting kwijt. Ik zou wat voorraden in mijn kamp tussen de dennen moeten achterlaten, wilde ik niet met lege handen komen te staan.

Die avond, net toen ik mijn zoveelste gefrituurde eekhoorn op had en de pan in het bronwater wilde wassen, begon het te regenen. Ik bracht alles in veiligheid onder het tussen twee jonge bomen gespannen zeildoek. De regen bleef gestaag stromen, niet hard, maar wel onophoudelijk. De lucht werd zo koud en klam dat ik lag te rillen onder mijn dekens.

De volgende dag was alles wat ik bezat doorweekt, ondanks de tent. Ik lag in het eerste ochtendlicht onder de klamme dekens te wensen dat ik niet op hoefde te staan. Ik zat bijna zonder geld, vijfhonderd kilometer van huis, en tot nog toe had ik geen enkele muskusrat gevangen.

Ik vroeg me af of ik wel een vuur zou kunnen maken, want alles was doorweekt en druipnat en ik was vergeten aanmaakhout onder het zeil te leggen. God, zeg me wat ik moet doen, bad ik. Toon me uw wil en uw plan. Als ik ijdel ben geweest, straf me dan. Laat me verder langs de rivier trekken en ten zuiden van Tarboro naar sporen van muskusratten zoeken. Wijs het me als ik ergens pelzen kan vinden. Laat me geen volslagen mislukkeling zijn. Geef me iets wat ik in mezelf kan respecteren.

Ik vouwde mijn natte deken op en begon mijn uitrusting in te pakken in de grijze motregen. Als het de hele dag bleef regenen, had het geen zin om op beter weer te blijven zitten wachten, medelijden met mezelf te krijgen en aan een dampend warme maaltijd te denken. Mijn lucifers waren nog droog, maar verder was niets in het bos droog genoeg om een vuur mee aan te maken.

Op nog geen vijftig meter bij me vandaan sloeg een jachthond aan. Ik tuurde door de druppels die van de rand van mijn hoed vielen en zag een grote, geel met bruine hond tussen twee dennen staan. Hij schudde met de penningen aan zijn halsband en begon weer te blaffen. Het geluid werd versterkt door de klamme lucht.

'Hier, jongen,' zei ik. Ik stak mijn hand uit en wreef met mijn duim langs mijn vingers. Het is altijd verstandig een vriendelijk gebaar te maken naar een onbekende hond. 'Hier, jongen,' zei ik nog eens. De hond keek naar me, blafte weer en toonde geen enkele lust om vriendschap met me te sluiten.

Op hetzelfde moment zag ik twee mannen door de bomen naderen. Ze hadden geweren die ze voor zich uit gericht hielden. Ik vermoed dat ze mij eerder hadden gezien dan ik hen. Ik overwoog te bukken en me tussen de struiken te verstoppen, maar het was te laat, want de hond had me al gevonden.

'Daar is hij,' zei een van de mannen, en hij wees naar me.

'Blijf staan, man,' riep de andere man. Ik zag de politiepenning op zijn regenjas. De mannen liepen behoedzaam op me af, en de hond blafte weer, jankte toen en kermde. 'Koest, Digger,' zei een van de mannen.

'Wat doe je hier, knul?' vroeg de man met de penning.

'Kamperen,' zei ik. Mijn mond was droog en een beetje beverig van de kou.

De sheriff porde met zijn voet tussen mijn spullen. Hij keek naar de klemmen en het geweer. De regen spatte alles nat. 'En wat doe je hier nog meer?' vroeg hij.

'Op muskusratten jagen,' zei ik.

De sheriff keerde een pan om en keek in mijn veldfles. 'Heb je een jachtvergunning?' zei hij.

'Ja,' zei ik, en ik tastte in mijn borstzak naar het papiertje.

'Laat maar,' zei de sheriff. Hij porde met de loop van zijn geweer in de zak proviand en kookgerei.

'Ik heb nog geen muskusrat gevangen,' zei ik. 'Ik wachtte tot mijn boot klaar was. Ik heb wel een paar eekhoorns geschoten.'

De sheriff kwam dichterbij en keek me streng aan. 'We hebben gehoord dat je drank stookt met Trammel,' zei hij.

'Wat?' zei ik.

'We hebben gehoord dat je Trammel helpt clandestiene drank te stoken,' zei hij.

'Wat een belachelijk idee,' zei ik.

'Maar dat zeggen ze,' hield de sheriff vol. De manier waarop de hulpsheriff me onder schot hield, stond me niet aan.

'Van wie hebt u dat gehoord?' zei ik.

‘Gaat je niks aan,’ zei de sheriff. Hij schopte mijn zak met proviand omver en toen de zak met klemmen. De hulpsheriff sneed de scheerlijnen van mijn tent door en het natte canvas kwam op de grond terecht.

‘En nu wegwezen,’ zei de sheriff. ‘We willen hier geen illegale drankhandelaars hebben.’

‘Ik heb helemaal geen drank gestookt,’ zei ik.

‘Weg,’ zei de sheriff, en hij richtte zijn geweer op me. Ik besefte dat ik geen andere keus had dan te doen wat hij zei. Hij had een penning en hij hield me onder schot. De sheriff en zijn helper keken toe terwijl ik mijn spullen in de regen bij elkaar zocht. Mijn dikke jas was doorweekt en mijn tentzeil was modderig en zat onder de troep en dennennaalden. Ik droeg alles naar de boot en zag dat er een paar centimeter water op de bodem stond. Ik zou eerst moeten hozen. Opeens, in een vlaag van woede, draaide ik me om en keek de sheriff aan. ‘U hebt het recht niet me hier weg te sturen!’ riep ik.

‘Dit is mijn recht,’ zei de sheriff, en hij klopte op zijn geweer. ‘Je wilt toch zeker niet in de rivier vallen?’ Ik begreep dat hij zelf in de drank moest zitten en bang was voor nieuwe concurrenten.

Ik pakte een leeg blik bonen en begon de boot leeg te scheppen.

‘Laat dat maar zitten,’ zei de sheriff. ‘Wegwezen, jij.’

Toen ik de boot afduwde, erin stapte en begon te roeien, liepen de sheriff en de hulpsheriff naar de waterkant en keken me na. De hond sloeg weer aan en de hulpsheriff hief zijn geweer en vuurde in het water naast me. Het maakte een akelig *tonk*-geluid. Ik bleef het tweetal strak aankijken terwijl ik aan de roeispanen trok en de boot in de stroom wiebelde. Ik bleef gebukt zitten tot ik dacht dat ik buiten schootsbereik was.

De regen sloeg putjes in het water dat ik al roeiend achter me liet. De rivier golfde en schiftte buiten zijn oevers. Het moest die nacht hard hebben geregend stroomopwaarts. Alles, het water de lucht, de bomen, de oever, alles was even dofgrijs als de modder op mijn laarzen en het water in de boot. De modder koekte aan alles, mijn dekens, kleren, handen en geweer. Alles rook zurig, alsof de rivier zelf rot en bedorven was. De rivier zag er ziek uit, alsof het afval uit duizenden buitenplees en stallen erin was gestort. En er waren geen rotsen of wild water die de stroom konden omwoelen en zuiveren. Het slib op de bodem en de modderige oevers trok overal in.

Ik bleef strak naar de sheriff en zijn helper kijken, bang dat ze op me zouden schieten, tot ik voorbij de bocht in de rivier was. Pas toen keek ik naar de puinhopen van mijn bezittingen aan mijn voeten. Alles was kapot, en het water klotste over mijn laarzen en de zakken met potten en pannen. Uit een scheur in de meelzak was maïsmeel in het smerige water gelekt. De dekens waren kletsnat. Ik rilde van de kou en van woede.

De boot lekte echter niet zo erg als ik had gevreesd. Het hout moest de afgelopen nacht toch voldoende zijn opgezet om de naden ten dele te dichten. Ik roeide naar het midden van de rivier, waar de sterkste stroming stond, en probeerde toen stroomafwaarts voor de stroming uit te varen. Ik keek over mijn schouder of ik nergens achter kon blijven haken, maar het water leek alle planten en drijvende bomen te hebben meegevoerd. Ik overwoog ergens aan te leggen en sporen van muskusratten te zoeken, maar ik wist niet precies waar de grens van het district lag. Zou de sheriff van dit district die van het volgende waarschuwen dat hij naar een onbekende in een boot moest uitkijken? Hij wist dat ik alleen maar stroomafwaarts kon varen. Ik dacht dat ik, als ik eenmaal bij Tarboro was, in het district Edgecombe zou kunnen zijn, maar ik wist het niet zeker en ik wist niet waar mijn kaarten waren. De rivier was inmiddels trouwens zo hoog dat de meeste plekken waar ik klemmen had kunnen zetten toch onder water stonden.

Ik roeide nog een paar kilometer door en zag een paar eenden opvliegen. Ik reikte naar mijn geweer, want ik had wel zin in gebraden eend, maar net op dat moment werd de boot door de sterke stroming gedraaid en was mijn kans verkeken. Ik liet de roeispanen een minuut los en dreef langs dichte dennenbossen. Ik kwam langs nog meer tabaksvelden. Er leek niemand buiten te zijn vanwege de stortbui. De gestage regen prikte gaatjes in de rivier en ik was doorweekt tot onder mijn oksels. De hongersteken in mijn buik werden erger. Aangezien het bos en de struiken aan beide oevers dropen, zou het vrijwel onmogelijk zijn een vuur te maken, zelfs al legde ik aan.

Uiteindelijk zag ik dan een dorp op ongeveer een kilometer van de rivier, of althans een groep huizen achter de oeverbegroeiing en de velden, en een kerktoren die tegen de grauwe hemel afgetekend stond. Alleen al de aanblik van die kerk vrolijkte me op. Ik roeide er zo dicht mogelijk naartoe, trok de boot aan de modderige oever en bond hem vast aan een boomwortel. Toen ik uitstapte, was ik zo stram dat ik amper rechtop kon staan, en ik wist dat ik eruit moest zien als een verzopen kat, doorweekt en ongeschoren. Maar ik had tenminste nog geld in mijn zak om iets te eten te kopen, als er een winkel was. Terwijl ik naar de huizen toe liep, probeerde ik de modder van mijn laarzen te vegen.

Voor het grootste gebouw van het dorp stonden benzinepompen, en op het bord stond HEARTSEASE KRUIDENIERSWAREN. Ik herinnerde me het dorp Heartsease van de kaart. Het lag tussen Rocky Mount en Tarboro.

De mannen binnen leken op alle mannen die zich in alle plattelandswinkels verzamelen. Ik voelde hun blikken toen ik kaas en crackers kocht, sardientjes en drie snoeprepen. Ze leken sprekend op UG, Hicks, Lon en Charlie, zoals ze daar bij de kachel zaten.

'Je bent zeker ver van huis?' zei de man achter de toonbank.

'Gaat wel,' zei ik, wel wetend dat ik er nat en zielig uitzag.

'Als de staat North Carolina bankroet gaat, hoeven we misschien geen belasting meer te betalen,' zei een van de mannen bij de kachel.

'Ze laten ons juist meer belasting betalen,' zei een andere man, 'om de regering uit het slop te halen.'

De warmte van de kachel deed me goed, maar ik wist dat ik beter weg kon gaan voordat ze vragen gingen stellen. Ik verfrommelde de bovenkant van de zak in mijn vuist en glipte naar buiten. Toen ik naar de rivier terugliep, sloeg de regen me in mijn gezicht. Ik at de sardines, kaas en crackers in de boot op en probeerde te besluiten wat ik moest doen. Ik drapeerde mijn dikke jas als een soort tent over mijn hoofd uit en at de snoeprepen op.

Het water kwam steeds hoger te staan. Het was meer dan vijf centimeter gestegen sinds ik de boot aan wal had getrokken. Ik had geen andere keus dan stroomafwaarts te blijven varen, richting Tarboro of naar het district ten oosten daarvan. Misschien kon ik tussen de dennen op de dorre grond bij Greenville kamperen tot de regen ophield en de rivier zakte. Dat moest toch een ander district zijn. Als ik mijn tent diep in het bos opzette, kon ik de natte periode misschien uitzitten en dan weer naar muskusratten gaan zoeken. Misschien zag alles er wel heel anders uit als het niet meer regende.

Tegen de tijd dat ik de snoeprepen op had, regende het minder hard, en toen ik de boot afduwde, stak er een noordenwind op. De wolken joegen hoog boven me, op verschillende hoogten en met verschillende snelheden. Terwijl ik roeide, begon de wind op het water te beuken, zodat ik het spatwater van de roeispanen over me heen kreeg. In die wind leek het of mijn natte kleren vol gaten zaten. Ik moest echt gauw aanleggen en een vuur maken, anders kon ik longontsteking krijgen. Het idee dat ik moest uitkijken naar iets op die modderige oevers wat droog genoeg was om in brand te steken, hield me gaande. Mijn handen begonnen gevoelloos te worden.

Tegen de tijd dat ik die middag in Tarboro aankwam, was ik snipverkouden. Ik was rillerig en bijna te slap om de boot naar de wal te sturen. De wind was hard en pal uit het noorden blijven waaien en ik rilde tegen wil en dank. Ik zag twee zwarte mannen op het terrein van een houthandel met een stapel planken zeulen.

Toen sloeg de boeg onder water tegen iets hards, een rotsblok of een boomstam. De boot sloeg bijna om en werd door een golf overspoeld. Ik stak de roeispanen diep in het water in een poging de boot in evenwicht te houden, maar de stroming was te sterk en draaide me weer in het rond. Het stadje met de brug, de houthandel en de achtergevels van winkels tolde om me heen. De rivier was hoger en sneller geworden. Ik was al ter hoogte van het stadje en voer erlangs.

Mijn linkerhand was zo gevoelloos dat de roeispaan eruit gleed en toen ik overhelde om hem te pakken, viel ik bijna uit de boot. Het water klotste heen en weer over mijn voeten en tussen mijn klemmen door en tilde mijn koffer op. Ik vroeg me af of er ondiepten voor me wachtten die de stroming versnelden. Ik pakte de andere roeispaan met twee handen beet en probeerde dichter naar de oever te peddelen, maar de spaan was te zwaar voor me en te smal om echt vat op het water te krijgen. Ik sleepte hem als een helmstok achter me aan om de boot tenminste op koers te houden en minder hard te deinen.

Het stadje was al voorbij getold en ik was nog niets dichter bij de oever. Golven sprongen als klauwen op om de boot om te duwen. Hij hing zo scheef dat het leek of ik het ene moment naar het woelige water keek en het volgende naar de lucht. Ik dacht aan mama die nu kalm bij het aanrecht brooddeeg stond te kneden. Ze wist niet eens wat me was overkomen. God, bad ik, het ziet er niet naar uit dat ik levend uit deze rivier kom.

Ik zou nu thuis bij het vuur kunnen zitten, dacht ik. En toen hoorde ik mezelf om mezelf lachen. De wind schrijnde als ether aan mijn gezicht en het bootje deinde op de schuimkoppen van de golven die het van de ene kant naar de andere slingerden. Ik duwde de roeispaan dieper en dieper in het water. Er stond nu vijftien centimeter water op de bodem van de boot, maar ik kon niet tegelijk hozen en peddelen. De boot lag diep in het water en ik werd als door een kudde op hol geslagen buffels stroomafwaarts gesleurd.

God, bad ik, laat me niet in deze smerige rivier sterven. Als het uw wil is dat ik sterf, weet ik dat het zal gebeuren, maar als U me spaart, ga ik terug naar Green River, mama helpen op de boerderij.

De boot zwierde rond op de razende stroom en ik duwde de roeispaan in de golven. Ik stak hem in het water alsof ik met een peilstok de bodem zocht. De boot kantelde en dook naar beneden en ik zag dat het water me kwam halen. Ik leunde achterover en maakte me klein om niet overboord te slaan.

Ik dreef de roeispaan nog een keer in het boosaardige water en vond toen eindelijk de bodem. Ik duwde zo hard als ik kon om naar de wal te punteren. De boot zwiepte naar links en naar rechts, maar uiteindelijk worstelde ik hem naar het ondiepe en stuurde de voorsteven de modder en het onkruid in. Ik schatte dat ik het stadje al anderhalve kilometer achter me had gelaten. Ik was zo uitgeput dat ik beefde en het was een wonder dat ik nog leefde.

Ik klauwde me de oever op om te zien waar ik was. Ik bevond me op het terrein van een tabaksopslag. Er kwamen twee mannen uit de loods die me aankeken alsof ik uit het graf herrezen was. Ik wilde iets zeggen, maar ik klappertandde zo hevig dat het niet meeviel mijn situatie uiteen te zetten.

'Zou ik mijn boot hier kunnen achterlaten terwijl ik naar het station ga, denkt u?' kon ik ten slotte uitbrengen.

'Ik hoor niemand nee zeggen,' zei een van de mannen.

'Wilt u een oogje op mijn spullen houden?' vroeg ik.

'Al houd ik er een oogje op, dan kan iemand ze nog weghalen,' zei de andere man.

'Ik vertrouw jullie,' zei ik, en ik probeerde erbij te grinniken. Ik pakte mijn koffer en mijn geweer uit de boot. Alles zat onder de modder.

'Je ziet eruit of je in de rivier bent gevallen,' zei een van de mannen.

'Het had niet veel gescheeld,' zei ik. 'Geen haartje.'

Ik droeg het geweer en de koffer naar de weg en keek naar het stadje. Eerst zag ik het station niet, maar toen ik dichterbij kwam, zag ik de rails, en die volgde ik gewoon. En toen hoorde ik een locomotief achter de tabaksschuren puffen. Mijn laarzen maakten bij elke stap een slurpend geluid, zo vol water stonden ze. De mensen keken me na. Ik wist dat ik er vuil en nat uitzag, en toen ik langs een etalage liep, herkende ik mezelf niet eens direct. Mijn hoed was geruïneerd door de regen en mijn gezicht zag zwart van mijn baard en de rook van mijn kampvuren. Mijn kleren waren gekreukt en bemodderd. Ik zag er nog erger uit dan een zwerver, maar ik kon er niets aan doen. Ik liep regelrecht het station in met mijn koffer en mijn kapotte geweer.

Tegen de tijd dat de trein Tarboro uit reed, vlak voor het donker, was de lucht volkomen helder. Mijn handen beefden van de kou en de bewegingen van de trein. Door het raam zag ik de tabaksvelden, de dennenbossen en de rivier in de verte voorbijkomen, goudkleurig in het licht van de zonsondergang. Maar hoe mooi de rivier vanuit de verte ook mocht lijken, ik rook de modder en het smerige water nog aan mijn koffer en mijn laarzen. Het was of de stank van de rivier en het slib zich in mijn huid en onder mijn nagels had genesteld. Ik zou de geur van ranzige olie van de rivier nooit vergeten. De rivier de Tar rook als de derrie rond de goot van een varkenskot.

In de trein begonnen mijn botten langzaam warm te worden. Ik rook het bruine rivierwater en het vettige slik nog in mijn achterhoofd. De trein minderde vaart en stopte in Heartsease en ik keek uit naar de winkel waar ik mijn avondmaal had gekocht, maar het was te donker om de gebouwen van elkaar te kunnen onderscheiden. Ik snoot aanhoudend mijn neus. Mama of Fay zou nu aan het melken zijn, of ze strooiden maïs voor de kippen. Zo ver naar het westen toe was het nog licht.

Ik had de man en de vrouw op de bank voor me nauwelijks opgemerkt, tot ze zo hard begonnen te praten dat ook anderen in de coupé naar hen begonnen te kijken. De man was een schriel ventje met een baard van een week. De vrouw was struis en droeg haar haar in een strak knotje boven op haar hoofd. Aan haar lippen te zien had er al jaren geen glimlach meer af gekund.

'Ik wil gewoon weten waar hij ís!' schreeuwde de vrouw. Ze keek de man naast haar strak aan.

'Dat heb ik toch gezegd?' zei de man. Hij keek om zich heen alsof hij hoopte dat er niemand meeluisterde.

Ze wendde zich af en staarde door het raam. We reden over de vlakte tussen Rocky Mount en Raleigh en de trein meerderde vaart.

'Het was de enige dollar die ik had,' gilde de vrouw.

'Ik heb het je toch uitgelegd,' zei de man. Hij pakte een sigaret en stak hem met bevende handen op.

'Je hebt me geen reet uitgelegd!' zei de vrouw.

'Ik kon er niks aan doen,' zei de man.

De trein reed langs een zijspoor waar een locomotief met een aantal open goederenwagons vol hout voor pulp wachtte. Een watertank zoefde voorbij.

'Je kon er niks aan doen,' zei de vrouw honend, en ze trok een lelijk gezicht. De man wendde zijn gezicht van haar af en keek de coupé in. 'Je hebt het verzopen,' zei de vrouw. 'Dát heb je gedaan. Mij maak je niks wijs.'

'Ik heb het je toch al uitgelegd,' zei de man zonder haar aan te kijken.

De vrouw begon plotseling te gillen en tegen de slaap van de man te stompen. Toen hij probeerde haar te ontwijken, sloeg ze de sigaret uit zijn hand. 'Ik heb niks te eten!' tierde de vrouw. Ze pakte de handtas van haar schoot en sloeg ermee naar het gezicht van de man.

De man weerde haar met zijn elleboog af, draaide zich half om, drukte zijn vlakke hand tegen haar gezicht en duwde haar van zich af. Het hoofd van de vrouw sloeg tegen het raam. 'Zeikerd!' schold ze.

Ik zag de conducteur door het gangpad komen. De hele coupé was benieuwd wat hij ging doen. Ik wist dat mensen die zich in de trein misdroegen eruit gezet konden worden. Als hij wilde, kon de conducteur de trein laten stoppen en die mensen langs de rails zetten. Conducteurs mogen doen wat ze maar willen.

Ik tastte in mijn zak naar mijn vochtige, gevouwen bankbiljetten. Ik pakte een een-dollarbiljet en stopte de rest weer in mijn zak. Toen de conducteur bij me in de buurt was, boog ik me naar voren en tikte de man op zijn schouder. 'Is dit van u?' vroeg ik.

De man draaide zich geschrokken om. 'Wat?' zei hij.

'Dit lag onder uw stoel,' zei ik. 'Is het van u?'

Voordat de man iets terug kon zeggen, had de vrouw het biljet al uit mijn hand gegrist.

'Wat stelt dit voor?' zei de conducteur. Hij tikte de man met zijn kniptang op de schouder. 'Wat is hier aan de hand?' De conducteur had zo'n dikke buik dat zijn jas ter hoogte van de gesp van zijn riem niet meer dicht kon.

'Niks aan de hand,' zei de man.

'Waar maakten jullie zo'n heibel om?' zei de conducteur.

'We zaten gewoon te praten,' zei de man. Hij wreef met een hand vol littekens in zijn nek.

'Ze waren een dollar kwijt en ik heb hem gevonden,' zei ik.

De conducteur keek misprijzend naar me, naar mijn baard en mijn vuile kleren. 'Geen vechtend tuig in mijn trein,' zei hij.

'We zochten iets,' zei de vrouw. Ze sloeg haar ogen neer.
'Heb je 't gevonden?' zei de conducteur.
'Ja,' zei de man, 'we hebben het gevonden.'
De conducteur keek van de man naar de vrouw en toen naar mij. De man keek strak voor zich uit en de vrouw keek naar haar handtas. De conducteur deed een pas naar voren en trapte de rokende sigaret uit. 'Nog zo'n akkefietje en jullie staan allemaal buiten,' zei hij.

14

Muir

Die winter, na mijn terugkeer van de rivier de Tar, hield ik me koest en werkte op de boerderij, zoals ik God had beloofd. Ik hakte hout en maakte een nieuwe omheining om de boomgaard voor mama. Mama deed beurtelings boos en bemoedigend tegen me en Moody plaagde me, maar ik vertelde niet dat ik bijna in de Tar was verdronken. Ik vond dat het geen mens iets aanging. Ik werkte aan de weg boven de bron en ik zette weleens klemmen. Ik kon geen andere manier bedenken om aan geld te komen. Aangezien mijn klemmen bij de Tar waren achtergebleven, had ik nieuwe bij UG moeten kopen, op de lat.

Maar het was een slechte winter en ik ving bijna niets. In februari moest ik mijn vellen naar UG brengen. Hij zat achter in de winkel bij de kachel te dammen toen ik met mijn miezerige stapeltje vellen aankwam. Ik was hem nog geld schuldig voor de klemmen en een doos patronen die ik de winter daarvoor bij hem had gekocht. Ik schaamde me ervoor dat ik hem nu weer krediet moest vragen.

UG keek op van het dambord. 'Hoe gaat het, Muir?' Hij speelde tegen die oude Hicks Summey, die beweerde de damkampioen van de vallei te zijn. Hicks lustte wel een borrel en hij zat graag in de winkel te dammen.

'Niet zo goed,' zei ik, en ik legde mijn bundeltje vellen op de toonbank.

'Willen de nertsen niet in je klemmen lopen?' zei UG.

'Het is een slecht seizoen geweest,' zei ik.

'Bont is trouwens toch niks waard,' zei UG. 'Er komt te veel bont uit Canada op de markt.'

Ik was UG een dollar of twintig schuldig en ik had er maar vijf gespaard van mijn stroopgeld.

UG sloeg een paar stenen met zijn dam en haalde ze van het bord.

'Laat die vellen maar eens zien,' zei hij. Hij liep naar de toonbank en inspecteerde elk vel dat ik had meegebracht en kamde met zijn vingers door het bont. 'Hier kan ik je maar vijfentachtig cent voor geven,' zei hij.

'Dat is niet eens genoeg om mijn schuld aan jou af te betalen,' zei ik. 'Ik heb nog maar vijf dollar.' Ik pakte het bankbiljet.

UG keek naar de huiden en naar het biljet.

'Kon ik je maar betalen,' zei ik.

UG keek naar me. Het elektrische licht weerkaatste in zijn brillenglazen. 'Wat mij betreft, ben je een winkelbediende,' zei hij. 'Je kunt rekenen en je bent eerlijk. Je kunt je schuld wegwerken, een dollar per dag.'

Het was het laatste dat ik had verwacht. Ik had mezelf nooit als winkelbediende gezien, maar ik zag wel in dat werken beter was dan bij UG in het krijt staan. En het was beter dan thuisblijven en de hele tijd kissebissen met Moody. Abraham Lincoln was als winkelbediende begonnen. En als ik geld spaarde, kon ik een kaartje kopen en weer uit Green River weggaan, maar dan voorgoed, mocht ik dat willen.

'Wacht, ik geef je een schort,' zei UG.

'Dammen we nou nog of niet?' riep Hicks, die nog bij de kachel zat.

'Moet ik een schort voor?' vroeg ik.

'Een schort beschermt je goeie goed,' zei UG. 'Bovendien wekt een schort vertrouwen bij de klanten. Een van de kneepjes van het vak.'

De zaterdag was altijd de drukste dag bij UG in de winkel. Vanaf zeven uur 's ochtends kwamen er mensen vanuit de hele vallei en de bergkammen hoger langs de rivier, in boerenwagens en rijtuigjes, te voet en soms met de auto. Ze boden manden eieren en staven boter in vetvrij papier te koop aan. Soms kwamen ze een krat braadkuikens of een oude kip die niet meer wilde leggen ruilen voor rollen stof of meel en koffie. De meeste mensen die zelf een auto of vrachtwagen hadden, reden door naar de stad, waar hun eieren, groenten en fruit meer opbrachten en de spullen die ze nodig hadden net iets goedkoper waren.

Ik was altijd bang dat Annie de winkel binnen zou komen en me achter de toonbank aan het werk zou zien. En ik was ook bang Moody te zien, want ik wilde niet dat hij me lastig viel en treiterde terwijl ik in het openbaar aan het werk was.

UG vertrouwde me alles toe, behalve het wegen van de ginseng.

Die woog hij zelf op zijn tere weegschaaltje. 'Wilde ginseng is twee keer zoveel waard als gekweekte ginseng,' zei hij.

'Hoe zie je het verschil?' vroeg ik.

'Dat hoef jíj niet te zien,' zei UG.

'Maar als iemand dan iets komt brengen?' zei ik.

'Zeg dan maar dat-ie op mij moet wachten,' zei UG. 'Uitgegraven ginseng droogt hard en stevig op, en zo glad als zaad, maar gekweekte ginseng droogt sneller en verschrompelt meer. Die heeft minder kracht dan wilde ginseng.'

Als UG zat te dammen en er geen klanten waren, pakte ik een potlood en maakte tekeningen op bruin pakpapier. Ik tekende huizen, kastelen en kerken. Ik tekende torens met wel vijf of zes verdiepingen. Ik tekende stenen muren en boogramen.

'Wat zit je daar te krabbelen, Muir?' vroeg Blaine.

'Een kaart om in Canada te komen,' zei ik.

'Ik dacht dat je al naar het noorden was geweest,' zei Blaine.

'Misschien ga ik nog een keer,' zei ik, 'als ik het geld heb.'

UG liet me vrijwel alles regelen, behalve de ginseng. Ik verkocht zakmessen, pennenmesjes en jachtmessen uit de vitrine voor in de toonbank. Ik verkocht snoeprepen en kauwgom aan jongens en meisjes die met centen en stuivers binnenkwamen. Omdat UG's winkel langs de snelweg stond, was er elektriciteit, en ik verkocht bakjes ijs uit de vriezer. Ik verkocht druipende bekers cola uit de koeler in de hoek. Op de toonbank stond een glazen stopfles met koekjes, en er waren dropveters en augurken in het zuur.

En ik verkocht worstjes, en gekookte eieren uit een vat. Ik verkocht vooral de blikjes knakworst op de plank naast de sardines. Ik verkocht sodacrackers en punten kaas van het wiel. Ik verkocht zalm in blik en soms vlees in blik. Ik verkocht aardappels uit schepelmanden, zoete en Ierse.

Ik schepte alle maten spijkers uit vaatjes achter in de winkel en woog ze af. Ik verkocht hamers, harken en spaden, grote en kleine houwelen, zeisen en sikkels. Ik verkocht tangetjes en draadscharen, heggenscharen en waterpassen en zagen. In de donkere opslag achter in de winkel lagen zakken koeienvoer en kippenmengvoer, ongebuild meel voor varkens en katoenzaadbrokken. Ik hield van de stroopgeur van het koeienvoer. Ik verkocht zakken vermalen oesterschelpen voor kippen en scharrelvoer voor kuikens. Er was haver voor paarden en gemengd compleet voer.

Het was vroeg in het voorjaar en UG had een voorraad zaden en mest ingeslagen. Ik verkocht balen guano, ammoniumnitraat en sodanitraat in een verhouding van 1:2:2 en 1:1:1. Er stonden balen bonenzaad en maïszaad, zoete maïs en veldmaïs, stokbonen en trosbonen. Er was tabakszaad, meloenzaad, pompoenzaad en tomatenzaad. Er was bloemzaad in envelopjes met plaatjes erop en bollen waar dahlia's en gladiolen uit kwamen.

Dan was er nog een vitrinekast achter de toonbank waarin UG de medicijnen voor de verkoop bewaarde: flessen wonderolie, Doan's nierpillen, Black Draught-laxeerdrank. Er waren middeltjes tegen wormen, flessen hoestdrank en kalmerende siroop, boorwater voor zere ogen en waterstofperoxide voor snijwonden, en ook mercurochroom en viooltjesbismut voor het verzorgen van wonden. UG verkocht medicinale alcohol en kamfer, jodium en minerale olie, toverhazelaar en wrattenmedicijn. Er was kruidnagelolie tegen kiespijn en zalfjes tegen aambeien en spierpijn.

Maar wat ik het liefst verkocht, waren vishaakjes en forelvliegen, vislijnen en rollen vissersgaren. UG verkocht blikjes met zinkloodjes en dobbers om mee op het meer te vissen. En dan waren er nog dozen met rode en groene geweerpatronen, kaliber twaalf, zestien en twintig. Er waren dozen vol patroonhulzen met randontsteking en gewone ontsteking. Ik verkocht munitie voor .32, .38 en .45 pistolen.

De geweren, buksen en pistolen lagen in een speciale, afgesloten vitrine, zowel de nieuwe als de inruilexemplaren. UG was ook een soort pandjesbaas voor de vallei; hij nam geweren en buksen aan in ruil voor kruidenierswaren, en soms leende hij mensen zelfs geld met een horloge of pistool als onderpand.

UG verkocht ook horloges, dames- en herenmodellen, en wekkers. Hij verkocht klemmen en rollen prikkeldraad, waslijn en touw. Hij verkocht aardappelrooiers en hooivorken, ploegen en cultiveermachines. Hij had zelfs een bergploeg op voorraad die rechtsom en linksom kon werken. Hij verkocht paardenhalsters en trekkettingen, zwenghouten en leren paardentuig. Hij verkocht hoofdstellen en ploegbalken en ossenjukken.

Er stonden flesjes blauwsel en wel tien soorten zeep en waspoeder op de planken. Er was bleekmiddel en loog en ontsmettingsmiddel. Er was naaimachineolie en klauwolie, lijnzaadolie en petroleum in een vat achterom. We verkochten scharen, naald en draad, vingerhoeden en haaknaalden. We verkochten snoeischaren en stof van grote rollen.

Maar het gekste wat UG verkocht, lag in een ladekast achter in het gebouw. Daar lagen dozen met vloeipapier met het glimmende beslag voor doodskisten erin gewikkeld. Als iemand die een doodskist maakte messing grepen, scharnieren en hoekjes nodig had, kwam hij naar de winkel. We verkochten ook glimmende messing schroeven en naamplaatjes die je op het deksel kon spijkeren. Op de zolder van de schuur achter de winkel had UG zelfs een paar fabriekskisten staan, maar dat merkte ik pas toen tante Alice Herrin op de berg doodging en ze haar snel wilden begraven omdat het warm weer was en ze gangreen had.

Als er 's middags niet te veel klanten waren, mocht ik van UG naar de radio luisteren. Ik werd niet geacht te luisteren als ik dozen uitpakte of eieren in kartonnen dozen uittelde voor het vervoer. 'Als je met je voet de maat tikt op de muziek van een banjo, raak je de tel kwijt,' zei UG.

In feite stond de radio bijna altijd aan. Ik geloof dat er klanten waren die alleen naar de winkel kwamen om naar de radio te luisteren. Ze wilden samen bij de kachel zitten en naar countrymuziek en gospelmuziek luisteren. Ze wilden het honkbalnieuws horen, het nieuws over Babe Ruth. Ik luisterde graag naar de berichten uit Londen en de Filippijnen. Ik luisterde 's middags zelfs weleens naar een kerkdienst of een symfonieorkest.

Op een dag, toen ik naar orgelmuziek op de radio luisterde en de planken met een plumeau afstofte, kwam er iemand de winkel binnen. Ik keek op en zag Annie en haar moeder. Het spuug bleef in mijn keel steken en ik moest slikken.

'Goedendag, mevrouw Richards,' zei ik. Mevrouw Richards had lichtbruin haar met grijze draden erin. En ze had nog een lichte teint. Je kon zien dat ze in haar jeugd mooi geweest was. Maar aan haar grote, ruwe handen kon je zien hoe hard ze had gewerkt.

'Ik kwam wat boter en eieren brengen,' zei mevrouw Richards.

Ik keek steels naar Annie, maar die bekeek de snoeprepen in de vitrine. Haar moeder zette twee manden op de toonbank, een vol bruine eieren en een met boter in vetvrij papier.

Ik had niet meer geprobeerd met Annie te lopen sinds ze die keer met Moody mee naar huis was gereden. Ze had het alleen gedaan om mij te pesten, want sindsdien was ze nooit meer met Moody meegegaan. Anders had ik het wel gehoord. Dan had Moody het me wel verteld.

Ik pakte een eierrek van achter de toonbank en begon de eieren in hun vakjes uit te tellen. Mevrouw Richards bracht er meestal zo'n tien dozijn per keer.

'Hoe gaat het met je?' vroeg Annie. Ze ging voor me tegen de toonbank geleund staan. 'We hebben je gemist bij de gebedsbijeenkomst,' zei ze.

'Ik moest overwerken,' zei ik.

Het leek me het beste om gewoon beleefd tegen Annie te blijven. Ik zou haar laten zien dat ik te volwassen was om me kwaad te maken. Ze was een flirt die iedereen ophitste. Zo was ze nu eenmaal, maar ik had me vast voorgenomen er niet meer in te trappen.

Toen ik elf dozijn eieren had afgeteld en het aantal op een vel bruin pakpapier had genoteerd, pakte ik UG's weegschaaltje en woog de boter. Mevrouw Richards stopte de botervorm altijd extra vol, dus elke staaf woog meer dan een pond.

'Dat is bijna zeven pond boter,' zei ik. Ik rekende met een potlood op een vel pakpapier. 'Dat wordt dan vier dollar en vijfenzeventig cent,' zei ik.

'Ik moet suiker, koffie en bakpoeder hebben,' zei mevrouw Richards. 'En wat rozijnen en een nieuwe zeef.'

'Ik wil een Hershey-reep,' zei Annie.

'Daar word je dik van,' zei ik. Ik wist dat Annie er apetrots op was dat ze slank was. Ze was het slankste meisje van de vallei.

'Zie ik er dik uit?' zei Annie. Ze draaide een halve slag om me te laten zien hoe slank ze was en hoe haar trui over haar heupen viel. Ze was zo slank als een den en ze had het knapste figuurtje dat ik ooit had gezien.

Ik schepte koffie en suiker in zakken en bond ze dicht, en ik pakte een blikje bakpoeder en een doos rozijnen.

'Ik zie je de laatste tijd niet meer in je auto rijden,' zei Annie.

'Kan ik verder nog iets voor u doen?' zei ik tegen mevrouw Richards.

'Hank heeft scheerzeep nodig,' zei mevrouw Richards.

Ik keek op de plank voor in de winkel bij de zeep en toiletartikelen. Annie liep langs de andere kant van de toonbank met me mee. 'Woensdag over twee weken komt het circus,' zei ze. Ze leunde over de toonbank en keek hoe ik tussen de zeep en het tandpoeder, de potjes gezichtscrème en de flacons shampoo en lotion zocht. Ik beantwoordde haar blik niet, maar voelde dat mijn gezicht begon te gloeien. Ik vond de scheerzeep en draaide me om.

'Ik moet in de winkel werken,' zei ik.

'Het circus komt maar één keer per jaar,' zei Annie.

'Misschien kan ik de auto krijgen,' zei ik. Het kwam er zomaar uit. Ik had het niet willen zeggen. Ik legde de scheerzeep in de boodschappenmand en telde de bedragen van mevrouw Richards' aankopen op het vel pakpapier bij elkaar op.

'Ik ben u nog een dollar eenentwintig schuldig,' zei ik.

'En nog een reep voor Annie,' zei mevrouw Richards.

Ik reikte onder de toonbank naar een Hershey-reep.

'Ik hoef geen snoep,' zei Annie. 'Ik wil een cola.'

Ik gaf mevrouw Richards een dollar zestien uit de kassa. Annie pakte een flesje uit de koeler, maakte het open en liep met haar moeder mee naar de deur. Vlak voordat ze naar buiten liep, draaide ze zich naar me om. 'Ik hoop dat je naar het circus kunt,' zei ze.

15

Ginny

Ik had Moody's brief jaren in een bureaula bewaard. Ik haalde hem weer tevoorschijn om hem te lezen.

17 juli 1918
Lieve mama,
Ik neem de pen ter hand om je een brief te sgrijven op de mooie bloknoot waarvoor ik de bewaker een stiuver heb betaalt. Je zult al wel van iemand hebben gehoord waar ik zit. Maar ik dacht dat je de waarheid nooit zou horen als ik je niet sgreef.

Ik heb een van de Willards gestoken bij een vechtpartei in Chestnut Springs. Ik kan alleen maar zeggen dat hij erom vroeg en dat ik het heb gedaan. Zo simpel is dat. Ik heb alleen wat dieper gestoken dan de bedoeling was, meer niet.

Als je wilt, zeg je maar tegen de mensen dat ik op vakantie ben. Zeg maar dat ik een kampeertocht door de bossen maak, net als Muir. Zeg maar dat ik naar het westen ben om goud te zoeken. Het kan me niet sgelen.

Maar het kwam erop neer dat ze me hebben gearresteert toen ik met Sandy Willard had gevochten en hem had gestoken en dat ze me in de gevagnenis in Greenville hebben gezet. Ze konden me niet arresteren. Ze hadden geeneens iets van die vechtpartij kunnen weten als Peg Early of een van haar mensen het niet had gezegd.

Soms denk ik dat Peg Early en de Willards samenspannen om me dwars te zitten. Dat denk ik.

Maar het kwam erop neer dat omdat Sandy zo erg gestoken was dat hij door de dokter in Traveler's nest dichtgenaait moest worden, dat ze me dertig dagen gevangenisstraf hier hebben gegeven. Daar zit Peg Early achter, als ik me niet vergis.

De gevangenis van Greenville is geen hel. Nu in juli is het erger dan de hel en heter ook. Het is zo heet dat je stil op je brits moet blijven liggen anders wor je diuzelig. Als je te veel beweegt, zou je stikken, denk ik.

Ik klaag niet over mijn onderkomen. Maar wat iemand ook heeft gedaan, niemand verdient het om hier gevangen te zitten. We krijgen alleen muf brood en waterige pap die naar rotte kranten smaakt. En 's avonds krijgen we boontjes die nog half rauw zijn en een kop slootwater bij wijze van koffie.

Ik zal je niet vertellen hoe het hier stinkt met al die opgesloten mannen bij elkaar en het zweet en geen water om je te wassen. En als ze een dronkelap binnenbrengen die zijn maag omkeert ruikt het naar pies en kots. Je zou misselijk worden van de stank hier, zelfs al was je gezond, wat ik niet ben.

Ik ben een zwijn. Ik geef toe dat ik niet meer dan een zwijn ben. Ik heb nooit niks anders gedaan dan me in de nesten werken en minagting wekken. Ik heb je sins mijn jeugd te schande gemaakt. Het kan me niks verdommen.

Na paps dood was het of ik nooit geen goed meer kon doen. Zo is dat. Pap nam het nog wel eens voor me op, maar toen hij dood was, kwam niemand meer voor me op.

Ik wil niet dat je probeert me hieruit te krijgen. En laat UG het ook niet proberen. De rechter zei dat ik dertig dagen moest zitten, en dan zal ik ook dertig dagen zitten. Geef geen geld van pap aan me uit. Ik heb gratis onderdak en eten van de mensen van het district Greenville en dat zullen ze me geven ook. Geef paps stroopgeld maar niet aan mij uit. O nee.

Als iemand hier een grote bek heeft tegen de bewaker, rammen ze een knuppel in zijn maag. Als je geen antwoord geeft, rammen ze ook een knuppel in je maag. Als ze willen kunnen ze je een dag zonder water laten zitten. In deze hitte zweet je in een paar uur leeg en dan wor je zo slap dat je stil blijft liggen en het gevoel krijgt dat de lucht je bijt.

Ik lag dit hier te sgrijven en toen pakte iemand mijn potloot af en brak het doormidden. Ik had een bewaker vier cent betaald voor dat potlood en nu moet ik met het stompje sgrijven. Ze hebben mijn mes afgepakt, dus ik kan mijn potloot alleen slijpen door het langs de vloer te vrijven. Ik knauw het hout weg en vrijf met de stift over het sement om er een punt aan te maken. Nooit gedagt dat een stukje potloot zo kostbaar kon zijn. Als ik hier weg ben, koop ik een heele doos gele potloden.

Die grote vent die mijn potloot heeft gebroken heeft de pik op me. Hij heeft iets tegen me omdat ik uit North Carolina kom. Hij zegt dat mensen uit North Carolina stront zijn. Het is een grote vent die Warren heet die snot op zijn hand snuift en het dan over je mond smeert. Hij is betrapt toen hij door de ramen van mensen gluurde daarom zit hij hier.

'Ik ben nog niet klaar met jou, ik zal je een lesje leren,' zegt hij. Ik wil wel met hem vegten, maar toen ze me hier brachten hebben ze mijn mes afgepakt.

Een borrel zou me kalmeeren. Een borrel zou als de troost van een vriend voor me zijn. Maar ik wil niet meer drinken tot ik weer vrij ben. Wheeler en Drayton zijn pas op bezoek geweest. Ik wist dat Wheeler iets bij zich had, want zijn hemd bolde opzij op. Ik keek er steets naar en toen hij zich naar de tralies overboog, stak hij zijn hand in zijn hemd en haalde een kwart-literfles tevoorschijn.

Ik stak die fles zo snel ik kon in mijn eigen hemd, maar een andere gevangene had het gezien. Zodra Wheeler en Drayton weg waren en zodra het donker werd begon Warren me te pesten. 'Ga je niet eerlijk delen?' fluisterde hij in mijn oor.

Ik liep achteruit en drukte me tegen de muur. Zijn adem stonk als de bodem van een kippenhok.

'Powell wil niet met zijn maten delen,' zei Warren tegen de anderen. Hij prevelde iets tegen de anderen en toen pakten ze me. Ze drukten me met zijn achten op mijn brits terwijl Warren de fles uit mijn hemd wrong.

Hij dronk het grootste deel van de drank zelf in het donker op en toen gaf hij de anderen nog een slokje. En toen de fles leeg was drukten ze me weer op de brits en propten de hals van de fles in mijn mond.

'Nou heb je iets om in te pissen,' zei Warren. 'Spaar je pis en drink hem op.' Hij weet dat ik in een eerlijk gevegt makkelijk van hem zou winnen. En dat ga ik doen als ik vrij ben.

Tot over een maand, na mijn vakantie, je zoon,
Moody

Toen ik die brief had gekregen, reed ik met UG naar Greenville en betaalde Moody's boete. We haalden hem uit de gevangenis en namen hem mee naar huis. Ik heb die brief nooit aan iemand laten lezen. Toen ik er tegen Moody over begon, zei hij dat hij nooit een brief had geschreven. Hij zei dat hij niet had geweten hoe hij een brief had moeten schrijven in de gevangenis, al had hij het gewild. Maar ik had de brief gelezen en woord voor woord onthouden. Het was in het jaar dat Jewel aan de Spaanse griep overleed. Ik weet het nog heel goed.

16

Muir

'Je vriend Hicks is gisteravond overleden,' zei mama.

'Hicks?' zei ik.

'Hij is doodgegaan terwijl hij zat te melken. Ze hebben hem in de stal gevonden, onder de koe.'

'Ik geloof mijn oren niet,' zei ik.

Ik had Hicks de vorige dag nog in de winkel gezien, waar hij zoals gewoonlijk met UG had gedamd. Hij was een goede vriend en iemand die altijd wel iets grappigs of aardigs wist te zeggen. Hij damde graag en hij was altijd in voor een borrel en altijd in voor een mop. Maar hij had geen kwade dronk over zich. Voor zover ik weet had hij nooit iemand kwaad gedaan. Hij was gek op goede verhalen en hij had me nooit geplaagd met mijn poging om te preken. De mensen zeiden dat hij zo vaak bij UG in de winkel zat omdat hij altijd ruzie had met Jevvie, zijn vrouw. Zodra hij een borrel inschonk, zette ze hem het huis uit. Maar verder heb ik hem nooit ruzie zien maken. Ik weet nog hoe lang en krom Hicks was en dat hij een extraatje verdiende met het scherpen van zagen voor mensen. Hij kon een zaag zo scherp krijgen dat het hout tussen de tanden smolt. En hij was trots op zijn damspel.

Mama vertelde dat Hicks de volgende middag begraven zou worden.

Hicks woonde op Mount Olivet, en hoewel ik de rest van zijn familie nauwelijks kende, vond ik dat ik naar zijn begrafenis moest. Ik had te veel uren met Hicks in de winkel doorgebracht om zijn uitvaartdienst niet bij te wonen. Ik zou erheen gaan in het oude pak dat ik had gekocht om tijdens mijn preek te dragen.

'Ik heb de auto morgen nodig,' zei ik onder het avondeten tegen Moody.

'Je zult hem wel nodig hebben, maar ik heb hem harder nodig,' zei Moody.

'Ik moet naar de begrafenis van Hicks,' zei ik.

Natuurlijk stond Moody voor het krieken van de dag op en ging hij er met de T-Ford vandoor, en dus moest ik die middag in november lopend naar Mount Olivet. De kerk stond helemaal op de top van de berg, zo'n acht kilometer van ons huis. Ik wist dat het zo'n anderhalf uur lopen was en vertrok ruim op tijd, aangezien de begrafenis om drie uur zou beginnen. Ik ging direct na het middageten van huis.

Het was een aangename wandeling naar de top van Mount Olivet. Het was een zachte, windstille middag, maar het begon bewolkt te worden. De nevel rond de berg in de verte beloofde regen. Ik werd onderweg gegroet door mensen die na hun zondagse maal op de veranda zaten. Iedereen wist dat het de dag van Hicks' begrafenis was, maar de meeste mensen gingen niet naar de dienst, misschien omdat Hicks een drinker was en niet regelmatig naar de kerk ging.

Ik vond dat mijn pak lekker over mijn schouders en heupen viel onder het lopen. Ik had het lang niet meer gedragen, maar het paste nog. De zon glom op het fijne visgraatje. Ik sloeg de zandweg langs Freeman Creek in en begon aan de klim.

'Hé, Muir, ga je naar je trouwerij?' riep iemand. Ik keek over mijn schouder en zag Blaine achter me lopen. Ik wachtte tot hij me had ingehaald.

'Wat een mirakels pak,' zei Blaine. 'Ga je de begrafenispreek houden?'

'Alleen als ze het vragen,' zei ik. 'Iedere man heeft één goed pak in zijn leven nodig.'

'Want dan kunnen ze hem ergens in begraven,' zei Blaine.

'Ik hoop het voor die tijd ook nog een paar keer te dragen,' zei ik.

'Als het maar niet gaat regenen,' zei Blaine.

'Als het gaat regenen, schuil ik onder een boom tot het ophoudt,' zei ik.

Ik had verwacht meer mensen op weg naar Hicks' begrafenis tegen te komen, maar we zagen pas andere mensen toen we een paar honderd meter voor de kerk een hoek omsloegen. Langs de weg stond een groepje mannen en jongens. Een van hen trok aan een katrol waarmee hij emmers water uit de bron in het dal ver onder ons ophaalde. 'Middag,' zei ik.

'Zeg je wat?' zei een van de mannen.

'Komen jullie niks te kort?' zei Blaine.

'In welk opzicht?' zei iemand, en toen lachten ze allemaal.

'Aan water,' zei een jongen van Jenkins.

'Dat bedoelde ik ook,' zei Blaine.

Ik zag een jongen van MacDowell aan het kabelgeval trekken. De kabel van de katrol werd langs bomen de steile helling af geleid. Er hingen twee emmers aan haken aan die zichzelf in een rotsbekken bij de bron vulden. Het was een kunstige vinding. De jongen van MacDowell trok de volle emmer in een paar minuten omhoog, en tegelijkertijd zakte de andere emmer naar het bekken.

'Ik heb nog nooit zoiets gezien,' zei Blaine.

'Een uitvinding van die ouwe Hicks,' zei de jongen van MacDowell. 'Hij heeft het uitgedacht en zelf aangelegd.'

'Dan moesten we maar eens op hem drinken,' zei de jongen van Jenkins.

'Maar geen bronwater,' zei Blaine.

'Vijverwater met whisky,' zei iemand.

'En als we nou geen whisky hebben?' zei Blaine.

'Dan zullen we ons gewoon met bocht moeten behelpen,' zei de jongen van MacDowell. Hij stak zijn hand in de emmer water en haalde er een druipende fles uit.

'Hé, smiecht die je bent,' zei de jongen van Jenkins.

'Ik moet er niet aan denken dat die ouwe Hicks zonder een heildronk wordt begraven,' zei de jongen van MacDowell. Hij gaf de fles door en iedereen nam een slok. Ik deed alsof ik ervan nipte, net genoeg om mijn tong nat te maken, omdat ik niet oneerbiedig wilde lijken door voor een dronk op Hicks te bedanken. Anderzijds wilde ik ook niet oneerbiedig op de familie en de kerk overkomen door met een kegel van gegiste maïs op de begrafenis aan te komen. Ik maakte het puntje van mijn tong vochtig en gaf de fles aan Blaine door.

'Hicks, op jou, waar je ook uithangt,' zei Blaine, en hij stak de fles in de lucht.

'Ik hoop dat ze lekkere drank hebben in de hel,' zei de jongen van MacDowell.

'Als de drank er goed is, kan het de hel niet zijn,' zei ik, en iedereen lachte om me.

'Waar Hicks is, is drank,' zei de jongen van MacDowell.

Ik schepte water uit de emmer en dronk. 'Laten we maar eens naar de kerk gaan, anders missen we de begrafenis nog,' zei ik.

'Ik denk niet dat Hicks ons een slokje zou misgunnen,' zei Blaine.

Bij de deur van de kerk stond een aantal mannen in pak. Degene in wie ik de pastor van Mount Olivet herkende, kwam me begroeten. Het verbaasde me dat hij wist wie ik was.

'Hé, knul,' zei de dominee, 'wil je ons uit de brand helpen?'
'Als ik kan,' zei ik.
'We schijnen een drager te kort te komen,' zei de dominee. 'Zou je willen bijspringen? Je was tenslotte een vriend van Hicks.'
De pastor wees me waar ik moest gaan staan, en dat bleek tegenover UG te zijn. Ik knikte naar UG en hij knikte terug. Ik knikte ook naar de andere dragers. Dat waren de jongen van MacDowell, een Willard, een Freeman en iemand die volgens mij een Griffith was.
De pastor legde uit wat er van ons werd verwacht. De kist kwam met de wagen aan, en dan moesten we hem eruit schuiven en naar de verhoging voor in de kerk dragen. Dan gingen wij op de bank links voorin zitten en de familie rechts. Na de dienst moesten we de kist naar buiten dragen, op de voet gevolgd door de familieleden.
Ik ging in de rij staan en knikte naar de mensen die de kerk inliepen. Ik probeerde waardig over te komen en vouwde mijn handen voor mijn buik. Ik had veel begrafenissen meegemaakt, maar ik was nog nooit drager geweest. Ik hield mijn rug zo recht mogelijk.
De wagen met de kist kraakte de weg op. Toen hij bij de kerk was, keerde de koetsier hem en reed achteruit terug tot bijna bij de treden.
'Toe maar, jongens,' zei de pastor. Ik pakte de handgreep aan de rechterkant en trok. De kist gleed over de ruwe planken. Ik droeg het handvat over aan de jongen van Freeman, pakte het tweede handvat en trok weer. Toen ik het derde en laatste handvat pakte, voelde het alsof het hele gewicht van de kist op mijn hand kwam te rusten, maar toen ik de kist optilde, merkte ik dat de anderen hem al droegen. Ik moest een sprongetje maken om hen bij te houden en het extra gewicht op te vangen toen de kist hellend de treden nam.
Net toen we de kerk inliepen, begon het te regenen. Er viel een druppel op mijn mouw die een donkere plek achterliet.
De kerk van Mount Olivet was de kleinste gebedstempel die ik ooit had gezien. Eigenlijk was het niet meer dan een houten kapelletje met een spits die niet hoger was dan een privaathuisje. Binnen stonden er aan weerszijden van het gangpad misschien tien banken. De predikant had de communietafel voor de preekstoel, waar de offerschalen en de communieschaal meestal staan, leeg gemaakt, zodat we de kist erop konden zetten. We zetten hem met de lange kant naar de gemeente toe. Ik zweette van de inspanning in de vochtige lucht. Ik wilde links bij de andere dragers gaan zitten, maar de dominee tikte me op de schouder en wees naar een schroevendraaier op de vloer naast de preekstoel.

Ik dacht een paar tellen na en begreep toen wat hij bedoelde. Zonder naar de gemeente te kijken raapte ik de schroevendraaier op en begon de schroeven van het deksel van de kist los te draaien. Het waren er vier aan elke zijkant en een aan het hoofd- en voeteneind. De schroeven kwamen gemakkelijk uit het naaldhout, maar ik zorgde wel dat ik ze niet te ver losdraaide. Ze mochten niet uit het deksel vallen wanneer het van de kist werd getild, want ze zouden moeilijk terug te vinden zijn in de donkere kerk. De dominee en ik tilden het deksel eraf en droegen het naar de hoek, maar toen glipte de schroevendraaier uit mijn hand en viel kletterend op de vloer. Ik raapte hem snel op en legde hem weer bij de preekstoel.

Toen ik me naast de kist oprichtte, zag ik Hicks' gezicht voor het eerst. Hij lag met zijn ogen dicht en zijn gezicht was zo donker alsof het bont en blauw was. En er kwam een bepaalde geur uit de kist omhoog. Iemand had het lichaam met eau de cologne besprenkeld, en ik rook talkpoeder. En de geur van kamfer van de doek die de hele nacht op zijn gezicht had gelegen. En een zweem van whisky, en nog iets, alsof Hicks al in ontbinding was, zoals een dier ruikt dat al twee dagen dood in een klem zit.

Toen ik was gaan zitten, kwamen de familieleden van de bank naar voren om naar de dode te kijken. Jevvie, Hicks' weduwe, moest door haar zoon Lamar ondersteund worden. Jevvie strompelde naar voren en legde haar handen op de rand van de kist. Ze keek er luid en intens snikkend in. Haar gesnik vulde de kerk alsof er een gong klonk. Het voelde alsof de hele kerk met stomheid geslagen was. Iedereen verstijfde, zo compleet en definitief klonk Jevvies gesnik, alsof er verder niets over Hicks te zeggen viel, over zijn leven en zijn dood. Iedereen wist dat Jevvie en Hicks hun hele huwelijk lang ruzie hadden gemaakt. Jevvie keek op zijn gezicht in de kist neer en schudde haar hoofd. Het was alsof al het verdriet van haar leven in die snik was samengebald. Ten slotte loodste Lamar haar terug naar de voorste bank rechts en toen kwamen de andere familieleden naar voren, de andere zoons en dochters en de kleinzoons, die hun haar voor het eerst van hun leven hadden gekamd, in overhemden die strak om hun hals sloten.

Terwijl de rest van de gemeente naar voren liep om de dode Hicks te bekijken, luisterde ik naar de regen die steeds harder op het dak roffelde. Het was een dak van golfplaat, en elke regendruppel kletterde en zong. Het kerkje weergalmde als de klankkast van een piano. De hele kerk was een kast vol geluiden. Het regende zo hard als tijdens een onweer in de zomer. Ik bedacht dat de mensen van Mount Olivet een grotere, degelijker kerk zouden moeten hebben. De donder rommelde als het scheuren van een immens hemd. Het dak tikte en kletterde, en de donder bracht nog een saluutschot aan Hicks.

Het bonzen op het dak klonk zo luid dat de dominee slecht verstaanbaar was toen hij opstond en de gemeente voorging in 'Wij dalen af in de vallei'. Het was een treurig lied en ik zong zacht mee, maar de muziek werd zo goed als overstemd door de regen op het dak. De dominee bad en toen zongen we 'Aan de oevers van de bruisende Jordaan', dat nog treuriger was. Ik huiverde, puur van het luisteren naar de muziek en de kille regen. Als het zo doorging, zou het net gegraven graf vol water komen te staan. En hoe moesten we de kist in dit noodweer naar het kerkhof dragen?

'"In het huis mijns Vaders zijn vele woningen,"' las de dominee, '"anders zou Ik het u gezegd hebben. Ik ga heen om u plaats te bereiden... opdat ook gij zijn moogt, waar Ik ben."'

Ik rilde van de klamme kou op mijn huid en in mijn buik. Het gekletter op het dak leek in mijn eigen hoofd te zitten. De vouwen in mijn broek waren kaarsrecht en messcherp. Ik streek er met mijn vingers langs. De stof was glad, stevig en rimpelloos.

'"Temidden van het leven is de dood,"' zei de dominee.

Het dak klonk als trommels, cimbalen en castagnetten. Het was een rumoer in de kerk als het vuurwerk op Onafhankelijkheidsdag. Ik keek naar UG, die zijn hoofd gebogen hield.

Toen de dienst eindelijk was afgelopen, regende het nog steeds, en misschien zelfs harder. De gemeente stond op en zong het 'Strijdlied', en het klonk alsof de dakspanen boven ons klapperden. Toen bad de dominee weer voor, en zodra hij daarmee klaar was, wenkte hij de dragers dat ze naar voren moesten komen en de kist optillen. Ik pakte het deksel uit de hoek en legde het op Hicks in zijn zondagse pak. Ik tastte in het donker naar de schroeven en draaide ze vast tot ze kraakten.

We schoven de kist dwars over de tafel en pakten ieder een handvat. We liepen zo langzaam mogelijk naar de uitgang en ik hoorde de familieleden opstaan en volgen. Net toen we bij de deur waren, klonk er een donderslag. Toen we naar buiten stapten, werden het paard en de wagen bij de deur, de weg en het kerkhof op de heuvel allemaal door een bliksemschicht verlicht. De grond was een rivier van spattend en snelstromend water. Het water sprong op en onder aan de treden leek het al tien centimeter hoog te staan.

Ik weifelde, maar de dragers achter me duwden me naar voren en ik stapte regelrecht de stortbui in. Dat vereiste de waardigheid van de gelegenheid. Er zat niets anders op. De regen zwiepte in mijn gezicht alsof hij van opzij kwam. Het water sloeg tegen mijn voorhoofd en de bliksem verblindde me. Onder aan de treden stapte ik zó het water in, alsof ik door een kreek waadde. Het water liep in mijn nek en onder mijn das.

'Schuif hem maar in de wagen, jongens,' zei de dominee. Hij had een paraplu en die hield hij boven de kist toen we hem in de natte wagen schoven. Toen hield hij de paraplu boven Hicks' vrouw.

Zodra ik mijn hand vrij had, pakte ik mijn zakdoek en veegde over mijn gezicht, wat niets hielp, aangezien het water van mijn voorhoofd in mijn ogen bleef stromen. We liepen in de pas achter de wagen aan, door de modder en het stromende water op het terrein van de kerk de weg op naar het kerkhof op de heuvel. Eerst gleed het water nog van mijn pak alsof het een regenjas was, maar tegen de tijd dat we de heuvel beklommen, voelde ik het vocht in de krijtstreepstof rond mijn schouders trekken. Het water liep mijn boordje in en over mijn rug. Dit ruïneert mijn pak, dacht ik. Ik ruïneer mijn enige pak, alleen maar om Hicks de laatste eer te bewijzen.

Sommige mensen achter ons hadden een paraplu bij zich, en Lamar hield er een boven Jevvies hoofd tijdens de wandeling de heuvel op. Geen van de dragers had een paraplu, maar het maakte weinig uit, want er was zoveel regen en het waaide zo hard dat een paraplu ook weinig soelaas bood. Tegen de tijd dat we op de heuveltop bij het pas gegraven graf aankwamen, hing mijn pak slap om mijn borst en schouders en kleefde het aan mijn rug. Zowel de broek als het jasje was zwaar.

Ik probeerde me schrap te zetten toen we de kist uit de wagen schoven, maar mijn voet gleed uit in de modder. Daar tuimelde ik in het slijk, en ik liet het handvat van de kist los. De natte kist sloeg tegen mijn been en kantelde, en het deksel sprong eraf. Ik had het zeker niet stevig genoeg dichtgeschroefd. Hicks' lijk rolde in de modder naast het graf. Iedereen hield zijn adem in en toen keken ze allemaal naar mij terwijl ik me vol aangekoekte modder omhoog hees. Mijn been voelde alsof het gebroken was, maar ik merkte het nauwelijks.

Ik schaamde me zo diep dat ik niemand aan durfde te kijken toen ik probeerde de modder van mijn pak, mijn handen en mijn polsen te slaan. De klei plakte als rode stront aan het krijtstreepje, als vet. Jevvie keek me meewarig aan, alsof ik een jochie was dat in zijn broek had gepoept. Lamar hield haar elleboog vast en keek me zo woedend aan alsof ik de druppel was die de emmer deed overlopen en de begrafenis van zijn vader nu echt bedorven was. Ik was zo confuus dat ik maar naar de modder op mijn broek en mouw bleef slaan. De regen spoog klodders in mijn gezicht.

Ik had me in de modder willen wentelen om te laten zien hoe vernederd ik me voelde. Toen ik de weerzin op het gezicht van de dominee zag, verafschuwde ik mezelf. UG geneerde zich ervoor dat we neven waren. De pijn in mijn been was verschrikkelijk, maar van mij had het nog erger mogen zijn.

Er is een soort schaamte die zo diep gaat dat het bijna een roes is, een toeval met stuipen van schaamte. Toen ik het medelijdende gezicht van de weduwe zag, huiverde ik tot in mijn botten. Ik wilde me van de heuvel slingeren, de diepste put van de hel in, of de goot. Je hebt jezelf weer eens voor schut gezet, zei ik tegen mezelf. Je hebt weer eens laten zien wie je werkelijk bent.

Mijn handen waren zo vies dat ik de anderen niet kon helpen het lijk weer in de kist te tillen. Gloeiend van schaamte probeerde ik mijn handen aan mijn vieze broek af te vegen. De regen stroomde in mijn ogen.

Ik stond met de andere dragers de regen op te zuigen terwijl de dominee naast het graf uit de bijbel voorlas en we 'Mooi, mooi Zion zongen'. De regen droop van mijn vuile manchetten en ellebogen. De donder sloeg weer en alles werd weer hel verlicht. Er lag een plasje water op de kist bij het graf. Niemand die erbij was geweest, zou ooit vergeten dat ik in de modder was uitgegleden en Hicks' kist had laten vallen. Ze zouden het aan iedereen doorvertellen.

'"Alle vlees is gras,"' las de dominee, '"en al zijn schoonheid als een bloem des velds. Het gras verdort, de bloem valt af, als de adem des Heeren daarover waait. Voorwaar, het volk is als gras."'

Na afloop kon ik niemand in de ogen kijken. Ik begon de heuvel af te lopen en merkte dat UG naast me liep. Als ik in de rivier was gevallen, had mijn pak niet natter en viezer kunnen zijn. De stof plakte zwaar aan mijn benen. De modder koekte als mest aan mijn knieën.

'Hicks zat niet graag op een droogje,' zei UG.

'Ik wil wedden dat hij nu hartelijk om ons zit te lachen,' zei ik. Ik durfde UG niet aan te kijken en ik durfde niet naar mezelf te kijken. Terwijl ik van het kerkhof af liep, was het alsof ik Hicks in de stromende regen hoorde grinniken.

17

Muir

Na Hicks' begrafenis kwam het circus naar de stad. Ik zei tegen mama dat ik Annie met de auto naar het circus zou brengen en mama zei dat ik Fay mee moest nemen. Ze zei dat Hank en Julie Annie alleen lieten gaan als ik Fay ook meenam. Ik had dus geen andere keus dan mijn zusje ook meenemen. Ik vroeg aan UG of ik die middag vrij kon krijgen om met Annie en Fay naar het circus te gaan. Tot mijn verbazing vond hij het goed. UG had er nooit iets over gezegd dat ik bij Hicks' begrafenis in de modder was gevallen.

Ze hielden altijd een optocht door de stad om reclame te maken voor het circus, en sommige mensen vonden die optocht nog mooier dan het circus zelf. Dat kwam misschien doordat het hele district ervoor uitliep en het net een feestdag en kermis tegelijk was. Ik vond optochten altijd leuk, en het was helemaal fantastisch om alle beesten en die paraderende, dansende dames over straat te zien lopen.

Op de heenweg zat Annie naast me en Fay bij het raampje. Ik zag dat Annies handen nog rood waren van de was die ze die ochtend had gedaan. Ze hield ze gevouwen in haar schoot om het verborgen te houden.

Fay wilde dat ik voor de veevoerwinkel aan de zuidpunt van de stad stopte, zodat we de optocht vanuit de auto konden zien als het ging regenen, maar ik legde haar uit dat er daar geen parkeerruimte zou zijn en dat we trouwens toch niets zouden kunnen zien als we in de auto achter al die mensen op de stoep zouden zitten.

We ontdekten dat de hoofdstraat trouwens toch afgesloten was. Ik moest doorrijden naar King Street en voor Brookshire's bedrijf in rijtuigen en auto's stoppen, waar Moody en ik de T-Ford hadden gekocht.

'Jammer dat mama niet is meegegaan,' zei Fay. 'Ze had het circus mooi gevonden.'

Toen we terug naar de hoofdstraat liepen, hield Annie haar armen over elkaar geslagen om haar handen te verstoppen. Het leek alsof de hele stad dezelfde kant op ging. We waren net op tijd in de hoofdstraat om de muziek in de verte te horen beginnen. We hoorden alleen flarden muziek door de rivier van de straat zweven, maar die flarden trompet en trombone en tromgeroffel waren sprankelend en opwindend. De mensen stonden rijen dik op de stoep en we moesten dringen om iets te kunnen zien. Ten slotte vonden we een plekje voorbij de veevoerwinkel, tegenover de rechtbank. De koepel van het gerechtsgebouw blonk zilver in de zon.

De opwinding van de menigte was ook een soort muziek. Het leek te roffelen en gonzen, al die mensen die reikhalzend de straat in keken en van de ene voet op de andere wipten en de kinderen die de straat op schoten.

'Waar is de leeuw?' riep een klein meisje.

'Stil jij,' zei haar moeder.

De mensen stonden dicht opeengepakt aan weerszijden van de straat en kinderen die de straat op renden om te zien of er al iets kwam werden door hun moeders teruggetrokken. Annie ging op haar tenen staan om het beter te kunnen zien, nog steeds met haar armen over elkaar. Er kwam een agent aan die op zijn fluit blies en gebaarde dat de mensen verder naar achteren moesten gaan.

'Daar komen ze aan!' riep een jongen, maar ik zag niet veel over al die hoofden heen. Annie was nog een stuk kleiner dan ik, dus die zag waarschijnlijk helemaal niets. Ik had graag iets gevonden waar ze op kon klimmen. Ik had haar graag zelf opgetild.

De muziek zwol aan en het was net de muziek die ik een keer op de radio had gehoord toen er een militaire begrafenis werd gehouden. Toen de fanfare dichterbij kwam, klonk het alsof er fonkelend metaal en zijde in de lucht werden gescheurd. Trommels beukten op de lucht, telkens opnieuw. Ik pakte Annies ellebogen om haar te helpen op haar tenen te blijven staan.

Het was de fanfare van de brandweer van Asheville, las ik op een banier. Een grote dikke vent met een rooie kop beukte op de grote trom alsof hij hem een pak slaag gaf. Een rij trompetten en trombones bombardeerde de lucht met echo's en prachtig getoeter.

Na de fanfare zag ik een man in uniform met een heel hoge hoed paraderen. Er zat een kwast aan de hoge hoed, en die danste rond op de maat van de passen van de man. Hij had een zilveren tamboer-majoorstok die hij hoog in de lucht gooide en opving. Ik snapte niet hoe hij die tollende stok zo netjes kon vangen.

Na de tamboer-majoor kwam weer een fanfare. Het was het orkest van de middelbare school, en de leden droegen kastanjebruine met goudkleurige uniformen. Waarschijnlijk kenden de mensen alle jongens en meisjes van de fanfare, want ze juichten. Hun zoons, dochters, neven, nichten en buurkinderen bliezen hun wangen bol op het koper en sloegen de cimbalen als pannendeksels tegen elkaar.

Maar nu keek iedereen de straat in, want vlak achter het schoolorkest deinde de olifant, en daar richtten we onze blik allemaal op. Hij was zo groot dat hij niet meer op iets levends leek, behalve dan dat hij bewoog. Over zijn voorhoofd was een soort beschilderd kleedje met een ster erop gedrapeerd, en op zijn rug lag een groot tapijt met een paar mensen erop. De olifant was zo hoog dat het was alsof je naar het dak van een groot gebouw keek als je de berijders wilde zien. Vlak achter de kop van de olifant zaten een man met een hoge zijden hoed en een knappe juffrouw in een kort dansrokje. Achter hen zat een lilliputter of dwerg die naar de menigte zwaaide. Hij was zo klein als een kind, maar dan met een groot hoofd.

Annie keek over haar schouder. 'Hoe zijn ze op die olifant gekomen?' vroeg ze.

'Ze moeten een ladder hebben gebruikt,' riep ik in haar oor, dat roze was van opwinding.

En toen zag ik het oog van de olifant. Het was zo groot als een grote gloeilamp en zo donker als pruimensap. Het leek wel of de olifant huilde, want er druppelde iets over zijn leerachtige kop. Wat maakt een olifant aan het huilen? vroeg ik me af. Hij zou juist blij moeten zijn dat hij met zijn kleurige sprei op zijn rug langs de juichende massa mocht marcheren. Zijn tranen hadden de kleur van tabakssap.

Er liep een man met een stok voor de olifant uit, een soort dirigeerstok. Hij wekte de indruk dat hij de baas van de olifant was. Hij leek de ceremoniemeester te zijn, misschien zelfs de baas van het hele circus, zoals hij voorop liep en met zijn hoge hoed naar de toeschouwers zwaaide. Ik denk dat hij de presentator van het circusspektakel was.

Terwijl we zo stonden te kijken, bleef de olifant staan en draaide zich om naar de plek waar Fay, Annie en ik stonden.

De man met de stok schreeuwde naar de olifant, maar die luisterde niet en kwam over de stoep naar ons toe. Toen zag ik dat hij uit allebei zijn ogen huilde. De tranen biggelden naar zijn snuit.

'Hé!' riep de man met de hoge hoed, maar de olifant besteedde geen aandacht aan hem. Hij keek me recht aan en toen over me heen. Ik draaide me om en zag dat de olifant zijn spiegelbeeld in de etalageruit van de winkel bekeek. Hij deed nog een pas in onze richting.

Aan de overkant van de straat werd gelachen, maar ik snapte pas waarom de mensen lachten toen ik de grote keutels achter de olifant zag vallen en begreep dat hij midden op straat zijn behoefte deed. En het was een enorme behoefte! Stukken en brokken zo groot als grapefruits ploften op de weg. Er vormde zich een stapel donkere kluiten en klonten als kanonskogels. De mensen grinnikten en klapten.

'Hemeltjelief,' zei Annie.

'Poeh!' zei Fay.

Een grote wagen met kooien vol leeuwen en tijgers moest achter de olifant stoppen, maar de fanfare speelde gewoon door en er blies iemand op een fluit. De olifant zwiepte met zijn slurf alsof het een zweep was en de mensen deinsden achteruit en drongen ons terug. De olifant bekeek zichzelf in de etalageruit. Hij zal wel hebben gedacht dat hij tegenover een andere olifant stond, die net zo groot en triest was als hijzelf. Hij maakte een verschrikkelijk snerpend geluid dat klonk als het krijsen van een kettingzaag die vastloopt op een knoest of een spijker.

'Achteruit!' schreeuwde de man met de hoge hoed, en hij gaf de olifant een tik op zijn slurf. Het dier zwaaide weer met zijn slurf alsof hij een vlieg wilde verjagen. Kwajongens floten op hun vingers en gooiden proppen papier, klokhuizen en andere rommel naar de olifant.

Opeens kwam de olifant weer op ons af, en iedereen deinsde achteruit. Annie schreeuwde en ik deed een pas achteruit, maar bleef haar ellebogen vasthouden. Er stond een blauwe auto op straat geparkeerd en daar haastten we ons allemaal naartoe om dekking te zoeken. De man op de rug van de olifant tikte hem met zijn stok op zijn voorhoofd en pakte een van zijn slappe oren.

Toen de olifant bij de auto kwam, ging hij op zijn achterpoten staan, net als de olifanten die ik in films had gezien die op krukken of tonnen klommen. Hij zette eerst zijn ene voorpoot op het dak van de auto en toen de andere. De auto kraakte en helde over, en er knapte iets vanbinnen. Het dak kreukte en zakte door.

'O, nee!' riep Annie.

'Niet te dichtbij komen,' zei ik.

Het ene olifantenoog dat ik zag, zag eruit alsof het dier in paniek was. Het grote oog had zich met donkere vloeistof gevuld en werd zo groot dat het bijna leek te knappen. De ruiten van de auto braken en vlogen uit de sponningen en de mensen sprongen weg. Een man in een grijs pak die de eigenaar van de auto leek te zijn rende naar de neus van de auto alsof hij het dier wilde verjagen. Hij zag er overstuur uit, riep: 'Weg! Weg!' en legde zijn hand op de radiatordop alsof hij die wilde beschermen.

De olifant draaide zich om en zette een poot als een potkachel op het hoofd van de man. Het hoofd sloeg tegen de motorkap en barstte als een terracotta bloempot. Het gebeurde binnen een seconde, maar iedereen op straat zag of hoorde het. De olifant liet zijn andere voorpoot neerkomen en drukte de schouder van de man plat tegen de grille van de auto. Het bloed gutste over de auto en de mensen eromheen. Er spatte een druppel op Annies jurk en ze probeerde hem weg te vegen.

Zo plotseling als hij had gesteigerd, zette de olifant zijn voorpoten weer neer en liep trompetterend achteruit. Hij draaide zich om en marcheerde de straat weer in. De man met de hoge hoed moest rennen om hem in te halen. De circuswagens en de springende paarden achter de olifant kwamen voorbij, maar de mensen letten er nauwelijks nog op. Een clown die kunstjes deed reed op een fietsje voorbij en er waren jongleurs op stelten en een vuurspuwende man, maar we hadden er geen oog meer voor. Niemand kon zijn blik losrukken van de man op de motorkap van de auto.

Het lichaam rolde van de kap op de stoep, maar het had geen hoofd meer; alleen maar stukjes hoofdhuid en bloederige botjes, de vodden van een hoofd. Annie wendde zich af en sloeg haar rode handen voor haar gezicht. Toen haalde ze haar handen weg en keek. Iedereen keek en hield zijn adem in.

Ettelijke vrouwen huilden en Annie snikte aan mijn borst. Iemand boog zich over het lichaam en raakte de schouder aan als om te zien of er nog leven in zat, maar dat kon niet meer, niet na wat die olifant had gedaan. De vermorzelde stukjes waren nat en kleverig. De mensen drongen naar voren om het beter te kunnen zien.

We waren aan alle kanten ingesloten door de drommen mensen en konden ons nauwelijks nog bewegen. Toen de massa steeds dichter werd, sloeg ik mijn armen om Annie en Fay heen. Een hond die zich op de een of andere manier tussen de benen van de mensen door had gewrongen stond bloed van de stoep te likken.

'Weg jij!' riep ik naar de hond.

Er klonk een fluit en toen nog een. 'Opzij!' riep iemand. 'Aan de kant!'

Een politieman die wilde weten wat er was gebeurd, baande zich een weg door de massa. 'Achteruit!' riep hij, en hij blies nog eens op zijn fluit. Hij zag de man met alleen de resten van zijn hoofd liggen en boog zich over hem heen. 'Wie heeft dit gedaan?' gilde hij.

'De olifant,' riepen mensen her en der terug.

'Hoe?' vroeg de politieman.

Toen baande een tweede man in uniform zich een weg door de dicht opeengepakte menigte. Het was een dikke politieman met een pet op die zich gedroeg alsof hij de commissaris was. 'Wat is hier gaande?' riep hij. Toen boog hij zich met de andere politieman over het lichaam. Ze schreeuwden in elkaars oor en de eerste politieman richtte zich op.

'Arresteer de olifant!' zei de dikke politieman.

'Je kunt een olifant niet arresteren,' zei de andere politieman.

'Net als een hond die iemand heeft gebeten,' zei de hoofdagent. 'Je moet hem in bewaring stellen.'

De circuswagens ratelden voorbij, maar niemand schonk er nog aandacht aan. Er marcheerde weer een schetterende fanfare door de straat, gevolgd door een open auto met de burgemeester en nog iemand met een hoge hoed erin. Ze zwaaiden vanuit de lange, zwarte auto, maar bijna niemand lette erop. Ze zullen zich wel hebben afgevraagd waarom iedereen naar de stoep naast de verpletterde auto stond te kijken. Ik zag dat die andere man Wilson was, het congreslid dat straks herkozen kon worden.

Er was geen enthousiasme meer voor de optocht. De mensen stapten achteruit en opzij alsof ze niet goed wisten wat ze moesten doen, terwijl anderen bleven dringen om het lijk op de stoep te zien. Zodra ze zijn verbrijzelde schedel zagen, wendden ze hun ogen af.

Toen de laatste wagen voorbij was gekomen en de schoolfanfare uit Canton erachteraan was geroffeld en getoeterd, drongen twee mannen in het wit zich met een brancard door de menigte. 'Ga weg!' riep de een. 'Opzij!' riep de ander. Ze legden de brancard op de stoep en tilden het lichaam erop. De een raapte de plukken haar en stukjes schedel op en legde ze op de brancard naast het vermorzelde hoofd.

Annie wilde zich omdraaien, maar het ging niet, zo dicht omringd was ze door andere mensen. 'Ik wil naar huis,' zei ze. 'Ik wil het niet meer zien.'

'Ik ook,' zei Fay.
'Wil je niet naar het circus?' vroeg ik.

Zodra het lichaam bedekt was en werd afgevoerd, begon de menigte de optocht te volgen. De massa werd uitgedund zoals sneeuw smelt en wegsijpelt. Annie, Fay en ik bleven op de stoep bij de bloedvlekken en de verfrommelde auto achter. Een grote hoop olifantenkeutels lag op straat als een berg stenen die een plek markeert. Het gerechtsgebouw erachter zag er verlaten uit.

We liepen terug naar de auto, die bij Brookshire stond. Annie was zo wit als een doek. Ik was zelf ook een beetje misselijk, en we wachtten zwijgend tot de verkeersopstopping zich had opgelost en ik naar huis kon rijden.

Fay stormde het huis in om mama te vertellen wat er was gebeurd. Net toen ik door de hordeur binnenkwam, hoorde ik haar eruit flappen: 'Mama, je gelooft niet wat wij in Tompkinsville hebben gezien.'

We liepen naar de woonkamer en Moody vroeg wat we hadden gezien. Ik vertelde hem over de olifant en de man met de auto.

'Was het een roze olifant?' zei Moody.

Toen ik de volgende ochtend de krant haalde, zag ik dat de olifant voorpaginanieuws was. Er stond een foto in van de man die was gedood en een foto van de olifant, die er verwilderd uitzag, met vegen om zijn ogen alsof hij bloed had gehuild. In het artikel stond dat de olifant zesentwintig jaar oud was en nog nooit iemand kwaad had gedaan. 'De eigenaar en africhter van de olifant, de heer Salvanti, zegt dat Jumbo altijd een vriendelijk, zachtaardig dier was,' schreef de verslaggever. 'Niemand kan verklaren waarom het jonge dier tijdens de optocht plotseling bleef staan, zich tegen de blauwe Ford keerde en de heer Raymond Foster uit Mills River doodde, de eigenaar van de automobiel. De olifant was niet ziek en werd voor zover men weet niet geprovoceerd. Wel werd geopperd dat Jumbo zijn spiegelbeeld in een winkelruit zag en mogelijk heeft gedacht dat hij tegenover een andere olifant stond.'

Verder vermeldde het artikel dat sheriff Walton en commissaris Howard het circusdier hadden gearresteerd en dat het in verzekerde bewaring zou blijven tot het gerechtelijk onderzoek was afgerond. 'Volgens de wet van de staat dienen dieren die verwondingen of de dood veroorzaken opgesloten en afgemaakt te worden,' schreef de verslaggever. 'Sheriff Walton zegt dat de zaak binnen zijn jurisdictie valt omdat het circus op het kermisterrein van het district staat. Commissaris Howard beweert dat de zaak binnen zijn jurisdictie valt omdat de dood binnen de stadsgrenzen plaatsvond.

Intussen zit Jumbo opgesloten in zijn kooi op het kermisterrein, onder bewaking van iemand van het bureau van de sheriff en een functionaris van de stadspolitie. Arrondissementsrechter Walker heeft al bepaald dat het dier ter dood gebracht zal worden indien bewezen wordt dat het een moord heeft gepleegd, maar de wijze waarop de terechtstelling uitgevoerd zal worden, is nog niet vastgesteld. Commissaris Howard zegt dat de executie zaterdagmiddag op het kermisterrein zal plaatsvinden.'

'Wie heeft er nou ooit gehoord van een terechtstelling van een olifant?' zei Fay. 'Olifanten zijn toch geen mensen? Een olifant heeft geen besef van goed en kwaad.'

Ik legde haar uit dat agressieve dieren afgemaakt moesten worden. Volgens de krant ging het er niet om het dier te straffen, maar de maatschappij te beschermen.

'Wil je de terechtstelling zien?' zei ik.

'Wil jij het zien?' zei Fay.

Die zaterdagmiddag reden we naar de familie Richards om te vragen of Annie mee wilde naar het kermisterrein om te zien wat er ging gebeuren.

'Ik zou niet weten hoe je een olifant moet afmaken,' zei Hank, de vader van Annie. 'Niemand heeft een geweer dat zwaar genoeg is om een olifant dood te schieten, niet in deze contreien, althans.'

'Als ze de olifant alleen verwonden, zou hij woest kunnen worden en nog meer mensen doden,' zei ik.

Troy, Annies kleine broertje, merkte op dat ze de olifant zouden moeten begraven waar hij stierf, want niets was sterk genoeg om een dode olifant op te tillen.

'Ze maken Jumbo niet dood,' zei Annie. 'Ze zetten hem gewoon op de trein en sturen hem weg.'

'Het circus is al vertrokken,' zei Hank. 'Ik heb gisteren in de winkel gehoord dat ze gisteren alles op de trein hebben gezet en naar Greensboro zijn gegaan.'

We stapten allemaal in de auto, Annie voorin naast mij en Fay en Troy achterin. Ik wilde over de weg naar Spartanburg naar het kermisterrein rijden, maar we waren de manufacturenfabriek van East Flat Rock nog maar net gepasseerd toen ik zag dat de weg vol auto's stond. Ze stonden aan weerszijden van de weg geparkeerd, op erven, opritten en akkers. Zo te zien was het hele district uitgereden om de olifant te zien. Ik sloeg een zijweggetje bij de manufacturenfabriek in en parkeerde de auto.

'Het is nog zeker anderhalve kilometer lopen,' zei Fay.

'Hoop dan maar dat het droog blijft,' zei ik.

Het wemelde van de mensen op het kermisterrein. Het circus was weg, en op sommige plekken was de grond drassig en her en der lag stro, mest en zaagsel. Er waren een paar lege boxen die in het najaar voor de veetentoonstelling werden gebruikt, en er was een grote kooi waarin ze de olifant hadden opgesloten. Naast de kooi lagen balen stro.

Ik baande me een weg door de menigte. Annie en de andere twee volgden me. Het duurde een tijdje voor ik zelfs maar dicht genoeg in de buurt kwam om de olifant te zien. Hij stond hijgend in zijn kooi van zijn ene voorpoot op de andere te wiebelen. Zo te zien maakten al die mensen rondom de kooi hem bang. Er stonden veel hulpsheriffs en politiemensen met buksen en geweren bij de kooi. Ze maakten een besluiteloze indruk. 'Maken jullie dat gestoorde beest niet af?' riep iemand.

Er waren verslaggevers met opschrijfboekjes en fototoestellen met flitsapparaten erop. Jongens gooiden pinda's en appels naar de olifant.

Jumbo's ogen zagen er nog vochtiger uit dan tevoren, alsof hij de hele nacht had gehuild. Er koekte bruine smurrie aan de huid onder zijn ogen. Ik vroeg me af of hij nu huilde omdat zijn africhter weg was en hij geen bekenden meer om zich heen had.

'Als ze op dat beest schieten, raakt het door het dolle heen,' zei Troy.

Toen we dichterbij kwamen, zag ik dat de olifant was vastgelegd aan een dik touw dat van een hoekstijl van de kooi naar een kluister om zijn ene poot liep. Sheriff Walton met zijn breedgerande hoed liep naar de kooi toe, op de voet gevolgd door de commissaris. Ik vroeg me af of ze samen op de olifant gingen schieten om te bewijzen dat ze allebei de leiding hadden.

Toen hoorden we de stoomfluit en het *tjoek-tjoek* van een locomotief. Het geroezemoes verstomde en iedereen keek naar de spoorbaan langs het kermisterrein. Er was een zijspoor waar de wagens, dieren en tenten van het circus werden uitgeladen, en dat was niet ver van de kooi van de olifant. De locomotief kwam dichterbij en de fluit klonk harder. 'Misschien laden ze Jumbo in en brengen ze hem weg,' zei Annie.

De menigte drong op naar de rails en iedereen werd meegestuwd. Uiteindelijk zag ik de rook van de locomotief en toen het licht van de locomotief zelf. Hij naderde over de helling vanuit Spartanburg. Eerst leek het een gewone trein, maar toen zag ik het ding erachter.

De loc trok een grote wagen met een cabine en een lange kraan erachter. Aan het eind van de kraan hing een katrol met een stuk kabel.

'Dat is een spoorwegkraan,' zei ik. 'Die gebruiken ze om ontspoorde locomotieven van de rails te halen. Ik wil wedden dat ze hem helemaal uit Greenville of Atlanta hebben laten komen.'

Er ging een zucht door de menigte toen de locomotief met de kraan erachter zichtbaar werd, vaart minderde en naast de kooi stopte. De mensen stapten van de rails. Er sloeg stoom van de wielen van de locomotief en de machinist leunde uit zijn raam.

De kraan was langer dan de locomotief, en iemand van de trein klom in de cabine en startte de motor. Er begon zwarte rook en stoom uit de schoorstenen van de kraan te dampen. De mensen deinsden achteruit en de kraan keerde grommend en krakend op zijn lange onderstel. De achterkant schoof over het gras. Het was het grootste, zwaarste stuk machinerie dat ik ooit had gezien. De kraan zwenkte op zijn draaiplateau tot de arm bijna boven de kop van de olifant hing.

Ik begon zo'n vermoeden te krijgen wat er te gebeuren stond.

Aan het uiteinde van de kraan hing een zware kogel aan een haak. De kabel liep over de katrol aan het eind van de arm. Een van de mannen van de sheriff klom met een stuk touw in zijn hand over de lange arm van de kraan. Hij kroop door tot hij bij het wiel vlak boven de olifant was en pakte het touw van de grond, en toen zagen we dat er een zware ketting aan het eind bevestigd was. De olifant schetterde toen de ketting langs zijn oor ratelde.

De hulpsheriff haakte het uiteinde van de ketting over de haak aan de kabel en haalde de rest over Jumbo's kop, achter zijn oren langs. Iemand gooide het andere eind van het touw omhoog en de hulpsheriff haalde het andere uiteinde van de ketting op en trok hem zo strak als hij kon om de nek van de olifant.

Het was me al vaker opgevallen dat het niet altijd meteen tot je doordringt als je iets verschrikkelijk ziet. En vervolgens raakt het je als een vuist die onder stroom staat en pijn doet in al je botten tot aan je voetzolen. Ik merkte dat mijn adem werd afgeknepen en de zenuwen in mijn tanden en kiezen pijn begonnen te doen toen ik zag hoe ze de ketting strak om de nek van de olifant aanhaalden. De olifant krijste en probeerde zich te bevrijden, maar hij werd tegengehouden. Het was vreemd dat zo'n reusachtig dier zo'n hoge stem had. Ik vond het idioot van mezelf dat ik stond te kijken hoe een olifant werd gestraft.

De hulpsheriff kroop terug over de lange arm van de kraan, sprong op de cabine en klom langs een ladder naar de grond. Rook en stoom sloegen van de motor van de kraan en de arm begon te rijzen, getrokken door de kabels aan de lier voor op de cabine, die de man binnenin met hefbomen bediende.

Het was vreemd om de olifant als moordenaar te beschouwen, maar niet zo vreemd als wat er nu gebeurde. De menigte verstomde en de grote kraan brulde alsof hij zich moest inspannen om de lange arm omhoog te hijsen. De kabel spande zich en de ketting om de nek van de olifant werd strak getrokken. De olifant werd opzij gesleurd en helde over, en hij sperde zijn oog nog verder open. Hij krijste als een mager speenvarken en zijn grijze vel plooide om de ketting en rimpelde onder de druk.

Een hulpsheriff met een bijl drong zich naar voren en begon het touw waarmee de olifant was vastgelegd door te hakken. Het dier probeerde zich los te rukken, struikelde, zakte opzij en trapte een deel van de tralies weg. De mensen deinsden gillend achteruit.

'Uit de buurt!' riep een hulpsheriff.

'Wie heeft hier de leiding?' vroeg Annie.

'Ik denk de sheriff,' zei ik, maar haar vraag zette me aan het denken: wie was hier nu eigenlijk de baas? De burgemeester, of misschien het districtsbestuur? De sheriff? Of was het de rechter die het vonnis had uitgesproken? Was het de wet zelf? Had er wel iemand de leiding?

'Kun je ze niet tegenhouden?' vroeg Annie. Ze had tranen in haar ogen en stompte met haar vuisten tegen mijn borst. 'Je moet ze tegenhouden!' snikte ze.

Ik stond te trillen op mijn benen. Ik voelde me een lafaard. Ik wist dat iemand het heft in handen moest nemen en die mensen een halt toeroepen.

'Doe dan iets!' gilde Annie, en ze stompte nog harder tegen mijn borst. Haar ogen waren betraand en ze zag lijkbleek.

'Nee!' riep ik.

De voorpoten van de olifant werden stukje bij beetje van de grond getild. Hij trapte ermee naar de grond en de tralies. Hij schopte in de lucht alsof hij wilde zwemmen. Zijn achterlijf zwaaide opzij en sloeg nog een stuk van de tralies weg. De olifant probeerde voor de ketting te vluchten. Hij probeerde zich los te rukken en schopte om zich heen alsof hij danste.

Toen Jumbo zijn achterlijf naar ons toe draaide, zag ik alle littekens op zijn vel. Zijn huid was gerimpeld en stoffig. Van dichtbij zag je ook wat haar, net dikke snorharen. Zijn huid zag eruit alsof hij vaak sneden en klappen had opgelopen, misschien van kettingen als hij dingen moest trekken en misschien van scherpe planken en spijkers. Zijn romp was een berg vol rimpels en littekens. Zijn vel zag eruit alsof het te groot voor hem was en verdraaid om zijn gebeente was komen te zitten. Zijn poten dansten als heipalen.

'Urr!' bulderde de olifant. Hij probeerde zich los te wringen, maar zijn kop werd opzij getrokken. Hij hijgde en snoof. Zijn gehijg klonk als het vuur in een oven, of een schoorsteenbrand. Een grote gele stroom liep uit het worstelende dier. De mensen gilden en sprongen achteruit.

'Uit de weg!' riep een hulpsheriff zwaaiend met zijn geweer.

Annie vroeg me weer of ik niets kon doen, maar ik schudde mijn hoofd. Het kon niet.

De kop van de olifant werd steeds hoger opgetild en ik hoorde iets knarsen, alsof er botten in zijn nek braken of het vlees in zijn nek scheurde. Het kan ook dat het vel onder de ketting werd opengereten, want ik zag witte en roze plekken met bloed in zijn nek. De laatste keer dat de olifant schreeuwde, werd zijn kreet afgebroken alsof de lucht uit een fluit liep. Zijn keel bolde op en verslapte. Zijn borst zwoegde en borrelde.

De kraan werd hoger en hoger opgehesen. Het leek onmogelijk dat iets zo'n groot dier kon optillen. De arm klom omhoog en het leek of de olifant langer werd, alsof hij van rubber was, of iets zwaars in een natte zak. De achterpoten schopten en wroetten in de grond en de lier draaide door.

'Het lukt niet,' riep iemand. 'De olifant is te zwaar.'

Annie drukte een zakdoek tegen haar mond. Ik had zelf het gevoel dat de bodem uit mijn maag was gevallen.

De motor van de kraan bulderde harder en harder en de stoom spoot uit de motor.

'Achteruit!' riep een hulpsheriff, en hij zwaaide met zijn geweer om de mensen achteruit te dwingen. Zodra Jumbo's achterpoten van de grond werden gehesen, werd duidelijk waarvoor de hulpsheriff waarschuwde. De olifant zwaaide als een slinger onze kant op en iedereen strompelde achteruit om de over de grond zwiepende poten en mest te ontwijken. De zwaaiende poten schopten het laatste stuk van het traliehek omver.

En toen hoorde ik een verschrikkelijk geluid. De motor zweeg even en ik hoorde een gekerm of gepiep in de keel van de olifant. De ketting werd aangetrokken en misschien knakte de grote kop opzij. Maar het geluid was niet luider dan dat van een piepend jong hondje of een harig beestje in een klem.

De motor van de kraan brulde weer en de olifant werd hoger en hoger gesjord. Zijn poten bleven schoppen alsof hij wilde zwemmen of watertrappelen en het machtige lijf zwaaide boven de kooi en onze hoofden. Ik zag zijn oog knipperen terwijl hij heen en weer en in de rondte zwaaide.

'Kijk, zijn slurf,' zei Annie. De slurf van de olifant zwiepte als een aan de haak geslagen slang.

De hulpsheriffs en politiemannen gingen aan een kant staan en gebaarden dat we verder achteruit moesten. De sheriff pakte een geweer en richtte op de kop van de olifant.

De sheriff vuurde en toen vuurde hij nog eens. En alle andere mannen in uniform begonnen op de kop van de olifant te schieten. Annie en Fay drukten hun handen tegen hun oren. Het was oorverdovend. Ze moeten wel twintig keer hebben geschoten en toen nog eens twintig. De kruitdamp zweefde boven de menigte. Toen ze eindelijk ophielden, droop er bloed uit de slurf van de olifant en het liep uit zijn mond en over zijn schoft. Het grote oog was nog steeds open.

'Hij is nog niet dood!' schreeuwde iemand.

Ik zag een achterpoot bewegen, maar dat kan ook door de wind of een ruk van de kraan gekomen zijn. De politiemannen vuurden nog een aantal schoten op de olifant af. Het leek wel een uur te duren voordat hij stil hing. Toen hij eenmaal dood was, leek hij minder groot dan daarvoor. Hij hing daar als een lelijk ding dat in linnen of een lijkwade was gewikkeld.

Ik was bijna niet in staat met de T-Ford naar huis te rijden. Tussen East Flat Rock en de remise raakte ik twee keer bijna van de weg, en Annie schreeuwde het uit. Fay zat te huilen en Troy zei alleen maar: 'Goh, wat deed die olifant er lang over om dood te gaan.'

Ik zette Annie en Troy bij hun huis af en reed terug naar het onze, maar ik wist amper wat ik deed. Ik bleef het gekerm van de olifant horen, en het piepen in zijn keel toen de ketting strak kwam te staan.

Ik had het grote lijf aan de ketting zien hangen als een ontwortelde berg, als een brok losgescheurde aarde. De schoten van de hulpsheriffs bleven in mijn hoofd weerklinken.

Ik ging niet mee met Fay naar binnen om mama te vertellen wat er was gebeurd, maar liep naar de rivier. Ik liep blindelings door maïsstengels en onkruidstoppels. Ik liep door klitten en spartelgras. Ik had het gevoel dat ik pas weer vrijuit zou kunnen ademen als ik geen mensen meer om me heen had. En ik bleef het oog van de olifant maar voor me zien, vochtig en gezwollen, een bol vol angst.

Waar ga je heen? zei ik tegen mezelf. Ik schopte een maïsstengel weg. Ik liep langs de hazelaars aan de oever van de rivier, onder de essen. De bladeren waren nat en mijn goede schoenen raakten doorweekt. De rivier murmelde plagerig naar me.

Ik vond het stom van mezelf dat ik naar het kermisterrein was gegaan om de olifant te zien sterven en ik vond het nog stommer dat ik Annie had meegenomen. In plaats van een goede indruk op haar te maken en haar een leuke middag te bezorgen, had ik haar iets gruwelijks laten zien, iets waar ik me zelf voor schaamde dat ik het had gezien. Ik schaamde me ervoor dat ik daar was geweest. Ik was er misselijk van, in mijn ingewanden en in mijn botten. Ik vond het vreselijk dat ik Annie had meegenomen en dat ze het allemaal had moeten zien.

Maar mijn schaamte was niet het enige dat me dwars zat. Iets aan de dood van Jumbo was door me heen geschroeid, had me verbrand en het merg in mijn botten verzengd. Mijn angst was sterker dan mijn schaamte. Ik schopte naar de bladeren onder de essen en legde mijn hand op een rivierberk. De bast krulde als een vervellende huid.

Die olifant was maar een dier, zei ik. Je hebt muskusratten en nertsen doodgemaakt, boskatten, vossen en herten. Je hebt varkens geslacht en een keer een zieke hond afgemaakt.

Toen ik uit de bomen naar de rand van het veld liep, zag ik iets glinsteren tussen de dennen aan de andere kant van de wei. Ik kon niet bedenken wat daar zo blonk tussen de bomen. Ik probeerde me te herinneren of we daar flessen of weckpotten hadden weggegooid. Was er een stuk aluminiumfolie over de wei gewaaid en in de struiken blijven haken?

Mijn dagdromen en ambities waren zo log en onhandig als die olifant en ik zat net zo vast als hij. Ik had geprobeerd de ene kant op te gaan en de andere, maar niet één van mijn pogingen was geslaagd. Ik was tijdens Hicks' begrafenis in de modder uitgegleden en had zijn lijk in de regen laten vallen. Het was de paniek in de ogen van de olifant die ik herkende. Zijn machteloze doodsangst greep me aan en bezorgde me de rillingen.

Wat waren die flitsen als signalen aan de rand van de dennen? Ik wilde blijven lopen, maar als de zon verschoof, zou wat het ook was niet meer schitteren en zou ik het niet kunnen vinden. Ik stak het maïsveld over en liep naar de wei. Ik klom over het hek van de wei en keek in de richting van het flitsende licht. Wat het ook was, het moest onder of tussen de struiken liggen en de late zonnestralen vangen die door een opening in het struikgewas vielen.

Je bent net zo lomp als die olifant, zei ik tegen mezelf. En net als die olifant loop je blindelings rond te stommelen en mensen te kwetsen. Je bent schuldig en je zit gevangen, en geen mens kan je helpen.

Naarmate ik dichterbij kwam, leek het licht onder de dennen te pulseren en verschuiven. En toen zag ik dat een bewegende tak het licht liet twinkelen. Eerst dacht ik dat het een hoop oude potten en troep was waar de aarde door de regen af was gespoeld. Ik zakte op mijn knieën, kroop tussen de struiken en duwde wat bramen en kamperfoelieranken opzij.

Het was glas dat daar fonkelde, potten en flessen die door de regen gewassen waren en de late zon vingen, maar er zat ook iets in dat ze liet fonkelen, alsof ze vol water zaten. En toen drong het tot me door: hier had Moody zijn gesmokkelde drank verstopt. Hier bewaarde hij zijn voorraad, dicht bij huis, zodat hij altijd iets bij de hand had om te verkopen en zelf op te drinken.

De potten lagen op een lage plek en ze waren bedekt geweest met dennennaalden, maar de regen had de naalden weggespoeld en Moody was nog niet teruggegaan om ze weer te bedekken. Er moesten wel dertig of veertig weckpotten maïswhisky liggen, zo helder als bronwater. Ik draaide een pot open en rook eraan. Het was een subtiele, verbazende geur, minder fruitig dan ik had verwacht. Het was een geur die waardigheid bezat. Ik snoof de dampen op alsof ze me iets konden vertellen.

Ik veegde de laatste dennennaalden weg om meer te kunnen zien en toen viel mijn oog op iets wat een vierkant gevouwen lap stof leek, gedeeltelijk bedekt door zand en bladeren. Het was zeildoek dat strak als een envelop was dichtgevouwen. Ik vouwde het langzaam open en zag geld, briefjes van vijf, tien en twintig en gouden munten. Dus hier had Moody zijn smokkelgeld al die tijd bewaard. Hij zei altijd dat hij platzak was om niets uit te hoeven geven en mama niet voor zijn kost en inwoning te hoeven betalen, maar hij had zijn geld hier bewaard, in zeildoek gewikkeld. Ik telde het geld. Het was iets meer dan zeventig dollar. Moody's gesmokkel leverde hem niet veel op, maar hij was in elk geval niet zo blut als hij beweerde.

Ik was zo moe en slap dat ik me op de dennennaalden liet zakken en ik had zo'n dorst dat ik naar een slok koud water snakte, maar er was geen water tussen de struiken, alleen die voorraad weckpotten. Mijn angst en het schuldgevoel omdat ik naar de dood van de olifant had gekeken, hadden me uitgedroogd. Ik hield een pot in de late zonnestralen en draaide het deksel eraf. De geur vulde en bezielde de koele lucht. Laat ik een slokje proberen, dacht ik. Ik ben zo moe en bang dat ik op instorten sta. Een slokje zou me kunnen kalmeren. Ik nam een slokje en brandde mijn tong. Ik slikte het snel door en voelde het gloeien en opvlammen in mijn keel en buik. Maar het voelde ook goed, warm en verkwikkend.

Ik nam nog een slok en de kleuren van de struiken en de late zon leken zachter te worden. Hoewel ik in de dennennaalden zat, voelde ik me verheven. Ik kon helderder denken.

Toen de drank door de aderen in mijn armen vloeide, voelde ik me lichter. En ik voelde me beschut en naakt tegelijk. Dus daarom drinkt Moody zo graag, dacht ik.

Ik keek uit over de wei, voorbij het huis, naar de kerk en Meetinghouse Mountain. Het torentje was net zichtbaar tussen de toppen van de dennen. De berg rees daarachter op, hoog tegen de diepblauwe lucht.

Ik zag een kerk op een bergtop, een kerk die je vanuit de hele vallei kon zien met een toren die zo hoog was dat hij het eerste en laatste licht van de dag ving. Ik nam nog een slokje uit de pot. De drank fluisterde en zoemde in mijn oren. De zon was uit de struiken verdwenen en het werd frisser, maar het kon me niet schelen. Ik zat warm in de kachel van mijn huid. De late zon kleurde de top van Meetinghouse Mountain met roze en lavendelkleurig licht, alsof hij bloedde, alsof de top een uitverkoren plek was.

Ik ben bang, en ik ben bang om gestraft te worden voor mijn onhandigheid en mijn dagdromen. Ik ben lomp en weerloos. Ik moet iets goed doen. Ik blijf me niet in de modder wentelen. Ik laat me niet insluiten en ophangen. Ik zou kunnen sterven voor ik iets bereik. In de grote kromme van de eeuwen ben ik al dood.

De late zon beroerde het uiterste puntje van Meetinghouse Mountain met geelgoud, roze en roodgoud. Het waren de kleuren van een gebrandschilderd raam. Ik had foto's van kathedralen op heuveltoppen gezien. De grote kerken van de Oude Wereld stonden op heuvels, waardoor ze in de wijde omtrek zichtbaar waren. Ik had in het boek van Adams over de kathedraal van Chartres gelezen, die op een heuvel was gebouwd, op de ruïne van een heidense tempel. De hoge grond, de bergtop, was de plaats voor een altaar en een gebedstempel. Een kerk was zo schaduwrijk als een bos. Een bos op de heuveltop was de heiligste plek.

Ik dronk en zag de eerste ster boven de berg uit piepen. De ster fonkelde als een idee aan de blauw met lavendelkleurige lucht. Ik zie het vanuit een heel nieuw perspectief, dacht ik. Ik heb een nieuw uitgangspunt voor mijn gedachten.

Mijn opa had de eerste kerk van Green River gebouwd met de materialen die hij had. Ik zou een nieuwe kerk bouwen met wat mij ter beschikking stond.

God, wijs me hoe ik iets kan doen dat zin heeft en blijvend is, bad ik. Wijs me wat ik kan doen om mijn gevoelens van angst en verlorenheid te verzachten. Wijs me hoe ik kan werken om een doel te bereiken, niet alleen om te blunderen en falen. Laat me geen volslagen dwaas zijn. Sta niet toe dat mijn geest wordt gesmoord.

Ik keek naar de lucht boven de bergen en het was of de kromme van de wereld zich zo ver uitstrekte als het oog reikte, en de kromme van de tijd nog verder, zo ver als de kromme van het denken. Het bloed fluisterde in mijn oor: dit is waarvoor je op aarde bent, om in het bos te bidden en een kerk in het bos te bouwen. De tevoorschijn komende sterren fluisterden aan de hemelkoepel alsof de hele hemel een fluisterende zaal was.

Ik wilde opstaan, maar smakte met mijn neus in de dennennaalden. Ik zocht houvast, maar de struiken draaiden sneller dan ik. De voorsteven van een groot schip kapseisde in mijn hoofd.

Een stem fluisterde diep in mijn oren: je zult een kerk bouwen. Op die berg daar zul je een kerk bouwen. Je zult een altaar in de woestenij zetten. Je zult hoog in de woestenij een oord van gebed en verering oprichten.

Ik tuurde in de struiken achter me, maar zag alleen duisternis. Ik keek naar de bergtop onder de nieuwe sterren. En toen besefte ik dat de Heer me zijn boodschap had ingefluisterd, en dat Hij me zijn opdracht had ingefluisterd. Ik moest een nieuwe kerk op de top van de berg bouwen. De oude was klein en tochtig. Wat de gemeente nodig had, was een nieuwe kerk, en dat zou mijn levenswerk worden.

Ik zou met mijn eigen handen een kerk op de bergtop bouwen, op mijn eigen grond. Daartoe was ik op aarde gekomen. Als ik niet met woorden kon preken, zou ik met mijn handen preken. Mijn preken zouden in hout en steen geschreven staan. Want ik begreep dat de nieuwe kerk gebouwd moest worden van steen, dat de eeuwen kon doorstaan, net als de kerken in Europa. Ik zou een toren bouwen die iedereen die hem naar de hemel zag wijzen zou bezielen, bij elk weer en in elk seizoen.

Een kerk bouwen was een soort heilig geschrift en een soort preek. Een kerk zou de mensen inspireren, zelfs als ze er niet eens bij stilstonden. Een kerk was voor de mensen het teken van het verbond van genade.

Ik knielde, zocht steun bij een den en dankte de Heer dat Hij me mijn doel en mijn toekomst had gewezen. Ik voelde een rust en kracht die ik lang niet meer had ervaren. De lucht boven de struiken helde en draaide een beetje en de bomen deinden en wiegden een beetje, maar mijn hoofd was vast en helder. Ik begreep wat ik moest doen en zou gaan doen.

18

Muir

Toen ik mama de volgende ochtend over mijn voornemen vertelde, zei ze dat ze het een schitterend idee vond, maar ze zei ook dat ik geen kerk kon bouwen zonder het eerst aan de dominee en de raad van ouderlingen te vragen. Ik zei dat ik het vanzelfsprekend eerst aan de dominee zou vragen.

'In de doopsgezinde kerk heeft de gemeente het voor het zeggen,' zei mama. 'De dominee hoort niet meer macht te hebben dan de andere gemeenteleden.'

Fay zei dat ze altijd had gedacht dat de dominee de baas hoorde te zijn. Dominee Liner gedroeg zich alsof hij de baas was. Het enige waar ik aan dacht, was dat een nieuwe kerk de geest van de gemeente zou veranderen, en mama was het met me eens. Maar ze zei dat de hele gemeente zou moeten stemmen nadat ik mijn plannen had geopenbaard.

Daar had ik nog niet aan gedacht. Ik zag ertegenop uitgerekend die mensen die hadden gezien hoe ik mezelf belachelijk maakte toen ik wilde preken, te vragen vóór de nieuwe kerk te stemmen die ik wilde bouwen. Ik betwijfelde of ze vertrouwen in me zouden hebben.

'Zíj bouwen die kerk niet,' zei ik. 'Ik ga die kerk zelf bouwen.'

Maar ik vond het fijn dat mama enthousiasme toonde voor mijn plannen. Ze zei dat een nieuwe kerk een nieuw begin kon zijn voor de vallei van Green River. Volgens haar zou een nieuwe kerk de mensen kunnen verenigen en hen ertoe aanzetten samen te werken. Ze waarschuwde me wel dat ik veel hulp nodig zou hebben. En dat de gemeente me moest steunen.

'Als opa nu eens op een stemming had gewacht voordat hij de eerste kerk bouwde?' zei ik.

Maar mama redeneerde dat het toen een andere tijd was en dat er nog geen gemeente was geweest. En ze zei, zoals altijd, dat ik me niet moest laten meeslepen door mijn plannen. Ik kon niet ontkennen dat ik me meer dan eens had vergaloppeerd, maar dit plan was anders. Het was iets dat ik thuis zou doen. De grond op de berg was van ons, de stenen langs de rivier waren van ons en de bomen op de berghelling ook. Ik zei tegen haar dat mijn eigen zweet de stenen op de bergtop zou stapelen.

'Zoveel stenen kun je in geen veertig jaar de berg op dragen,' zei Fay.

'Als het veertig jaar moet kosten, werk ik veertig jaar door,' zei ik. Ik wist dat de bouw van sommige kerken in Europa honderden jaren in beslag had genomen.

'Jongen, ik hoop dat het je lukt,' zei mama.

'Je doet het alleen om indruk op Annie te maken,' zei Fay.

Op dat moment kwam Moody de keuken in. Hij moest op de veranda hebben zitten luisteren. 'Zo te horen wil Muir een toren van Babel bouwen,' zei hij. Moody kende de bijbel beter dan hij liet merken. Ik had hem niet verteld dat ik zijn geheime voorraad drank en geld tussen de struiken had gevonden.

'Ik bouw liever iets op dan het werk van anderen te verwoesten,' zei ik.

Moody stak zijn sigaar aan, leunde tegen de schoorsteenmantel en grinnikte naar me. Ik zei dat hij me zou moeten helpen de stenen van de rivier naar de bergtop te dragen en de bomen om te hakken.

'Verwacht niet dat ik die dwaasheid ga steunen,' zei Moody, maar hij klonk minder sarcastisch dan ik had verwacht. Ik denk dat het idee van een kerk op de bergtop zijn belangstelling ook had gewekt.

'Muir wil met een zware grondboor drillen,' zei Moody tegen mama.

De toren van de kerk die ik ging bouwen werd zo hoog dat hij het eerste zou zijn dat de mensen zagen als ze 's ochtends buitenkwamen.

De oude kerk stond aan de voet van Meetinghouse Mountain. De nieuwe zou op de top staan, hoger dan de perzikgaard van Riley's Knob. Ik stak de wei over en liep door het veld van de Richards' op de berghelling. Hun grond grensde aan de onze, en onze grond liep door tot de bergkam. Ik beklom de berg achter de kerk tot aan het steile stuk waar oom Joe, oom Locke en opa eind negentiende eeuw een aardverschuiving hadden veroorzaakt toen ze naar zirkonen groeven. Hun putten stonden vol regenwater met bladeren erin en er rolden nog steeds stenen en modder van de grote aardhopen langs de helling naar beneden. Boven de putten was een soort plateau met laurierstruiken, maar de top zelf was begroeid met eiken en populieren.

Ik klom naar de top en keek door de bomen. Van daar kon je helemaal over het rivierdal naar het land van de Banes en de Morrisen kijken, tot aan Chimney Top en het uiteind van de Cicero. Naar rechts kon je helemaal tot Pinnacle en Mount Olivet kijken. In het oosten zag je Tryon Mountain, de berg die opa de 'oude haverzak' had genoemd, en in het zuiden ving je nog een glimp op van Corbin Mountain op de grens van South Carolina.

De aarde werd vanuit het rivierdal, de kreekvalleien en de baaien opgestuwd naar de hoogte waarop ik nu stond. De grond waarop ik stond, was als een altaar dat aan de lucht grensde. Dit is de plek waar de kerk moet komen, dacht ik. Ik heb hier op kalkoenen gejaagd en ik heb hier ginseng gezocht, maar dit is de plek waar de kerk moet komen. Dit is de plek om Hem te eren. Het was ver van de stenen uit de rivier die de muren zouden vormen en het was ver van de bron, maar je kunt stenen en water een heuvel op dragen. En terwijl de mensen de helling beklommen, klommen ze uit hun dagelijkse leven naar een zuiverder lucht.

Ik zette door en besprak mijn plannen met de dominee. Ik sprak hem na de gebedsbijeenkomst van woensdagavond aan. Na afloop van de dienst nam ik hem apart en zei dat ik een project met hem wilde bespreken. We stonden in het donker op de treden van de kerk en de wind bulderde op de helling boven ons. Ik was zo zenuwachtig dat ik het zweet uit mijn oksels voelde druipen.

'Wat is er met je, Muir?' zei de dominee. 'Ik heb al een tijd het gevoel dat je ergens mee worstelt.' Hij boog zich naar me over alsof hij me weg wilde duwen.

'Waar ik mee worstelde, was dat ik niet wist wat ik wilde,' zei ik.

'Als je om hulp bidt, zal de Heer je helpen,' zei de dominee.

'De Heer heeft me al gewezen wat Hij van me wil,' zei ik.

'Niet iedereen is geroepen om te preken,' zei dominee Liner. Dominee Liner was zo groot dat je altijd het gevoel kreeg dat hij de lucht rondom hem samenperste. Ik was altijd bang dat ik zou stikken als ik te dicht bij hem kwam.

'Ik wil niet meer preken,' zei ik. 'Ik wil een nieuwe kerk bouwen.' De dominee gaf geen antwoord. De wind bulderde zo op de helling dat het in mijn oren en mijn bloed weergalmde. De wind zong en dreunde in mijn hoofd.

'Waarom wil je zoiets?' vroeg de dominee. Hij bewoog onmerkbaar in het donker, als een bokser of een worstelaar.

'Ik heb het gevoel dat het me is opgedragen,' zei ik. 'Ik heb het gevoel dat het mijn taak is.'

'De duivel kan het je ook hebben ingegeven,' zei dominee Liner. Ik had verwacht dat hij blij zou zijn, maar dat was hij niet. Zijn stem had iets stijfs. Dominee Liner was een forse man die een rood hoofd kreeg als hij preekte. Zijn ogen hadden de kleur van tabakssap. Hij stond te dicht bij je als hij met je praatte, alsof hij je achteruit wilde drijven.

'Een nieuwe kerk bouwen kan geen duivelswerk zijn,' zei ik met een stem die zwakker klonk dan ik had gehoopt.

'Een wig drijven tussen de gemeenteleden is wel duivelswerk,' zei de dominee. 'De duivel versplintert de ene kerk na de andere.'

'Ik wil helemaal geen kerk versplinteren,' zei ik. 'Ik wil een nieuwe kerk voor ons allemaal bouwen, boven op de berg.'

'O,' zei de dominee. De wind werd kalmer op de bergkam, maar luider in de bomen in de wei onder de kerk. De wind was als een koor dat me afkeurend toeschreeuwde. Het zweet druppelde van mijn voorhoofd en maakte mijn slapen vochtig.

'Ik wil een stenen kerk bouwen op de top van de berg daar,' zei ik, 'een grotere kerk. Ik wil de kerk in de hoogte bouwen, waar iedereen hem kan zien, en ik wil een toren die in de lucht oprijst. Er komt een klok in die de verste uithoeken van de vallei bereikt om iedereen tot de eredienst op te wekken.'

'Hoe weet je dat de Heer je ertoe leidt dit te doen?' zei dominee Liner. Hij klonk niet blij; hij klonk korzelig.

'Ik voel het,' zei ik. 'Ik voelde me verschrikkelijk na de dood van de olifant, en toen heb ik gebeden en gaf de Heer me in dat ik een nieuwe kerk moest bouwen omdat we een nieuwe plaats voor de eredienst nodig hebben.'

'We hebben geen geld om een nieuwe kerk te bouwen,' zei de dominee.

'Ik bouw hem zelf,' zei ik. 'Mijn opa heeft de eerste kerk hier in de omgeving gebouwd en ik ga deze bouwen.'

'Je kunt niet helemaal alleen een kerk bouwen,' zei de dominee.

'Ik bouw hem met stenen uit de rivier en planken van de bomen op de heuvel,' zei ik. 'Ik bouw hem steen voor steen en spijker voor spijker.'

'Hoed u voor de zonde van de hoogmoed,' zei dominee Liner. Hij praatte heel anders dan ik had gedacht. Ik deed hem het aanbod eigenhandig een nieuwe kerk te bouwen, met mijn eigen materiaal, op mijn eigen grond, voor zijn gemeente. Hij kon toch minstens een beetje waardering tonen. Mijn plan stond hem niet aan omdat hij het niet zelf had bedacht.

'Ik wil iets maken waar ik trots op kan zijn,' zei ik. 'Misschien is het mijn roeping om in werk en steen te preken. De kerk wordt mijn geschenk aan de gemeente.'

'Een kerk bestaat niet alleen uit steen en cement,' zei de dominee. 'De kerk leeft in de harten van de mensen. De kerk is de belichaming van de wil van de mensen om in verbondenheid bijeen te komen.'

Ik zag wel in dat het geen zin had om met de dominee in discussie te gaan. Mijn idee stond hem nu nog niet aan omdat het nieuw voor hem was. En hij geloofde niet dat ik zo'n kerk kon bouwen. Waarom zou hij ook? Ik had mezelf toch nog nooit bewezen? Alles wat ik tot nu toe had geprobeerd, was mislukt, en anders had ik het bijltje erbij neergegooid. Het was nu aan mij te bewijzen dat ik iets kon presteren. Ik had van niemand toestemming nodig om mijn werk te doen. Ik moest alleen het geduld, de wijsheid en de tijd hebben om het werk af te maken.

'Er is niet eens water op de bergtop,' zei de dominee.

Ik legde hem uit dat we emmers bronwater naar boven konden brengen en dat er geen doopplechtigheden op de berg hoefden te worden gehouden, maar de dominee bleef lang zwijgen. Ik vond het griezelig dat hij daar zo in het donker stond zonder iets te zeggen. De wind bulderde op de berg en ik rilde van het koude zweet onder mijn hemd.

'Ik sta niet toe dat je deze gemeenschap verdeelt met een krankzinnig plan om een kerk te bouwen,' zei de dominee. 'Ik heb me mijn hele leven verzet tegen de pinkstergemeenten die mijn kerk wilden verbrokkelen, en ik laat het niet nog eens gebeuren.'

Maar mijn besluit stond al vast.

Wanneer je naar bomen kijkt die omgehakt moeten worden, komt er een soort razernij over je. De eiken en populieren bezetten de open plek die jij wilt maken. Je moet door keiharde stammen hakken. En je moet de stompen uit de grond graven of afbranden, wat dan ook, als je ze maar uit de weg ruimt. Wanneer een man met een bijl naar de bomen overal om zich heen en boven zich kijkt, hoort hij het bulderen van de zee in zijn oren en voelt hij de spanning van vlak voor een vechtpartij in zijn ingewanden. Zo moeten onze grootvaders zich een eeuw geleden hebben gevoeld toen ze tegenover de ruige wildernis kwamen te staan.

De schaduwen van het struikgewas maken je woest. De muffe schimmel van de bladervloer maakt je ziedend. Je wilt met je twee handen en een bijl het zonlicht binnenlaten. Je wilt het bos tussen je tanden vermalen en het als muls uitspuwen. Jonge boompjes wuiven en trillen als je je tegen ze keert. Droge bladeren en twijgen breken als je ze vertrapt. De rotte aarde eronder komt aan het licht. Ranken en spinnenwebben moeten weggescheurd worden en wortels zo taai als zenen moeten uit de grond worden gerukt. De grond is een kantwerk van geheime wortels die als steken losgetornd moeten worden.

Toen ik naar de bomen op de berg keek, zag ik tienduizend bijlslagen die zelfs een begin van de kerk in de weg stonden. Ik zag vijftigduizend zaaghalen en duizend keer spitten met de rooihak. Bosjes, houtvuren en egalisering stonden mijn idee in de weg.

Pas zaterdagavond, toen ik thuis was na mijn werk in de winkel, begon ik mijn plannen uit te werken. Zolang ik voor UG werkte, kon ik stukje bij beetje gereedschappen en voorraden kopen, maar straks zou ik alleen nog op zaterdagmiddag kunnen werken. Het zou me weken gaan kosten om de bergtop te rooien. Het zou me maanden gaan kosten om de fundering uit te graven en er cement in te storten. Het zou me jaren gaan kosten om de kerk te bouwen.

Ik wist dat er geen haast bij was, maar ik voelde me opgejaagd. Ik kon het beter kalm aan doen. Aangezien ik van niemand steun kreeg, moest ik het wel kalm aan doen. Als de kerk zich begon te verheffen, zouden de mensen wel aan het idee gewend raken. De dominee zou bijdraaien en mama was al enthousiast. Het zou jaren duren voor de mensen echt warmliepen voor het idee van de nieuwe kerk en het zou mij jaren kosten om hem te bouwen, maar als de buurtschap zag hoe het schitterende bouwwerk vorm begon te krijgen, zou ze er trots op zijn.

Die eerste zaterdag kapte ik de grootste populier op de bergtop. Het leek me beter met de grote bomen te beginnen en het kleine spul later op te ruimen. Het zwaarste werk moest eerst gedaan worden. Maar terwijl ik kapte en de gele populier zag vallen, terwijl ik takken afzaagde en ze op stapels op de bergkam legde, tobde ik over al het geld dat ik nodig zou hebben om een begin te kunnen maken wanneer ik de bomen eenmaal had gerooid. Ik kon mama's bijl lenen en ons eigen paard gebruiken, Oude Fan, maar hoe kwam ik aan een nivelleerder om de fundamenten te leggen? En hoe kwam ik aan een troffel om de fundamenten glad te strijken? Ik moest nieuwe hamers en beitels hebben om de stenen op maat te maken. Ik moest een langere waterpas en verstekhaak hebben.

Nadat ik de stenen uit de rivier en de kreken had gehaald en opgestapeld, zou ik nog steeds een weg over de berg moeten maken voordat ik ze met de wagen naar de top kon brengen. Om die weg te maken moest ik een pikhouweel, een schop en een gewone houweel hebben. Ik moest een eg en een ploeg hebben. Ik moest zakken cement hebben voor de fundamenten en hout om een bak te maken om het cement in aan te maken. Ik moest een cementschoffel hebben en ik moest zand uit de bocht van de rivier omhoog slepen.

Ik snoeide de takken van de grote stam en toen pakte ik de trekzaag en zaagde de boom aan stukken voor het donker werd. Het trekken aan de zaag is vermoeiend voor je benen, je rug en je armen, want je moet gebukt staan of hurken om het blad door het hout te trekken. En als je alleen werkt, moet je het blad eerst door de zaagsnee terugduwen voor je weer kunt trekken. Hakken en zagen is zo ongeveer het zwaarste werk dat er bestaat. Je vraagt je af hoe de eerste kolonisten zo snel zo veel bos konden rooien. Ik was binnen een uur al uitgeput.

19

Ginny

Een van de beste manieren die we hadden om een zakcentje te verdienen, was het verkopen van stroop. Sorghum was echt een gewas waar je op kon bouwen, want hoe slecht het weer ook was, warm of koud, droog of regenachtig, het riet leek altijd te gedijen langs de rivier. We hadden altijd sorghum voor eigen gebruik verbouwd, maar Tom, mijn man, had als eerste een halve hectare aangeplant, toen een hele en in sommige jaren wel anderhalve, en de stroop per vijf liter bij de katoenfabriek verkocht. Tom had ook het nieuwe stroopfornuis in de wei gebouwd, en hij verkocht elk jaar voor honderd dollar stroop, als het geen tweehonderd was.

Stroop maken is warm, stoffig werk. Eerst breek je je rug in het veld als je de bladeren van de stengels trekt. Dan moet je de stengels afsnijden en naar de molen zeulen. Iemand moet de stengels een voor een aan de molenstenen voeren terwijl het paard zijn rondjes draait om de molen te laten malen. Dan wordt het sap, waar honderden vliegen en wespen op afkomen, naar de pan op het fornuis gedragen. Het ergste karwei is nog wel het met de schuimspaan in de pan roeren terwijl het sap inkookt. En al roerend moet je het glanzende schuim afromen. Je staat daar te smoren in de rook en de stoom, want je mag de stroop geen minuut te lang laten koken, anders wordt hij taai en dik, en als je hem niet lang genoeg laat koken, wordt hij groen en waterig.

Muir en ik deden elk jaar het meeste werk. Ik vroeg Moody wel of hij wilde helpen, maar tien tegen een had hij een smoes om weg te zijn op de dag dat het tijd was om een veld te strippen en de stengels naar het fornuis te brengen. 'Moody, we zouden wel wat hulp kunnen gebruiken,' zei ik op een ochtend in september 1919, toen Moody zeventien was. Het was de herfst dat de tyfus teruggekomen was in de rivier, en in alle huizen in de vallei brak de koorts uit. De oudste zoon van Hank Richards was ziek. Tyfus houdt van warm, droog weer, maar ik dacht dat als we maar hard genoeg werkten en zweetten, we de bacillen wel zouden uitzweten, mochten we ze binnenkrijgen. Moody had het als kind al verschrikkelijk gevonden om stroop te maken. Het was saai, dodelijk vermoeiend werk.

'Geen tijd,' snoof Moody.

'Wij hebben anders wel tijd,' zei ik.

Muir en ik deden samen al het werk. We stripten de bladeren en oogstten die halve hectare vroege sorghum. We zeulden de stengels met de wagen naar de wei. Het was zo heet als het in september maar kan zijn. Hoewel hij nog maar een jongen was, had Muir een wagenlading hout voor de oven gehakt, en ik stak het vuur onder de grote stalen pan aan. Muir hurkte onder het draaiende spoorwiel en Oude Fan liep haar rondjes, en al snel druppelde het sap in de emmer en kwamen de vliegen eropaf. Het zou ons minstens twee dagen kosten om de stengels te vermalen en het sap tot siroop in te koken. Ik schatte dat er meer dan tweehonderdvijftig liter gemaakt moest worden, en ik moest de kannen met heet water schrobben en ze in de zon laten drogen.

Hoe zwaar het werk ook was, het schonk ook voldoening. Het inkoken van het sap rook namelijk alsof je de zoetste extracten van de zomer indikte, van de aarde, de zon en de regen. De siroop was de zuivere essentie van de oogst, de suiker van de hoge sorghumstengels. De stroop die we in de kannen zouden opslaan, was het zuivere levensvocht en merg van het gras, net zo lang geconcentreerd tot het zo donker en glad als olie was.

'Laat mij maar,' zei iemand. Ik keek op en zag Moody, die zijn mouwen had opgestroopt.

'Ik dacht dat je geen tijd had,' zei ik.

'Hier met die schuimspaan,' zei Moody.

Als hij wilde werken, zou ik hem niet tegenhouden. Zijn vader had hem net zo goed geleerd hoe je stroop moest maken als ons. Ik moest de kannen uit het rookhuis halen en bij het koelhuis uitkoken. 'Hier,' zei ik, en ik gaf Moody de schuimspaan.

Wij drieën ploeterden en zweetten de hele dag, en de volgende, op de stroop die we moesten maken. Moody boog zich over de dampende pan en schepte het smerige schuim van de oppervlakte. Hij groef een kuil in de wei en daar goot hij het schuim in. Stroopschuim is groen en paars tegelijk en het glanst als kokend metaal. Moody vloekte toen hij op de knie van zijn overall morste, maar hij werkte door. Ik vond het zo fijn dat hij me hielp dat de tranen me in de ogen sprongen.

Toen we klaar waren, hadden we tweeënzeventig kannen vol stroop. Het was niet de beste die we ooit hadden gemaakt, want Moody was het ontwend en hij liet sommige ladingen zo lang koken dat ze dik en te sterk werden, maar de meeste kannen waren goed en we zetten ze in het rookhuis om af te koelen.

Meestal laadden we twintig of dertig kannen op de wagen en dan reden we naar het dorp van de katoenfabriek. Tom had er huis aan huis stroop verkocht en daardoor een paar vaste klanten onder de fabrieksarbeiders gekregen. Je kon de wagen ook voor de fabriekswinkel zetten, dan kochten de mensen die daar kwamen stroop van je, maar de huis-aan-huisverkoop ging het snelst. Als je eenmaal op deuren begon te kloppen, hoorden de vrouwen in de straat je aankomen en stonden ze al klaar met hun vijfenzeventig cent voor een kan stroop.

Muir en ik reden op twee verschillende dagen naar het dorp. Ik vond het vreselijk en begon al te blozen wanneer ik naar een deur liep om aan te kloppen, maar ik deed het toch. Ik deed het voor Toms nagedachtenis en ik deed het voor Muir, die het geld nodig had voor zijn klemmen, zijn geweren en zijn grootse plannen. Een vrouw moet haar kinderen helpen waar ze kan.

We verkochten veertig kannen voor dertig dollar, en ik gaf de helft aan Muir. Begin oktober kwam er nog een late oogst, maar die stroop zouden we in de loop van de winter per kan verkopen. Er stonden nog twee onverkochte kannen op de wagen, en toen ik ze terugbracht naar het rookhuis, viel mijn blik op de rij kannen die we nog hadden staan. Het hadden er tweeëndertig moeten zijn, samen met de twee kannen die ik terug had gezet, maar het leken er minder. Ik telde maar zesentwintig kannen in het schemerdonker. Het rook naar zout, rook en vet en de as van oude vuren.

Had iemand zes kannen gestolen sinds we ze daar hadden neergezet? Ik telde ze nog eens en miste er weer zes. En toen bedacht ik dat Moody ze moest hebben gepakt. Ik had hem tien dollar willen geven voor zijn hulp, maar hij moest al wat kannen hebben gepakt om te verkopen bij wijze van beloning.

Toen Moody die avond thuiskwam, gaf ik hem vijf dollar. 'Is dat alles?' zei hij, en hij ging met zijn hoed nog op aan tafel zitten. Ik had geprobeerd hem te leren dat hij zijn hoed af moest zetten als hij binnenkwam.

'Je hebt al een deel van je loon in natura gepakt,' zei ik.

'Iets anders krijg ik niet,' zei Moody. Hij kon altijd gevat zijn als hij wilde, maar meer zei hij niet. Hij vertelde me niet waar hij de stroop had verkocht en hoeveel hij ervoor had gekregen. Ik probeerde te bedenken of je op de een of andere manier drank kon stoken van stroop. Ik neem aan dat je van alles wat zoet is drank kunt maken. Maar er groeide zoveel maïs in de vallei dat het zonde en jammer zou zijn om goede stroop op zo'n manier te verkwisten.

Toen ik de volgende dag uit het kippenhok kwam, zag ik Moody naar het rookhuis lopen. Nu bespioneer ik mijn kinderen niet graag, maar ik was benieuwd of hij weer een kan stroop ging halen. Ik legde de zeven eieren uit mijn schort op een plank in de schuur en verstopte me onder de den toen Moody het rookhuis inliep en er met een kan stroop weer uitkwam. Hij schoof de grendel voor de deur en begon naar de wei te lopen. Het was 's avonds laat en de schaduwen die zich van de dennen uitstrekten vielen als sluiers achter een bruid.

Ik wilde mijn eigen zoon niet bespioneren, maar ik kon me niet bedwingen. Ik vermoedde dat hij de kannen in de wei verstopte om ze later te kunnen halen. Ik had me altijd afgevraagd waar Moody zijn sterkedrank verstopte. Ik nam aan dat het in het dennenbosje was. Ik volgde Moody, maar zorgde ervoor steeds een aantal bomen achter hem te blijven.

Hij ging niet naar het dennenbosje. Hij stak de beek over en volgde het pad omhoog aan de overkant. Hij volgde het pad door de wei van de Richards'. Het gezin was in quarantaine vanwege de tyfus. Ik wilde naar Moody roepen dat hij er niet heen moest gaan, maar dan kwam hij erachter dat ik hem had gevolgd. Hij moest weten dat Billy, de oudste zoon, de koorts had. Hun bron was afgekeurd door het district en nu moesten ze een put slaan.

Nee! riep ik in gedachten, maar ik zei niets. Ik zou me schamen als Moody wist dat ik hem had gevolgd. Ik zou me schamen als iemand wist dat ik mijn eigen vlees en bloed bespioneerde. Ik hurkte achter een Ben Davis-appelboom.

Moody ging regelrecht naar het huis van de familie Richards en liep de treden naar de voordeur op. Er was geen mens te zien. Hij zette de kan naast de voordeur. Hij klopte niet aan en deed de deur niet open, maar maakte rechtsomkeert en liep terug naar de weg.

Mijn hart bonsde in mijn keel, want ik wist dat hij me tussen de appelbomen zou zien als hij terug naar de wei liep. Hoe kon ik verklaren dat ik had gezien dat hij een kan stroop naar de Richards' bracht? Ik schaamde me voor mezelf, maar ik was ook opgetogen dat ik Moody zoiets had zien doen.

Moody liep niet terug door de wei, maar nam de weg naar de kerk. Ik kon zijn gezicht niet goed zien in de schaduw, maar hij leek zich te verkneukelen, alsof hij een binnenpretje had. Ik wilde hem roepen. Ik wilde naar hem toe rennen en hem omhelzen en hem zeggen hoe trots ik op hem was omdat hij stroop aan de familie Richards had gegeven. Ik wilde hem om vergiffenis smeken voor mijn gespioneer. Maar ik bleef achter de boom en zag hem om de hoek verdwijnen.

De volgende keer dat ik bij UG in de winkel was, zei hij: 'Molly Bane heeft me gevraagd je hartelijk te bedanken voor die kan stroop die je haar hebt gestuurd.' Twee leden van het gezin Banes hadden die herfst tyfus gekregen.

'Wat voor kan?' zei ik.

'De kan die je Moody hebt laten brengen,' zei UG.

'Fijn dat ze hem konden gebruiken,' zei ik.

De tyfus had die herfst bij nog vijf gezinnen in de vallei toegeslagen, en maar twee mensen overleefden het. Uiteindelijk bleek Moody al die gezinnen een kan stroop te hebben gebracht zonder het tegen me te zeggen. Het was een kant van hem waarvan ik het bestaan kende, maar die ik niet al te vaak zag. Ik hoopte dat hij die kant vaker zou laten zien.

'Het was een goede daad van je,' zei ik op een avond tegen Moody, 'dat je die kannen stroop aan mensen hebt gegeven die ze nodig hadden.'

'Wat voor kannen?' zei Moody.

'De kannen die je naar de Richards', de Banes en de anderen hebt gebracht,' zei ik.

'Ik ben de bedeling niet,' zei Moody.

'Het is een goede daad,' zei ik.

'Ik weet niet waar je het over hebt,' zei Moody.

Voor het Kerstmis was, was de tyfus uit de vallei geweken en ik dankte de Heer dat wij niet waren bezocht.

20

Muir

De maïs stond nog op het veld en Moody had geen vinger uitgestoken om hem binnen te halen. Ik zei tegen UG dat ik niet langer in de winkel kon werken. Ik kon niet tegelijkertijd én mama helpen én een kerk bouwen én in de winkel werken. Ik had alleen tijd om te doen wat er gedaan moest worden. Ik spande Oude Fan voor de wagen, oogstte alle maïs en gooide het in de maïsschuur en op de hooizolder. Het was zo simpel om het paard in te spannen en maïs te oogsten. Werken leek gemakkelijk. Ik oogstte alle maïs van de laagste velden en stapelde de ongepelde maïs op in de droge maïsschuur en op de hooizolder. Ik zou later wel pellen, een schepel of twee per keer om naar de molen te brengen. Het werk was zo soepel als dansen. Je hoefde het alleen maar te doen. Werken was het gemakkelijkste, zuiverste ding op aarde. Er was een jaar verstreken sinds ik naar de rivier de Tar was gegaan. Ik was blij dat ik de maïs moest oogsten, want zo kon ik het werk aan de kerk nog een paar dagen uitstellen.

Zodra ik alle maïs had opgeslagen, pakte ik een houweel, een spa en een koevoet en ging naar de rivier. De meeste keien lagen in het snelstromende stuk aan het eind van het diepste gedeelte en in de kreek, vlak boven het punt waar hij in de rivier stroomde. Ik moest dikke keien hebben, grote keien, maar niet zo groot dat ik ze niet kon dragen. Ik moest keien hebben die samengevoegd konden worden tot een muur. Ze mochten alle kleuren en vormen hebben, zolang ze maar op de juiste dikte in de fundamenten en muren aan elkaar gemetseld konden worden.

Goed, maar om keien uit een rivier te krijgen, moet je in het koude water werken. De beste stenen kun je alleen bereiken door de poelen in te waden, maar meestal kun je op andere stenen staan en ze een voor een loswrikken. Een spade is te dik om onder de stenen te schuiven, en de hoek en kromming van het blad zijn ongelukkig. Met een houweel kun je wel stenen loswrikken, maar de steel is te kort. Zodra ik de koude rivier in was gewaad en stenen begon uit te zoeken, besefte ik dat ik een soort breekijzer moest hebben, iets wat je onder een steen kunt schuiven om hem op te tillen. Ik pakte de bijl, hakte een jonge eik om en gebruikte die een tijdje, maar wat ik eigenlijk moest hebben, was een stalen steel. Uiteindelijk vond ik een oude as van een T-Ford in de greppel onder de kerk, en dat bleek mijn beste gereedschap te zijn.

Als je stenen zoekt om een muur te bouwen, zoek je naar de stukjes van een puzzel die nog niet eens bestaat. Misschien zie je het niet zo, maar dat is wat je doet, uitvogelen hoe je ronde en driehoekige stenen, vierkante en lange stenen, platte en bolle stenen aan elkaar kunt passen. Je zoekt vooral naar de juiste dikte, want hoe ze je ze samen kunt voegen is van later zorg. Met specie en een paar tikken met je hamer kun je alles passend maken.

Als je stenen uit hun holte in de modder van een rivierbedding wrikt, kun je proberen ze naar de oever te rollen of over andere stenen te schuiven, maar als een steen niet te groot is, raap je hem gewoon op en draag je hem naar de oever. Je worstelt een steen los, houdt hem in je schoot, zodat het water over je knieën druipt, waggelt naar de oever en gooit hem op een stapel tussen het onkruid. Ik vond driehoekige en vijfhoekige stenen en stenen die zo onregelmatig van vorm waren dat je er geen naam meer aan kon geven. Ik vond graniet en vuursteen en melkkwarts. Ik vond zelfs oranje kwarts en stenen die eruitzagen alsof er flonkerende granaten en mica in zaten.

Na ongeveer een week had ik een aantal stapels stenen op de oever verzameld, en ik zeulde nog meer bergen stenen naar de oever van de kreek. Mijn handen werden rauw en droog van het water. En ik kwam elke dag koud en nat thuis. Ik ging wel bij het vuur zitten, maar het duurde uren voor de kou uit mijn botten wegtrok. De kou leek in mijn bloed te kruipen en er niet meer uit te willen.

'Ik geloof niet dat God van je verwacht dat je met je blote handen een stenen kerk bouwt,' zei mama.

'Niets anders is toch de moeite waard?' zei ik.

'Niets is belangrijker,' zei mama, 'maar als je wilt oefenen, zou je een nieuwe stal kunnen bouwen.'

'Ik bouw wel een stal als ik de kerk af heb,' zei ik.

'Een stal bouwen is net zo waardevol als een kerk bouwen,' zei mama, 'als je het maar met de goede instelling doet. Doen wat nodig is, dat is altijd het beste werk.'

'De mensen merken pas dat ze een nieuwe kerk nodig hadden als ze hem hebben,' zei ik.

Mijn gesprek met mama herinnerde me eraan dat ik pas verder kon werken als ik een manier had om de stenen en andere materialen de berg op te krijgen. Vóór ik iets anders kon doen, moest ik een weg maken. Ik had niet veel geld, en ik had geen ander gereedschap dan een spade, een gewoon houweel en een pikhouweel. Ik had stapels stenen bij de rivier en de kreek, maar het was een heel eind naar de top van de berg.

'Misschien kun je je stenen naar boven bidden,' zei Moody.

'Ik zal ervoor bidden dat jij me helpt,' zei ik.

'Ik help je wel ze naar beneden te rollen als je ze eenmaal boven hebt,' zei Moody. Hij hing tegen de deurpost met het air dat hij zich altijd aanmeet als hij wat heeft gedronken en zich beter begint te voelen.

'Hoe groot wordt je kerk?' zei Fay.

'Ik maak hem zo groot als ik kan,' zei ik.

'Zo groot als een stadskerk?' zei Fay.

'Groter,' zei ik.

'Pas maar op dat je geen gat in de lucht prikt,' zei Moody, en hij stak een priemende vinger op.

Ik probeerde te bedenken hoe ik de weg langs de berghelling zou aanleggen. Hoe moest ik beginnen? En waar moest hij komen? Hij mocht niet te steil worden, want het paard moest de wagen omhoog kunnen trekken en de wagen mocht op de terugweg naar beneden het paard niet inhalen. Ik moest de weg dus met bochten langs een lichte helling leiden, maar hem wel zo snel en goedkoop mogelijk maken. Ik wilde niet meer van de helling afgraven dan nodig was, niet meer bomen kappen dan nodig was en niet met meer stenen sjouwen dan nodig was.

Ik had geen transietinstrument en geen landmeetapparatuur. Ik had alleen een meetlint en een bijl. Ik wist dat de weg bij het parkeerterrein van de kerk moest beginnen en hoe steil hij moest worden, en dus liep ik gewoon door het bos omhoog, niet te steil, en merkte de bomen die gekapt moesten worden. Na een meter of honderd maakte ik een zigzagbocht en klom verder omhoog. Ik moest vier bochten maken om bij de top te komen, maar aan het eind van de dag had ik een aanvaardbare route uitgezet. En ik had de dikke bomen zoveel mogelijk omzeild, zodat ik er niet veel hoefde te vellen.

'Muir Powell, wegenbouwer,' zei Moody toen hij de route kwam bekijken die ik had uitgestippeld. Hij leek steeds bij mijn werk te willen zijn, maar weigerde me te helpen.

'Had ik maar zo'n graafmachine als die ouwe Solomon Richards vroeger,' zei ik.

'Die weg is niet breed genoeg voor een graafmachine,' zei Moody.

'Ik kan hem later nog verbreden en verbeteren,' zei ik.

'Wil je soms een weg naar de hemel maken?' zei Moody.

'Dat willen we allemaal,' zei ik. Mijn plan om een kerk te bouwen had Moody's belangstelling gewekt. Hij pestte me, maar hij bleef over de kerk praten en kwam vaak kijken wat ik deed. Ik denk dat het gelummel met Drayton en Wheeler hem de keel uit begon te hangen. Hij werd wat ouder, en de nieuwe kerk was zo'n goed idee dat zelfs Moody inzag dat het interessant was.

Ik had een plan voor het uitgraven en afronden van de zigzagbochten, en daar zou ik een spa en houweel voor moeten gebruiken, maar de rest van de weg kon ik met de lichte ploeg aanleggen, niet de grote voor het diepe ploegwerk, maar het kleintje dat we voor het aardappelveldje en de tuin op de heuvel gebruikten.

Zodra ik de struiken op de route had weggehaald en de bomen had omgehakt die geveld moesten worden, spande ik Oude Fan voor de ploeg en liep met haar naar de kerk. Toen ik er aankwam, was de vader van Annie, Hank, in het veld achter de kerk bezig. Het was een van die zeldzame keren dat hij niet voor zijn werk op pad was. 'Wat ga je ploegen?' riep hij me toe.

'De berg,' riep ik terug, en Hank grinnikte.

'Dan moet je wel een sterk geloof hebben,' riep hij.

'Ik ga een weg ploegen,' zei ik.

'Pas op voor boomwortels,' riep Hank terug. Het was algemeen bekend dat menig man al bijna was gecastreerd doordat de ploeg op verse grond op een wortel of een kei was gestuit.

Oude Fan werd confuus toen ik haar het bos in leidde en de handvatten van de ploeg naar beneden drukte. De schaar sneed in de bladeren en de rottende bladermassa eronder en rolde toen over zwarte aarde, maar ik had nog geen tien meter geploegd of de punt van de schaar bleef achter een wortel haken en de handvatten schoten uit mijn greep. Twintig meter verder bleef de ploeg weer haken en stootte er een handvat in mijn buik. Ik herinnerde me het verhaal over Bowen Ward verderop aan de rivier die zich zo erg had verwond met een ploeg dat hij aan de bloeding in zijn maag was overleden.

Kalm aan, hield ik mezelf voor. 'Ho,' riep ik naar Oude Fan. 'Ho daar.' Ik hield de handvatten op een armlengte van me af en toen de schaar een grote wortel raakte, stopte ik, ging een stukje achteruit en rolde eroverheen. Die wortels kon ik later wel met de bijl kappen. Hoe gek het ook leek, ik ploegde een ruwe voor van de voet van de berg tot aan de top. En toen keerde ik en begon aan de terugweg. Op weg naar beneden zag ik dat mijn plan ging lukken. Het ging erom nu zoveel mogelijk aarde los te maken en de weg later met de spade te effenen. Op de terugweg ging de ploegschaar dieper de aarde in. Ik deed eigenlijk niet meer dan aarde van de heuvel losmaken en iets verplaatsen, maar dat is het aanleggen van een weg: aarde uit de helling graven en in de berm leggen. Als ik die voor maar telkens bleef ploegen, kreeg ik uiteindelijk een weg.

Toen we weer omhoog ploegden, zag ik dat we al een pad hadden gemaakt. Nog vier of vijf keer eroverheen en ik had een smalle weg, en nog tien of twintig keer omhoog en omlaag en ik zou een karrenspoor hebben.

Het is een genoegen om een berg open te scheuren en naar eigen inzicht te vormen. Ik trok een steeds diepere voor, ik omwoelde de verse aarde en de rode klei daaronder, de melige aarde. Ik kapte wortels die zo sappig waren als rijp fruit en ik wrikte keien uit hun holtes. De keien die ik later naar de top wilde brengen, legde ik opzij. De grootste keien schoof ik gewoon weg.

Ik ga deze berg stap voor stap temmen, zei ik tegen mezelf. Oude Fan en ik overwinnen de hoogte centimeter voor centimeter en kluit voor kluit. Ik liet het paard stoppen en hakte op wortels en boompjes in. Halverwege de berg sijpelde een bron, en ik groef een greppel waarlangs het water met de weg mee kon stromen tot aan de zigzagbocht. De naakte aarde glom tussen de bomen alsof ze gloeiend heet was. De verse aarde rook naar parfum en ether van lang geleden, naar diep in de grond begraven dampen.

De zigzagbochten zijn hefbomen, zei ik tegen mezelf. Het zijn wiggen waarmee ik tonnen stenen naar de rand van de lucht til. De zigzagbochten maken de kerk steen voor steen zwaarder, net zo lang tot hij de sterren raakt. Als ik het geld had gehad, had ik arbeiders en machines gehuurd, maar door alles zelf te doen leerde ik elke meter van de weg kennen, zoals ik ook elke steen kende die ik uit de rivier had gehaald. En ik zou alle spijkers, planken en ruiten kennen die ik later in de kerk zou verwerken.

'God, deze bergtop is uw altaar,' zei ik onder het werk.

Drie dagen lang ploegden Oude Fan en ik de bergweg. We gingen omhoog en naar beneden. We ploegden dieper en dieper in de helling tot de berm een meter hoog was. Ik rukte stenen los en trok wortels zo wit als maden uit de grond. De voren begonnen op een weg te lijken. Het pad was breed en effen genoeg om er met een wagen vol stenen over naar de top te rijden.

Toen ik de weg af had, zette ik de fundamenten uit. Ik legde mijn meetlint op de grond om de maten van de kerk uit te zetten, ik sloeg palen in de grond op de hoekpunten en spande er touw tussen zodat ik kon zien waar ik de geulen moest graven. Het zien waar de fundamenten moesten komen, welke vorm de kerk zou krijgen, maakte het idee haalbaarder.

Het graven van de funderingssleuven was zowel grof als precies werk. Het was zwaar, door wortels en keien in de ondergrond van de bergtop graven, maar de sleuven moesten exact dertig centimeter breed worden, en recht. Ik had geen transietinstrument en geen egaliseerder, alleen mijn waterpas. Ik groef de bodem van de sleuf en legde mijn waterpas op de aarde. Hier zal mijn kerk met de aarde verbonden worden. Dit wordt het verborgen verbond tussen de kerk en de berg, dacht ik.

En toen bedacht ik dat ik de aarde opende om een kiem te planten. De kerk was de kiem van alle erediensten, preken en gezangen, en van alle bezieling die hier gewekt zou worden. Ik was een boer die een grootse kiem in de aarde op de bergtop plantte. Ik groef de loopgraven zo exact mogelijk uit in de oneffen grond, precies volgens de plattegrond die ik had getekend.

Elke dag heeft zijn eigen smaak, dacht ik. Elke ochtend dat je opstaat is anders en het verloop en de sfeer van elke dag zijn anders. Je verheugt je op de nieuwe dag omdat je nieuwsgierig bent en omdat je op een verrassing hoopt, op houvast, op een soepele rit.

Maar de dag dat ik stenen de berg op begon te hijsen, voelde het alsof alles tegenzat. Ik spande Oude Fan voor de wagen, maar ze leek die ochtend niet veel zin te hebben om te werken. Het was alsof ze wist wat we gingen doen; paarden weten soms wat je van ze wilt. Ik denk dat ze de zorgen van mensen aanvoelen en dan zelf ook nerveus worden. Ze bleef stokstijf staan toen ik haar achteruit tussen de bomen wilde laten lopen. 'Ho daar,' zei ik. 'Achteruit, achteruit.'

'Dat paard heeft geen zin om de rivierbedding naar de top van de berg te dragen,' zei Moody, die vroeg uit de veren was gekomen en een band van de T-Ford lapte. Ik hoopte dat hij me zou willen helpen als hij zag dat ik de bergweg had geploegd.

'Wat weet jij daar nou van?' zei ik.

'Pissen we weer azijn?' zei Moody.

'Ik dacht dat je me zou helpen,' zei ik.

'Dat heb ik nooit gezegd,' zei Moody.

'Ik dacht dat het een familieproject zou worden,' zei ik. 'Een geschenk aan de gemeenschap, net als de eerste keer.'

'En wat heeft de gemeenschap mij te bieden,' zei Moody, 'behalve een schop voor m'n kont?'

'We krijgen alleen terug wat we geven, zoals mama zegt,' zei ik.

'Dan zou ik de hele gemeenschap moeten schoppen,' zei Moody.

Toen ik Oude Fan eindelijk had ingespannen, reed ik met haar naar de rivier. De bergen stenen zagen er zwaar en onhanteerbaar uit. Ik vond het ongelooflijk dat ik zoveel keien uit de rivierbedding had gewrikt en geworsteld. De wagen leek opeens ontzettend klungelig, teer en zwak. Ik zeulde een koude steen naar de wagen en legde hem erin. Als ik er meer dan tien tegelijk laadde, werd de wagen te zwaar voor het paard en kreeg ze hem de berg niet meer op. Ik zou heel wat ritten moeten maken om alle stenen boven te krijgen.

Ik had meer dan vierhonderd keien bij de rivier en de kreek opgestapeld. Als ik er maar tien per keer vervoerde, moest ik veertig ritten maken. En als ik er vijf per dag maakte, zou alleen het naar boven brengen van de keien al acht dagen kosten. Tegen de tijd dat ik ermee klaar was, zou het al tegen Kerstmis lopen.

We gingen de weg op en Oude Fan werkte goed. Ze trok de wagen de heuvel op en om de voet van de berg naar de kerk. Ik moet eerlijk toegeven dat ze altijd gewillig was, ook als ze zich niet lekker voelde of geen zin had om te werken. Ze deed haar werk altijd, zolang ze niet te moe was.

Maar toen we de weg insloegen die we achter de kerk over de berg hadden gemaakt, en toen de helling steiler werd, merkte ik dat ze langzamer ging lopen. Om te beginnen was de aarde nog rul en zonken de wagenwielen erin weg, waardoor de wagen moeilijker te trekken was. Maar wat erger was, was dat de hoop stenen op de wagen op de helling zwaar genoeg leek om de planken te breken.

'Vort,' riep ik naar Fan. 'Vort!'

De merrie bleef lopen, maar steeds trager. Terwijl ik naar haar keek, leek het of de tijd zelf langzamer ging. Hoe meer vaart je hebt, hoe gemakkelijker je over wortels en stenen rijdt. Ik had geprobeerd de weg overal even steil te maken, maar na de tweede zigzagbocht zat een stuk dat steiler was dan de rest. Ik denk dat ik me gejaagd had gevoeld toen ik dat stuk uitzette, of dat ik mijn gevoel voor de hellingshoek even kwijt was. Toen we door de tweede bocht kwamen en weer begonnen te klimmen, zag ik dat de wagen nog langzamer vooruitkwam. Fans flanken trilden en haar voeten waren onvast en dansten een beetje naar opzij.

'Vort!' schreeuwde ik. 'Vort nou.'

Maar de flanken van het paardje trilden alsof ze de koude rillingen had. Als ze nu stopte, zou het lastig zijn om weer op gang te komen. Als ik de wagen op de rem moest zetten, wist ik niet hoe we weer op gang moesten komen zonder naar beneden te rollen.

'Vort!' riep ik weer, en ik legde mijn hand op het rechter voorwiel en duwde. Ik duwde hard en dacht aan het spreekwoord dat je je schouders eronder moet zetten. Oude Fan hijgde van inspanning, snoof en liep door. Ik bleef duwen, maar de wagen begon weer vaart te verliezen. Mijn ogen brandden, zo hard duwde ik. Het was nog een meter of zes voor het steile gedeelte ophield en de hellingshoek weer kleiner werd.

'Vort!' riep ik. 'Vooruit met die luie reet!'

Maar het hielp niet. De wagen stopte en Oude Fan schoof met haar hoeven in het zand en deed een pas opzij om op haar plaats te blijven staan. Ik rende naar de rechterkant van de wagen en zette de rem erop. De wagen stond stil en het paard stond stil. 'Ho daar,' zei ik. 'Ho.'

Er zat niets anders op dan twee of drie keien uit de wagen halen om hem lichter te maken. Ik legde ze langs de weg, dan kon ik ze later halen. Maar een kei was bijna rond, en die wipte over de berm en rolde weg. Voor ik hem kon pakken, stortte hij door de bladeren, sloeg tegen bomen en stuiterde over stronken. Ik keek hem na tot hij tussen de laurierstruiken verdween.

Die kei wil terug naar waar hij vandaan komt, dacht ik. Hij wil terug naar de rivierbedding. Maar alle keien zijn eerst van de bergtop gekomen. Keien waren kliffen en bergen die waren verbrokkeld en naar de vallei waren geregend. Keien wilden niet op bergtoppen liggen. Ze wilden niet in de lucht gelegd worden. Ze wilden naar beneden om te slapen in de rivierbedding en het lange verhaal van de rivier te dromen. Wat ik deed, druiste tegen de natuur in. Stenen in nieuwe vormen en combinaties in de lucht metselen was tegen de natuur. Daarom was het zo moeilijk en daarom was het zo belangrijk. Iedereen kan dingen heuvelafwaarts laten drijven. Wat pas echt moeilijk was, was iets maken dat sterk, degelijk en recht is, iets met wilskracht en een bedoeling erin, iets met een idee dat de tand des tijds en de elementen trotseert. Het was aan mij om die taak te volbrengen, want ik was degene die op het idee was gekomen.

De wagen was lichter, ik riep vort en haalde de rem van het wiel. Ik duwde weer en we slaagden erin het steilste stuk te overbruggen. We zwoegden naar de bergtop waar ik de bomen had gerooid en de fundamenten had gegraven. Ik besloot de keien op verschillende plaatsen rondom op te stapelen, dicht bij waar ze gebruikt zouden worden, maar tegen de tijd dat ik de stenen had uitgeladen, was ik uitgeput, en Fan ook. Ik begreep dat ik geen vijf ladingen per dag naar boven kon brengen, maar al blij mocht zijn als ik er vier of zelfs maar drie de berg op kreeg. Er was maar één paard om de wagen te trekken, dus er was geen enkele manier om het sneller te doen. In plaats van acht dagen zou ik wel tien of zelfs twaalf dagen kwijt zijn aan het naar boven slepen van die stenen.

Die avond, toen ik de derde lading naar boven bracht, zag ik iemand op de open plek op de bergtop staan. Hij stond met zijn handen op zijn rug naar de fundamenten te kijken die ik had uitgegraven. Toen ik boven aankwam, zag ik dat het de dominee was. Hij was uit South Carolina overgekomen voor de gebedsbijeenkomst die avond.

'Goedenavond, broeder Muir,' zei hij toen ik de wagen liet stoppen. Ik zweette van het duwen en de klim.

'Goedenavond, dominee Liner,' zei ik.

Ik was blij dat hij was komen kijken waar ik mee bezig was, maar ik had ook een voorgevoel. Hij had de klim niet eerder gemaakt. Ik vermoedde dat hij niet was gekomen om me goed nieuws te vertellen.

'Het lijkt wel of je de hele rivierbedding naar boven sjouwt,' zei de dominee.

'Zoveel ik kan,' zei ik. Het leek me niet beleefd om met uitladen te beginnen zolang de dominee daar stond.

'Je hebt hard gewerkt,' zei de dominee. Hij had zijn hoed in zijn handen, die hij nu van zijn rug haalde, en hij begon de rand te bestuderen. 'Ik weet dat je hard hebt gewerkt,' zei hij.

‘Dit is nog maar het begin,’ zei ik.
‘Ik ben hier gekomen omdat ik met je wil praten,’ zei de dominee.
‘Dat dacht ik al,’ zei ik.
‘Broeder Muir, soms hebben we het gevoel dat we geroepen zijn om iets te doen, maar dan is het alleen onze trots die ons roept, niet de Heer.’ Bij dominee Liner voelde ik vooral zijn gewicht. Hij was fors, maar hij maakte zichzelf nog zwaarder. Hij maakte zijn stem zwaar en legde zijn volle gewicht erin om zich tegen de ideeën of opinies van anderen te verzetten. Hij wilde je het gevoel geven dat hij je kon vermorzelen.
Ik voelde dat ik kortademig werd.
‘Ik doe waartoe ik me geroepen voel,’ zei ik.
‘Daar wil ik het met je over hebben,’ zei dominee Liner.
‘Als íк niet eens weet wat mijn roeping is, wie dan wel?’ zei ik. Ik was moe en bezweet en ik wilde de wagen uitladen.
‘Gods wegen zijn duister,’ zei de dominee. ‘Soms moeten we naar mensen luisteren die ouder zijn dan wijzelf om erachter te komen wat ons te doen staat.’
‘En naar wie moet ik dan luisteren?’ vroeg ik. Ik was bozer dan ik had verwacht. Ik kon er niets aan doen.
‘We moeten luisteren naar mensen met ervaring,’ zei de dominee. ‘Ik laat mijn kerk niet uit elkaar vallen voor een dwaas idee.’
‘Ik geloof dat God me heeft gevraagd deze kerk te bouwen,’ zei ik. ‘Hij heeft me in een visioen getoond wat er gedaan moest worden.’
‘Misschien heb je het visioen verkeerd begrepen,’ zei de dominee. ‘Misschien is de boodschap niet goed overgekomen.’
‘Ik bouw die kerk niet op mijn eigen grond voor úw plezier,’ zei ik met bevende stem.
‘Ik heb me mijn hele leven tegen de pinkstergemeente verzet,’ zei de dominee. ‘Deze kerk is mijn werk geweest, en ik lever hem niet uit aan de pinkstergemeente.’
‘Ik ben niet bij de pinkstergemeente,’ zei ik, ‘en ik hoef niemand toestemming te vragen om een nieuwe kerk te bouwen.’
‘De mensen maken zich zorgen om je,’ zei de dominee.
‘Wie maakt zich zorgen?’
‘Je moeder maakt zich zorgen om je, dat weet ik,’ zei de dominee. ‘Je staat te trappelen om van alles te doen, maar je blijft maar van gedachten veranderen.’
‘Hoe weet u dat mama zich zorgen maakt?’ zei ik.
‘Omdat ze me heeft gevraagd voor je te bidden,’ zei dominee Liner.

Zijn gezicht zat vol rode en witte vlekken. Het viel me op dat hij kringen onder zijn ogen had.

'Wie bent u om me dat te vertellen?' tierde ik. De woede golfde in me omhoog en sleepte me mee. Woede rees op uit het middelpunt van de aarde, uit het begin der tijden, en gierde door mijn maag en botten. Bliksem flitste achter mijn oren.

'Ik vind dat we moeten bidden,' zei de dominee.

'Ik ben al uitgebeden,' schreeuwde ik. Ik sloeg de teugels om de remhendel van de wagen en liep naar het bos. Ik ging niet meer met de dominee argumenteren.

'Hoogmoed komt voor de val,' riep dominee Liner me nog na, maar ik liep gewoon door.

Na die ruzie met de dominee ging ik bijna een maand niet meer naar de kerk. Ik had het druk met het metselen van de fundering op de bergtop. Dat is mijn eredienst, zei ik tegen mezelf. Ik had de funderingsmuur al meer dan een halve meter opgemetseld, maar op kerstavond kon ik niet wegblijven. Ik wilde Annie horen zingen en ik wilde haar moeder, mevrouw Richards, horen zingen. En ik wilde het kerstspel zien dat mama de kleintjes elk jaar liet opvoeren. Toen ik klein was, deed ik ook aan het spel mee, en dan liep ik met een herdersstaf of een doos met aluminiumfolie erom die het goud van de wijze moest voorstellen.

Het was een koude, heldere avond en toen ik de kerk binnenkwam, was de dienst al begonnen. Er was alleen nog plaats op de achterste bank bij de afvalligen, de dronkelappen en de stoere jongens.

'Alles kits, Muir?' zei Wheeler toen ik naast hem op de bank schoof. Hij had een stoppelbaard van een week.

'Gaat wel,' zei ik.

'Kom je niks te kort?' zei Wheeler.

'Valt wel mee,' zei ik.

'Sst,' zei Will Stamey.

Ik kon het koor niet zien vanaf de achterste bank, maar ik wist dat ze achter het gordijn links zaten. Een engel met papieren vleugels klom op een keukentrap onder de ster boven de preekstoel.

'"Zie, ik verkondig een grote blijdschap, die heel het volk ten deel zal vallen,"' zei ze, '"U is heden de Heiland geboren, namelijk Christus, in de stal van David."'

'"En dit zij u het teken: gij zult een kind vinden in doeken gewikkeld en liggende in een kribbe.

En plotseling was er bij de engel een grote hemelse legermacht, die God loofde, zeggende:

Ere zij God in den hoge, en vrede op aarde bij mensen des welbehagen."'

Ik voelde dat mijn huid verstrakte van het kippenvel toen dat meisje die woorden zei. Het was de dochter van John Fisher, geloof ik. Ze behoorden tot de eerste bijbelverzen die ik had geleerd. Mama las ze de kleintjes met Kerstmis voor.

Will Stamey stak een lucifer aan en gooide hem in Wheelers schoot. Wheeler sloeg hem in mijn schoot. Er zat niets anders op dan de lucifer op de grond vegen en erop stampen. Mijn laars stootte met een harde klap tegen de bank voor me. De mensen keken achterom.

'Sst,' zei Monroe Anderson.

De vrouwen achter het gordijn voor in de kerk begonnen 'Daar juicht een toon' te zingen. Ik luisterde of ik Annie hoorde. Ik hoorde mama's prachtige alt. Annie had een heldere sopraan.

Daar juicht een toon, daar klinkt een stem,
Het klinkt door gans Jeruzalem!

Het was het mooiste lied dat er was. Ik huiverde bij de gedachte aan de stille sterren die voorbijkwamen, en de hoop en angst der jaren. En ik dacht dat ik Annies stem hoorde, een zuivere toon tussen alle andere. Zo'n bijzondere stem.

Toen het lied uit was, liet iemand op de achterste bank een boer. Het was maar een boer en het had niets om het lijf gehad als er geen mensen hadden gegiecheld. Alle jongens op de achterste rij gniffelden en lachten tot je niet meer kon horen wat de kleintjes voor in de kerk zeiden.

'Sst,' zei ik.

Maar ze bleven samen lachen tot ze de dienst bijna hadden bedorven. Ik keek naar het eind van de bank en zag Moody, die naar het raam staarde. Ik had hem nog niet gezien. Hij lette helemaal niet op en hij lachte niet. Hij zag eruit of hij diep in zijn eigen zorgelijke gedachten verzonken was.

Direct na het kerstspel werden de namen geroepen van kinderen voor wie er cadeautjes onder de boom lagen, en het koor zong 'Vrede op aarde'. Toen de dominee het laatste gebed had uitgesproken, was ik de eerste die naar buiten ging.

'En nu iedereen een hand geven,' zei Wheeler, die achter me aan was gekomen, 'net als een echte dominee.'

Moody kwam naar buiten en ging in de schaduw van de kerk staan, maar ik lette niet op hem. De maan zweefde hoog boven de kerk en de bergen.

'Hé, Romeo,' zei Moody tegen me.

Ik keek naar de maan hoog boven de jeneverbessen en besloot dat ik niet op Annie zou wachten om te vragen of ik met haar mee naar huis mocht lopen. Ik had trouwens toch geen geld gehad om een kerstcadeautje voor haar te kopen. Ik wilde alleen zijn na het kerstspel en de kerstliederen. Ik wilde de berg bij maanlicht beklimmen en het werk zien dat ik aan de kerk had verricht. Zo wilde ik Kerstmis vieren.

'Wie is Romeo?' zei ik tegen Moody, en ik liep hem in het donker voorbij.

Het was de mooiste nacht die je ooit hebt gezien. Het maanlicht spoelde over de bergen en liet ze op geplooide lappen blauwpaars fluweel lijken. Er brandde licht in de huizen boven en in de vallei. Toen ik de top bereikte, hoorde ik een rotje knallen, en toen nog een. Ergens blafte een hond en ik hoorde het water op de rotsen in Bobs Creek slaan. Mensen die naar de kerk waren geweest, liepen met lantaarns over de weg en de paden naar hun dorpjes.

En toen hoorde ik een kreet uit het struikgewas aan de noordkant van de berg. Uit de laurier, zo te horen. Ik antwoordde met een eigen kreet. En toen klonk het gejank weer, een hoog gejammer dat aanzwol tot gekrijs en toen afzwakte in een grauw. Het klonk dichterbij dan eerst.

'Kom dan, boskat,' zei ik tegen het donker. 'Had ik je velletje maar.'

Er werden meer rotjes afgestoken in de vallei en toen daverde er een geweerschot. En ik hoorde een plof achter de open plek, alsof er iets uit een boom in de bladeren was gesprongen.

'Poes, poes,' riep ik in het donker.

En toen zag ik twee lichtjes aan de rand van de open plek. Het waren twee ogen, zo fel dat ze het maanlicht weerkaatsten. Ze blonken en knipperden.

'Kom dan, tijger,' riep ik. De ogen knipperden nog een keer en toen waren ze verdwenen. Ik hoorde iets wegspringen door de bladeren op de berghelling.

Er stond een ijzige bries op de bergtop. Ik keek rillend naar de lichtjes in de vallei onder me. De maan was zo helder dat je niet veel sterren kon zien. Hier zullen de mensen over vijftig jaar na de dienst uit de kerk komen en het maanlicht op de rivier zien, dacht ik.

Ik liep naar de plek waar de deur volgens mij zat en struikelde over de keien. Was ik vergeten waar ik de deur van mijn eigen kerk had gezet? Ik tastte langs de muur, maar de bovenrand was lager en ruwer dan ik verwachtte. Ik deed nog een stap vooruit en stootte met mijn voet tegen stenen.

Wat was er met de fundering gebeurd? Het leek meer op een berg stenen dan op een muur. Ik pakte mijn lucifers en stak er een aan. Overal lagen stenen. Het was of mijn muur was gesmolten. Ik dacht dat ik op de verkeerde plek was, of vanuit een verkeerde hoek keek. Wist ik niet meer hoeveel werk ik had verzet?

Ik bukte me en zag dat er gedroogde specie aan de stenen kleefde en dat er brokjes cement op de grond lagen. Ik stak nog een lucifer aan en zag holtes en kluiten cement op plekken waar stenen los waren gebikt. Ik bekeek een steen van dichtbij en zag een witte schilfer. Iemand had een voorhamer gepakt en de bovenste rij stenen van mijn funderingsmuur eraf geslagen. Het leek ondenkbaar. Ik stampvoette, liep naar de andere kant en stak een nieuwe lucifer aan. Aan die kant lagen ook losgeslagen, gebroken stenen op de grond.

Ik had geen kerstgevoel meer en het maanlicht dat zo op de bergen scheen dat ze van satijn leken, kon me niets meer schelen. De woede overspoelde me en brandde in mijn slapen. Zelfs de schaduwen onder de bomen waren rood voor mijn ogen. Iemand moest er een hele dag voor hebben uitgetrokken om mijn werk te vernielen.

Ik gooide de lucifer weg en liep de berg af. Ik was zo woest dat ik niet op de takken en struiken lette, en ze zwiepten in mijn gezicht. Ik was zo kwaad dat het me niet uitmaakte waar ik naartoe ging. Ik moet de weg hebben bereikt en naar de rivier en terug zijn gelopen zonder het zelf te merken. Ik weet niet hoe lang ik om de wei en naar de kreek heb gelopen.

Toen ik bij het hek van de wei terugkwam, maakte ik het open en stak zonder erbij na te denken over. Het gras was bijna wit in het maanlicht. De grond gloeide in het maanlicht zoals mijn woede gloeide. Ik was zo razend dat het leek of de schaduwen waren afgezet met rode vonken en als ik mijn ogen sloot, zag ik sterretjes. Er was maar één iemand gemeen genoeg om zoiets met mijn werk te doen. Het was een kille nacht, maar ik zweette van kwaadheid.

Mama had een lamp in de keuken voor me aangelaten, maar verder was het donker en stil in huis. Ik wilde regelrecht naar de slaapkamer lopen en Moody wakker maken. Ik zou hem duidelijk maken dat ik zijn kerstcadeautje had gekregen.

Maar er smeulde nog een vuurtje in de haard. Een paar houtblokken waren tot gloeiende kolen afgebrand. Ik zag een laars voor het vuur en toen zag ik een been in de laars. Ik keek nog eens en zag Moody op de vloer voor de haard liggen.

'Sta op, klootzak die je bent,' zei ik. Ik was zo ziedend dat de woorden bijna in mijn keel bleven steken. Toen ik dichterbij kwam, rook ik dat Moody had gedronken. De lucht hing als eau de cologne om hem heen. Hij moest Kerstmis hebben gevierd met zijn maten en thuis bij het vuur van zijn stokje zijn gegaan.

'Word wakker,' zei ik, en ik gaf hem een por met mijn laars.

'Wat nou weer?' zei Moody, en hij rolde op zijn zij. 'Wat nou weer, verdomme?'

'Vrolijk kerstfeest,' zei ik, en ik gaf hem een schop tegen zijn heup.

'Wat nou weer?' herhaalde hij, en hij ging rechtop zitten.

'Ik heb gezien wat je hebt gedaan,' zei ik, en ik sleurde hem overeind. Hij had zijn jas nog aan. 'Klootzak,' zei ik, en ik sloeg hem in zijn gezicht.

Moody gaf me een knietje in mijn zij. Ik denk dat het voor mijn kruis was bedoeld, maar dat hij had gemist.

'Misselijk stuk tuig!' zei ik, en ik duwde hem tegen de schoorsteenmantel. Een bloemenvaas viel in het donker aan stukken op de haardstede.

'Ik heb je getreiter altijd verdragen,' zei ik, 'maar nu niet meer.' Ik gaf hem een klap in zijn gezicht en hij zakte langs de muur naar beneden. Er zat iets kleverigs aan mijn hand. Moody stak zijn elleboog op om zijn gezicht te beschermen en ik sloeg hem boven op zijn kop en op zijn kin.

'Gestoorde idioot,' zei hij. Hij spuugde iets uit.

'Je hebt mijn werk verwoest,' zei ik, en ik gaf hem met mijn gevoelloze, bloedige hand een klap tegen de zijkant van zijn hoofd.

Mama kwam met een lamp de woonkamer in. Ze had een vlecht in haar haar. Als ze het vlocht, leek het grijzer dan als het loshing.

'Hij is dronken,' zei mama. 'Hij weet niet wat hij doet.'

'Dronkenschap is geen excuus,' zei ik.

Fay kwam met een deken om haar schouders uit de donkere gang.

'Je moet als goed christen handelen,' zei mama.

'Ik heb niks gedaan,' zei Moody. Hij veegde het bloed van zijn mond. 'Maar misschien weet ik wie het wél heeft gedaan.'

Ik vroeg mama wat een goed christen dan zou doen. Ik was zo woedend dat ik amper voelde dat mijn voeten op de vloer stonden.

'Zeven maal zeventig maal vergeven,' zei mama.

'Ik heb Moody al wel duizend keer vergeven,' zei ik.

Moody was alweer op de vloer gaan zitten. Hij voelde aan zijn lip en keek naar het bloed op zijn hand. Hij was griezelig stil, alsof hij over iets nadacht wat hij niet begreep en het niet helder kon zien.

Die eerste kerstdag liep ik langs de rivier om maar niet thuis te hoeven zijn. Ik schaamde me en ik voelde me schuldig. Aangezien mijn eigen broer het werk aan de kerk had vernield, was het bijna hetzelfde als wanneer ik het zelf had gedaan. Ik kan het niet goed uitleggen, maar zó begon ik het te voelen. Alsof ik het bijna zelf had gedaan. En ik voelde me schuldig omdat ik Moody had geslagen terwijl hij dronken was. Maar wat me vooral schuldgevoelens bezorgde, was dat ik mijn zelfbeheersing had verloren. Wanneer je kwaad wordt en iemand slaat, voel je je daarna altijd schuldig, wat die ander ook heeft misdaan. Mama had gelijk: een christen zou zeven maal zeventig maal moeten vergeven. Ik had mama teleurgesteld en ik had mezelf teleurgesteld. Mijn goede bedoelingen en nobele ambities hadden alleen maar problemen veroorzaakt, dacht ik. Ik vroeg me af of ik het bouwen van de kerk niet beter kon staken en uit Green River weggaan, voorgoed, zoals ik me al zo vaak had voorgenomen.

Ik liep in de heldere zon van die kerstdag langs de rivier en hoorde de beagles blaffen in de velden boven het huis van de Banes. Iemand was met Kerstmis op konijnenjacht en vermaakte zich, zoals de bedoeling was. Een geweerschot echode van de berg boven de rivier. Iemand genoot van zijn vrije kerstdagen.

Toen ik bij de vorken kwam waar Rock Creek in de rivier stroomt, stopte ik en bleef tussen de dennen staan. Ik wilde niet verder gaan. Het gekef en gejank van de beagles hoog op de berg klonk als een zwerm ganzen. Hun lawaai overstemde dat van de kreek. Ik zakte op mijn knieën in de dennennaalden.

Ik luisterde naar het geluid van de wind in de dennen, dat klonk als een oceaan van lang geleden, en naar het murmelen van de kreek, en de beagles die de lucht in vuur en vlam zetten met hun gekef. Wie was ik om me aan de wereld op te dringen? Wie was ik om verzoeken tot God te richten? Met welk recht nam ik ruimte, lucht en water van anderen in beslag? Wie was ik om antwoord op mijn gebeden te eisen?

Mijn verslagenheid was zo totaal dat ik me erdoor gelouterd voelde toen ik weer overeind kwam. Toen ik langs het pad naar beneden liep, voelde ik me gedoopt door mijn schaamte. Ik was naakt tot op het bot en vernederd en er zat niets anders op dan van voren af aan beginnen. Ik was zo vrij alsof ik opnieuw was geboren. Mijn woede en verslagenheid hadden me gezuiverd, en ik voelde me licht toen ik het pad volgde en de kreek overstak. Ik voelde me zo naakt als een baby, daar aan de rivier. Ik kon gaan en staan waar ik wilde. Ik kon aan Green River ontkomen.

Zodra ik thuis was, pakte ik mijn rugzak. Ik propte er sokken en ondergoed in, een extra hemd en een broek. Ik gooide er munitie en lucifers bij. Ik liep naar de keuken, vulde een papieren zak met maïsmeel en pakte hem met mijn kookgerei in. Ik pakte mijn .22-geweer uit de kast en haalde vier dollar uit het kistje dat ik op de balk boven de kastdeur had verstopt.

'Waar ga je naartoe?' vroeg mama.

'De wildernis in,' zei ik.

DERDE LEZING

1923

21

Muir

Ik ging naar het westen, want dat leek me de richting van de vrijheid. Als je met een schone lei wilde beginnen, ging je naar het westen.

Het bos rook hartje winter naar natte, rottende bladeren en er steeg een muskusachtige geur op uit de modder langs de rivier. Het was een geur van holten en moerassen. Tegen de avond zou ik op veel hoger gelegen terrein zijn. Ik stampte op de grond, zo blij was ik dat op weg was.

Ik bereikte de Flat Woods tegen zonsondergang en zette mijn tent op. Het was mijn oude jachtterrein. De bomen waren zo vertrouwd als oude vrienden. Het voelde goed om daar bij een vuurtje onder de sterren te slapen, alleen was het zo'n koudenacht dat ik telkens moest opstaan om brandhout te halen. Ik droomde dat ik helemaal naar Black Balsam liep en misschien nog wel verder, naar de Smokies en de blauwe wildernis in het westen, waar de bergkammen rij na rij en piek na piek oprijzen. De grond waarop ik lag kon me overal naartoe brengen waar ik naartoe wilde, desnoods naar de Rocky Mountains, als ik zo ver wilde lopen.

Ho even, zei ik in mijn halfslaap tegen mezelf. Langzaam aan, Muir, ouwe makker, dan breekt het lijntje niet. Niet zo hard van stapel lopen als vroeger. Als je een lange reis wilt maken, kun je beter rustig beginnen. Doe het stap voor stap en dag voor dag. Als je je gaat haasten, loopt je reis af met uitgeputte benen. Alle wegen leiden naar hetzelfde doel, dus waarom zou je je haasten? Matig je tempo en wees vredig in het vreedzame koninkrijk.

Ik stond voor het krieken van de dag op en tegen de tijd dat de zon boven Chimney Top opkwam, was ik al in Transylvania. Ik bleef uit de buurt van de brede kreken en wegen en stak regelrecht de bergen over naar Brevard. Tegen de middag kwam ik in het dorp Brevard aan en daar kocht ik vier blikjes sardines, een pak sodacrackers en wat snoeprepen bij een winkel. Ik hoefde mijn kampeerproviand niet aan te breken voordat het echt nodig was. Maar ik bleef lopen. Ik stopte pas bij de rivier de Davidson die helder schuimend en zingend uit de hoge bergkommen onder Pisgah tuimelde. Ik ging aan de oever zitten om een blikje sardines te eten.

Ik stak het sleuteltje in het lipje op het blik, rolde het metalen deksel open en zag de rij visjes in olie. Ik had wel met de vork uit mijn rugzak willen eten, maar het was me te veel moeite. Ik kon met mijn vingers eten en ze dan met zand en rivierwater wassen.

Ik had het blikje bijna leeg toen ik een oude man zag die naar me stond te kijken. Hij had zich achter een paar magnolia's langs de rivier verstopt en hij droeg een ruwe grijze jas en een geplette hoed. Hij stond nog geen vijftien meter vandaan van achter een boom naar me te gluren.

'Hallo,' zei ik, alsof die oude man zich helemaal niet had verstopt om me te bespioneren. Ik deed net alsof hij daar gewoon was en ik hem net had gezien.

De man stak zijn grijze hoofd om de boomstam en tuurde naar me alsof hij zich afvroeg of hij me wel goed had verstaan.

'Hoe maakt u het?' vroeg ik.

De oude man kwam snel achter de magnolia's vandaan en liep naar me toe. Zijn kleren waren voddig en hij had een revolver tussen zijn riem gestoken. 'Ben je gezond?' zei hij.

Ik wist niet zeker of hij dat zei, maar ik kon er niets anders van maken. 'Zo gezond als ik maar kan zijn, denk ik,' zei ik. Ik vond het niet prettig dat hij een revolver in zijn riem had.

'Zo, dus je zit te picknicken?' zei de oude man. Hij keek strak naar het sardineblikje in mijn hand.

'Wilt u ook wat sardientjes?' zei ik. Ik rook de oude man. Hij rook naar vodden die jaren op een zolder hebben gelegen.

'Zo te zien heb je genoeg om te delen,' zei de oude man. Hij stopte zijn handen in zijn zakken.

'Meer dan genoeg,' zei ik, en ik pakte een blikje uit de papieren zak. 'Alstublieft.'

De oude man kon het sleuteltje niet meteen in het lipje krijgen, maar toen het hem na een paar pogingen lukte, rolde hij het blikje prompt open en begon met zijn vingers sardientjes te eten. Hij ging naast me op de oever zitten en ik reikte hem het pak crackers aan.

'Mijn dank is groot, jonge vriend,' zei de oude man. Hij at alsof hij in dagen geen hap binnen had gekregen. Opeens veegde hij zijn rechterhand aan zijn broek af, pakte de revolver uit zijn riem en legde hem naast zich op de grond.

'Je bent toch niet van plan je hier te vestigen, hè?' zei hij, en hij keek me streng aan. Er waren druppels olie en crackerkruimels in zijn baard blijven hangen.

'Ik ben alleen gestopt om een hapje te eten,' zei ik.

De oude man keek naar de rugzak op de grond, naar mijn geweer en mijn opgerolde deken. 'Dat kan ik niet toestaan,' zei hij. 'Je kunt je hier niet vestigen.'

'Wie bent u eigenlijk?' zei ik.

'Ik bewaak deze nederzetting,' zei de oude baas.

'En welke nederzetting is dat?'

'De rivier, de Davidson.' Hij gebaarde naar de bossen stroomopwaarts en stroomafwaarts. Ik keek om me heen in de verwachting een huis of een open plek te zien die me waren ontgaan, maar ik zag alleen bomen.

'Ze zijn nu allemaal weg, maar ze komen terug,' zei de oude man. 'Ik ben wat je de opzichter zou kunnen noemen, en ik hou hier een oogje in het zeil tot ze terugkomen.'

'Waar zijn ze naartoe?' vroeg ik.

'Sommigen zijn naar Texas gegaan, sommigen naar Arkansas in het westen en sommigen helemaal naar Montana, geloof ik. De Whites zijn naar Asheville verhuisd, maar ze komen terug.'

Ik keek nog eens om me heen alsof ik probeerde iets in de bossen langs de rivier te ontdekken dat me was ontgaan.

'Ik kan niet toestaan dat je je hier vestigt,' zei de oude man. 'Het is mijn plicht de boel hier in de gaten te houden.'

'Aha,' zei ik. De oude man pakte zijn revolver, maar richtte hem niet op mij. Hij hield hem recht voor zich uit.

'Snap je, jongen?' zei hij.

'Dus u bent hier de opzichter?' zei ik.

'Mijn vader was de dominee hier, Charlie Pyle,' zei de oude man. 'Toen ze naar Arkansas trokken, ben ik achtergebleven.'

'Waarom bent u gebleven?' zei ik.

'Ik ben hier gebleven om te jagen en te vissen, dacht ik. En toen ze allemaal weg waren, begon ik in de loop der jaren geleidelijk te beseffen wat mijn taak was. Zo gaat dat met mannen, die gaan stukje bij beetje inzien wat hun bestemming is. Ik begreep dat ik niet hier was gebleven om alleen maar te jagen, te vissen en muskusratten in de bergen te vangen. Ik was uitverkoren om achter te blijven en op alles te passen tot ze terugkwamen. Daarginder, daar stond de school.' Hij wees naar de essen langs de rivier, maar ik zag niets anders dan bomen en nog eens bomen op de vlakte.

'Wanneer komen ze terug?' vroeg ik. Ik hield de loop van de revolver in de gaten. Het was een oud cavaleriemodel, een .45, vies en vol krassen. Ik kon niet zien of het ding geladen was.

'Ze kunnen elk moment komen,' zei de oude man uitdagend, alsof hij dacht dat ik hem niet geloofde. 'Het huis van Partridge stond daar, onder de bron. Mary Alice Partridge was mijn liefje. Ik ga met haar trouwen als ze terug zijn.'

De oude man draaide zich naar me om en keek me priemend aan. 'Je kunt je hier niet vestigen, jongen,' zei hij.

'Ik ben alleen op doorreis,' zei ik. 'Ik ben onderweg naar Black Balsam.'

'Dit land is al bezet,' zei de oude man.

'Ja, ik zie het,' zei ik.

'Mary Alice en ik speelden altijd bij de bron,' zei hij. 'Weet je wat een springbron is?'

'Niet echt,' zei ik.

'Dat is een bron die opeens opspuit, alsof het vloed is, en na een paar minuten weer droogvalt, of zo goed als droog. En dan begint hij na een poosje weer te spuiten.'

'Hoe komt dat?' zei ik. De revolver op de schoot van de oude man was bijna recht op mij gericht.

'Meneer Bailey, die hier de onderwijzer was, zei dat het een soort sifon was,' zei de oude man.

'Een sifon?'

'Als een kom in de berg die volloopt, en als hij vol is, ontstaat er een soort hevelwerking, net als in een sifon, en dan loopt hij leeg.' De oude man had de sardines op en gooide het blikje in de struiken. Hij veegde zijn handen eerst aan wat bladeren af en toen aan zijn broek.

'Mag ik uw revolver eens zien?' zei ik.

'Ik kan niet toestaan dat je je hier vestigt,' zei de oude man, 'al zie ik wel dat je een gemoedelijke jongen bent. Er is hier geen land over om je te vestigen.'

'Ik ben maar op doorreis,' zei ik.

'Ik zou het niet goed kunnen vinden als je hier een stuk grond wilde opeisen en rooien,' zei de oude man. 'Al stel ik je gezelschap nog zo op prijs.'

'Ik ben op weg naar Black Balsam,' zei ik. 'Maar het is goed dat u hier toezicht houdt.'

'Je mag hier best kamperen,' zei de oude man. 'Ik blijf hier zelf tot mijn ouders terugkomen.'

'Hoort u weleens iets van ze?' zei ik.

'De laatste paar dagen niet meer,' zei de oude man, die naar zijn handen keek alsof hij iets in zijn geheugen zocht.

'Misschien schrijven ze binnenkort,' zei ik.

'Ze komen heus wel terug,' zei de oude man vinnig, alsof ik hem had tegengesproken.

'Ja,' zei ik, 'en dan zullen ze dankbaar zijn dat u hier toezicht hebt gehouden.' Ik stopte mijn hand in de zak, pakte twee snoeprepen en gaf er een aan de oude man. Hij scheurde de wikkel eraf als een kind dat een kerstcadeautje uitpakt. Toen at hij de reep langzaam op, genietend van elke kruimel chocola en karamel, elke pinda en elke taaie klont noga.

'Je bent toch geen dominee?' zei de oude man.

'Nee, ik ben geen dominee,' zei ik.

'We hebben al een dominee,' zei hij. 'Mijn vader preekt het evangelie.'

'Ik moet verder,' zei ik. Ik reikte naar mijn rugzak en mijn geweer tussen de bladeren. De oude man pakte zijn revolver en nam me onder schot. Ik wilde hem wegduwen, maar besefte net op tijd dat hij hem me aanbood.

'Het is een Colt vijfenveertig, zo een waar cowboys mee lopen,' zei hij.

De revolver was zwaar en vies. Hij was zo oud dat de randen van de cilinder waren afgesleten. Ik draaide de cilinder rond en zag dat alle kamers leeg waren. Ik spande de hamer en zag dat de veer geknapt was. Uit het vuil in het mechaniek en de loop bleek duidelijk dat de revolver al jaren niet meer was afgevuurd. 'Dat is een echte Colt,' zei ik, en ik gaf hem terug.

'Ik moet mijn patrouille lopen,' zei de oude man. Hij likte de chocola van zijn vingers. 'Ik loop elke week van de riviermonding naar de hoogste bron aan gene zijde van Looking Glass Rock. Weet jij waar de Pink Beds zijn?'

'Ik heb er weleens van gehoord.'

'Ik pas ook op de Pink Beds,' zei de oude man, 'waar de mensen vroeger in de zomer tussen de roze bloemen kampeerden met hun huifkarren en hun tenten, en zelfs met hun koeien en kippen. Mensen uit Asheville en helemaal uit South Carolina.'

Ik stond op en hing de rugzak met de opgerolde deken erbovenop om mijn schouders. Het geweer klemde ik onder mijn arm. 'Ik ben Powell,' zei ik.

'Ik ben Pyle,' zei de oude man. Hij keek me na. Toen ik zo'n tien roeden had gelopen, riep hij me na: 'Pas op voor panters in de Balsams.' Ik liep nog een paar passen door en draaide me toen om om naar hem te zwaaien, maar hij was nergens meer te bekennen. Hij was tussen de struiken langs de rivier verdwenen.

Ik volgde een karrenspoor langs de rivier langs een aantal hoeven met staande schoolstenen en keldergaten vol bladeren. Een paar houten huizen waren zo verzakt alsof ze in de grond waren geduwd. Ik zag maagdenpalmen en oud bukshout op erven, lang geleden door vrouwen geplant. Ik liep langs een molen en zag een molensteen als het wiel van een stenen kar tussen de bladeren liggen. In de vork van de rivier stond een houten kerk waarvan de toren was ingestort doordat er een boom op was gewaaid.

Waar zijn die gezinnen gebleven? dacht ik. De oude man loopt dag in, dag uit, decennium in, decennium uit zijn ronde door deze spookstad. Ik zag een oude school met een roestige bel die nog tussen zijn palen hing, klaar om de kinderen te waarschuwen dat de pauze voorbij was. Het leek of iedereen was ontvoerd, zoals de geredde zielen volgens de bijbel meegenomen zouden worden bij de wegvoering, wanneer bedden en graven geledigd zouden worden.

Op de plek waar de weg een van de zijkreken volgde, zag ik een groep zerken tussen de bomen staan. De grove letters waren er met de hand in gebeiteld, en sommige waren zo gaan hellen dat ze waren omgevallen. Sommige grafstenen waren door doornstruiken overwoekerd. Ik zag de naam JONES op een steen en IN GLORIE op een andere. Gebroken flessen lagen her en der tussen de bladeren waar jaren geleden bloemen waren gelegd.

Ik dacht dat ik de oude nederzetting al voorbij was toen ik op een laatste blokhut stuitte. Hij was zo klein dat ik eerst dacht dat het een schuur of stal was, of misschien een jachthut, maar er zat een raam in het dak waar vroeger de zolder was geweest waar men op stromatrassen had geslapen. Er groeiden ranken uit de ramen.

De deur van de verweerde blokhut was weg, maar ik zag de flarden van de leren scharnieren die hem op zijn plaats hadden gehouden. En toen zag ik iets anders aan de deurpost. Er was een vod omheen gebonden, als een zakdoek. Het was verschoten en beschimmeld. Ik liep erheen en tilde een puntje op. De stof scheurde in mijn hand, maar ik zag dat hij ooit rood was geweest, dat er een soort rode sjaal om het hout was gebonden. Ik herinnerde me dat als iemand in tijden van weleer pokken of tyfus had, er een rode doek aan de deur van de patiënt werd gebonden om mensen te waarschuwen dat ze uit de buurt moesten blijven. Als er een epidemie was, werd er een rode doek om een boom langs de weg gebonden om reizigers te waarschuwen dat ze verder moesten trekken. Ik liet het vod los alsof ik me eraan had gebrand en veegde mijn handen aan een boom af. Ik wist dat ziektekiemen niet al die jaren op een vodje konden overleven, maar desondanks veegde ik mijn handen schoon aan de boomschors.

Ik volgde het karrenspoor door het smalle rivierdal omhoog en zag de steile wand van Looking Glass Rock voor me oprijzen. Het was een berg van massief graniet met een grote kale kruin en een halve schedel bomen op de top. De berg rees driehonderd meter loodrecht op voordat hij als een voorhoofd week. Ik had nog nooit zoiets steils en groots gezien. Waarom zou je nog een kerk bouwen als er al zo'n grote steenmassa in de wildernis staat? dacht ik. En toen dacht ik: nee, iets uit de natuur is niet hetzelfde als iets wat door mensenhanden is gemaakt. Het feit dat iets door een mens is bedacht, geeft het een bijzondere schoonheid en betekenis.

De weg liep helemaal tot aan de voet van Looking Glass Rock, en recht boven me zag ik stroompjes door groeven in het massieve graniet naar beneden lopen. Er waren namen in de voet gekerfd, en tekeningetjes die op symbolen uit een vreemde taal leken, en op sommige plekken was de steen door vuren zwartgeblakerd. Struiken groeiden uit barsten in de enorme rots. Het was allemaal zo grootschalig. De rots was groter dan welke kathedraal ook. De dennen die uit de natte aarde aan de voet groeiden, hadden een doorsnede van wel tweeënhalve of drie meter. De laurierstruiken schoten boomhoog uit de rotte bladeren onder de rots op.

Ik keek op mijn profielkaart en zag dat ik net voorbij Looking Glass Rock de weg moest verlaten. Ik pakte mijn kompas en bepaalde grofweg welke richting ik moest volgen. De piek van Big Pisgah rechts van me stak zo steil en puntig als een haverzak de lucht in. Ik moest langs de bergketen naar het westen. Ik keek over de vallei van de Pink Beds naar de helling van Clawhammer Mountain. Er was een pad dat naar links afboog en dat nam ik.

Naar het westen lopen heeft iets geruststellends en opwindends. Ik had Black Balsam en de hogere bergen naar het westen toe altijd al willen zien. Het westen trekt je als een magneet naar iets groots en nieuws.

Het klimmen met de rugzak en het geweer ging al snel steeds trager. Al klimmend voelde ik de kracht in mijn borstkas afnemen. Lang voordat mijn benen moe werden, voelde ik me al moe in mijn borst en keel. Het bloed weet wanneer je moe bent, dacht ik. Onder het klimmen bedacht ik dat de tijd je net als de zwaartekracht naar beneden trekt, je naar beneden sleurt, je uitput. Dominee Liner en zijn raad van ouderlingen, Moody met zijn sarcasme, Annie, ze haalden me allemaal naar beneden.

Klimmen is zo gemakkelijk dat het onbegrijpelijk is dat je er zo moe van wordt. Je zet gewoon je ene voet voor de andere en doet een pas omhoog. De spieren in je knieholte tillen je bij elke stap een paar centimeter hoger. Voetje voor voetje til je jezelf uit het kreekdal de lucht in. Het is de hefboomwerking van je voeten op de grote wig van de berg.

Ik ging langzamer lopen en duwde mijn tenen bij elke pas in de bladeren. Ik klom zijdelings, de steilste stukken met zigzagbochten ontwijkend. Mijn laarzen zonken zoekend naar houvast in de zachte aarde onder de bladeren.

Toen ik eindelijk om de rand van de richel kwam, zag ik een klif hoog boven me. Het was een immense rots die in lagen uitstak, als een gezicht met een kin, lippen, een neus en wenkbrauwen. In de namiddagzon leek het van glimmend koper. Het deed me denken aan de plaatjes van de sfinx. Het klif hing daar zo hoog als een wolk, donker en dreigend.

Ik pakte mijn kaart en zocht de lijnen en namen af. Waar ik dacht te zijn, heette het Devil's Courthouse, op een hoogte van 1722 meter. De enige andere naam langs de richel was Black Balsam. Ik keek recht omhoog naar Devil's Courthouse. Ik wist dat de Cherokees die plek zo hadden gedoopt, maar het klif leek niet erg op een gerechtsgebouw. Het leek op een lelijk gezicht dat uit de berg stak.

Het was bijna donker in de vallei. Ik deed mijn rugzak af en zocht naar een vlakke plek tussen de bladeren. Ik vond een soort terras, maakte een vuur en sneed toen wat dennentakken om op te slapen. Ik besloot niet te koken, maar nog wat sardines en crackers te eten. Ik kookte wel water om koffie te zetten. Het was al koud in de vallei onder het klif en ik zag ijs op de rots hoog boven me. Zodra ik had gegeten waste ik mijn handen in een stroompje en sloeg mijn deken om me heen. Toen ging ik bij het vuur koffie zitten drinken tot ik niet meer uit mijn ogen kon kijken van moeheid.

Die nacht hoorde ik een dreun als van een geweer of een kanon. De reeks echo's klonk als een goederentrein op een overdekt rangeerterrein. Maar ik hoorde het niet nog eens, en vroeg me af of ik het niet had gedroomd. De hele nacht kroop de koude lucht van het klif omlaag en kwam dicht om me heen hangen.

De volgende ochtend lag er ijs op de kreek en het water in mijn veldfles. Ook al had ik me in mijn deken en mijn dikke jas gewikkeld, ik was koud tot op het bot. Het vuur was gedoofd en ik moest in de bladeren naar twijgen en stokjes wroeten om het weer aan te steken. Mijn handen beefden toen ik een lucifer aanstreek, maar ik hield ze als een kommetje om de vlam tot die een houtsplinter en toen nog een aanstak en de beschaduwde bosgrond werd verlicht.

Ik had thuis koffie gemalen en in een waterdicht blik gestopt. Ik zette een pan water voor de grutjes naast de koffiepot en raapte meer takken om het vuur op te stoken. Van niets krijg je zoveel waardering voor huizen als van kamperen in de kou, dacht ik. De gewoonste dingen als stoelen en een kachel worden opeens kostbaar en begeerlijk.

Terwijl ik de dampende grutjes uit de pan at, werd ik wakker en verzamelde ik mijn krachten. Mijn rug en benen deden nog pijn van de vorige dag, maar minder, dankzij de nacht slapen. Ik trok schone sokken aan en reeg mijn laarzen dicht. Het klif boven me, op het westen, was nog in duisternis gehuld. Ik kon de omtrekken nauwelijks zien. Ik trapte het smeulende vuur uit, rolde mijn deken op en hing mijn rugzak om. Ik nam een kleine pas, nog een en nog een. Een hert sprong weg met een staartje dat oplichtte als een lantaarn.

Tegen de tijd dat ik halverwege de top was, was ik bezweet en buiten adem. Ik stopte om te rusten en zag een boom naast me die geen den was. Zijn naalden waren kort en glinsterden als blauwe kristallen, en de boom zelf was bijna zwart. Het was een balsemboom, de eerste die ik in het wild zag. Ik voelde aan de scherpe, stijve stekels. De bast was schubbig en bedekt met mos en korstmos. Ik keek langs de richel omhoog en zag er meer, zo puntig als torenspitsen. Het waren Noordelijke bomen. Ik had gelezen dat ze hier in de IJstijd op de pieken waren gestrand.

Ik brak een twijg af en snoof het parfum van het sap op. Het rook zoeter dan dennennaalden en het deed me denken aan Kerstmis en de wierook en mirre van de drie wijzen. De zwarte bomen stonden verspreid over de helling boven me, steeds dichter bij elkaar, en op de top stond het er vol mee.

Het was moeilijk om me tussen de balsembomen door te werken, want ze waren stijf en prikkelig. Ik baande me een weg van open plek naar open plek. Takken knapten en sloegen als losgesprongen veren tegen mijn handen. Er liep strooisel in mijn boord. Naalden krasten langs mijn wangen.

Toen ik boven was, zag ik niets meer. De sparren stonden zo dicht opeen dat ik niet eens zeker wist óf ik wel op de top was. De wind zong in de bomen boven me en ik hoorde een ver gerommel aan de andere kant, in de diepte. Kon het de wind in de kloof zijn? En toen hoorde ik een *tjoe-tjoe-tjoe*-geluid, en een klap alsof er twee gebouwen op elkaar botsten. Maakte de berg geluid vanbinnen? Ik had weleens gehoord van bergen die kreunden en rommelden en donderden in hun ingewanden. Was dat de reden waarom de Cherokees bang waren geweest voor deze bergtop en dachten dat de duivel er rondwaarde?

Ik ploeterde door de verschrikkelijke struiken naar links. Toen zag ik eindelijk zonlicht voor me en ik drong me de openlucht in. Ik kwam op een open plek met onkruid en bergessen en sumak. Ik hield mijn hand boven mijn ogen tegen de opkomende zon en keek langs de helling de diepte in. Eerst zag ik alleen rook en wist ik niet wat ik precies zag. *Tjoe-tjoe-tjoe*, klonk het van beneden. Toen zag ik de locomotief door de vallei puffen. Ik had geen spoorweg gezien op mijn topografische kaart.

Opeens zag ik de vallei duidelijker en rook ik de geur van hakhout op de wind die van de richel kwam. En ik rook een brandlucht en toen zag ik dat alle hellingen en dalen beneden gerooid waren. Ik zag slordige bergen stammen, stapels houtblokken en hopen brandende takken. Ik zag stoomshovels die rook uitbraakten en trucks en kranen op de helling. De kaalgeplukte bergwand was zo lelijk als een schurftige hond. Over de zijtakken van de rivier waren provisorische bruggen op pijlers gebouwd en er waren wegen uitgehakt. Er lag zoveel afval van bomen en struiken dat de bergwand eruitzag of hij fijngekauwd en uitgespuugd was.

'Hé, maat, wat moet dat daar?' riep iemand.

Ik keek om en zag een geüniformeerde man die een geweer op me richtte. Hij had een pet op als van een sergeant, met een brede, platte klep. 'Wat moet dat daar, maat?' herhaalde hij terwijl hij op me afkwam.

Hij had een dun snorretje en aan de hand waarmee hij het geweer vasthield droeg hij een dikke gouden ring met een witte steen. 'Dit land is gepacht door de Sunburst Lumber Company,' zei hij. 'Indringers worden vervolgd.'

'Ik trek alleen maar naar Black Balsam,' zei ik. Ik vond het vreselijk om te worden verhoord, en hij had me overdonderd.

'Trek jij maar gauw verder,' zei de man. 'Waar kom je vandaan?'

Opeens werd ik kwaad. 'Waar kom jíj vandaan?' zei ik.

De man deed een pas achteruit, spande de haan van de .30-30 en richtte het dubbelloops geweer op mijn borst. 'Ik kom van de andere kant van dit geweer. En nou wegwezen!' zei hij. Hij prikte met de lopen van het geweer in mijn buik en ik deinsde achteruit. Hij prikte nog eens naar me en ik liep verder achteruit, de open plek op.

'Ga terug naar waar je vandaan komt, maat,' zei hij.

Ik vond het vreselijk om zo met een geweer bedreigd te worden. Ik voelde me zo hulpeloos als een kind dat slaag met het rietje dreigt te krijgen. De tranen sprongen me in de ogen. Ik draaide me om en liep naar de balsembomen. Ik had me op de meest onverwachte manier en op de meest onverwachte plaats moeten onderwerpen. Aan de rand van de bomen keerde ik me naar de geüniformeerde man om.

'Donder op!' schreeuwde hij. 'Kun je me soms niet verstaan?'

Ik strompelde de struiken in. De tranen stroomden over mijn wangen. Ik duwde takken opzij en werd zelf opzijgeduwd door het dichte struikgewas. Doornen en struiken klauwden naar mijn kleren. Een balsemnaald stak in mijn rechteroog. Toen ik zo'n honderd meter langs de helling naar beneden was gelopen, bleef ik staan. Er kleefden stukjes schors en twijgjes aan de tranen op mijn wangen. Ik veegde met de rug van mijn linkerhand mijn ogen droog.

Als ik nu terug naar boven klom en de parkwachter met mijn .22 doodschoot, zou niemand ooit weten wie het had gedaan. Niemand wist dat ik in de bergen zat. Ik kon die opzichter vanuit de bomen neerschieten en die klootzak zou niet eens weten wat hem overkwam. Ik kon hem ook in zijn buik schieten, zodat hij een langzame, pijnlijke dood zou sterven en kijkend naar zijn bebloede uniform dood zou bloeden.

Weg hier. Donder op. Ik bleef die akelige stem maar horen. Ik was misselijk van al die mensen die zo tegen me praatten. De parkwachter had me geïntimideerd en vernederd, net als de sheriff en de anderen. Ik besloot even uit te rusten, dan kon ik straks terug klimmen om die vent dood te schieten, maar hoogstwaarschijnlijk stond hij me op te wachten. Waarschijnlijk rekende hij er zelfs op dat ik terug zou komen. Ik overwoog mijn tocht gewoon af te breken en naar huis te gaan, maar thuis wachtte niets anders op me dan de puinhopen van mijn kerkfundering op de bergtop. Ik leek nergens naartoe te kunnen. Ik overwoog de geüniformeerde man vanuit een hinderlaag te vermoorden en zijn lijk tussen de struiken te begraven. Geen mens zou ooit weten waar hij gebleven was.

Ik pakte de kaart uit mijn rugzak, legde hem opengevouwen op de grond en bestudeerde de vakken. Ik zat nu in de kloof ten westen van Devil's Courthouse, op een paar kilometer afstand van de hoge piek van Black Balsam. Wat ik zou kunnen doen, was een omtrekkende beweging langs de struiken maken en dan de piek zelf beklimmen. Als ik tussen de sparren bleef, zou geen mens me zien. Ik kon de piek bereiken, daar overnachten en rustig bedenken wat ik daarna wilde doen.

Het kostte me de hele ochtend om weer naar het hardhout af te dalen en vervolgens opnieuw langs de bergketen naar Black Balsam te klimmen. Ik hield de kaart bij de hand en moest een aantal malen mijn kompas pakken om mijn koers te bepalen. Telkens wanneer ik aan de parkwachter dacht, stampvoette ik en schopte ik tegen de bladeren. Toen het etenstijd was, maakte ik geen vuur, maar at ik het laatste blikje sardines en de laatste snoepreep op.

Na het eten waste ik mijn handen in een sijpelbronnetje en droogde ze aan een boombast, en toen begon ik de piek van Black Balsam te beklimmen. Ik begon langzaam en gestaag, stap voor stap en steen voor steen, en zo werkte ik me boven de beuken en bitternoten uit. Toen ik hoger kwam, lag er hier en daar sneeuw op de grond. De lucht was ijl en koud. Toen ik bij de sparren kwam, ging ik nog langzamer lopen en probeerde ik de dichtste groepen balsambomen te omzeilen. Ik vroeg me af of ik mijn geweer op die parkwachter zou kunnen richten. Ik vroeg me af of ik hem kon doodschieten.

De bomen op de top waren niet gekapt, maar toen ik boven was, hoorde ik het *tjoe-tjoe* van de stoommotoren, geschreeuw van mannen en gehinnik van paarden. De kapgrens lag nog geen honderd meter onder me aan de andere kant van de piek. Ik deed mijn rugzak af en liet hem op de uiterste top liggen. Met het geweer in mijn linkerhand kroop ik naar een punt vanwaar ik uitzicht had over de gekapte, kaalgeslagen berghelling en de vallei.

Ergens was ik bang dat ik de parkwachter op de open plek zou zien staan, dat hij me stond op te wachten, maar ergens hoopte ik ook hem te zien staan. In plaats daarvan zag ik tientallen mannen die stammen verzaagden en takken afhakten. De stammen werden door vier- en zesspannen ossen uit de kloven omhooggetrokken. Een stoomshovel zwaaide de stammen op een plateau. Ik zocht naar het petieterige locomotiefje dat ik vanaf Devil's Courthouse had gezien. Ik hoorde het *tjoe-tjoe-tjoe* van de locomotief nog, en de fluit, maar hij reed kilometers onder de ossen en zaagploegen. Hier en daar waren paden en wegen uitgespaard tussen de wirwar van stammen en bergen takken.

En toen zag ik hoe ze het hout van de berg naar de spoorbaan vervoerden. Er was een kistdam in een stroom bijna boven in de vallei en van daar hadden ze een goot van planken in het water gemaakt. De goot werd over ravijnen en droge beddingen geleid. Het water stroomde snel door de goot die over schraagbruggen en ravijnen naar beneden liep. Op een aantal plateaus langs de goot werden de stammen door stoomshovels een voor een in de geul stromend water getild. De stammen schoten door de goot de berg af, tegen de planken botsend en slaand tot ze uit het zicht verdwenen waren.

Het was een slimme manier om stammen van de berg naar het spoor te vervoeren, dat moest ik die lui nageven. Ze hadden de berg verwoest, maar wel op een deskundige manier. Mannen met kanthaken en koevoeten rolden de stammen stuk voor stuk in de bruisende stroom. Ik zag dat een stam klem kwam te zitten in de goot. Misschien was het een extra dikke, of zat er een knoest aan, dat kon ik niet zien. Misschien bleef de stam achter een uitstekende spijker in de goot haken.

Op de plek waar de grote stam bleef steken, spatte en bruiste het water in een hanenstaart over de goot. Het stroomde zo snel dat het wel drie meter opspatte. Ik zag een regenboog in de fontein. Een aantal mannen klom naar de goot om de stam met kanthaken los te trekken. Een man in een bruin uniform stond eronder met zijn armen te zwaaien alsof hij aanwijzingen schreeuwde. Hij leek op de parkwachter die me onder schot had gehouden. Ik bracht mijn .22 omhoog en nam hem op de korrel, maar hij stond zeker vijfhonderd meter bij me vandaan. Ik liet de loop weer zakken.

De man in uniform klom over de schragen in het bruisende water, pakte de kanthaak van een van de andere mannen en probeerde de stam los te wrikken.

Vanuit een ooghoek zag ik dat de ploeg bij het hoogste plateau weer een stam naar de goot rolde. Zagen ze dan niet wat er onder hen gebeurde? Ze wilden toch niet nog een stam in dat wilde water gooien? Drie mannen op het bovenste plateau gingen met hun kanthaken achter de stam staan en begonnen hem te rollen. Ze porden en duwden de stam naar de rand van de goot.

De stam rolde erin zoals een kogel in de kamer van een geweer klikt. Hij schoot weg, minderde vaart in een bocht en kwam weer op snelheid. Ik zag dat de goot zo om de helling draaide dat de mannen op het tweede plateau het bovenste net niet konden zien.

De man in het bruine uniform in de diepte klom in de goot om meer vat op de vastzittende stam te krijgen. Hij keek niet omhoog. Hij leek naar de andere mannen te schreeuwen en bevelen uit te delen. In al dat opspattende water kon hij waarschijnlijk niet eens zien wat er boven hem gebeurde en niet horen wat ze tegen hem zeiden.

De aankomende stam zwaaide naar de lange bocht en viel in de stroom zoals een nerts uitschiet om zijn prooi te pakken. Als ik roep, horen ze me dan? vroeg ik me af, en als ik schiet, zouden ze het schot dan horen? Maar het was te ver weg en ik probeerde niet eens te waarschuwen.

Toen de aanstormende stam de beknelde raakte, werd de parkwachter in uniform opzij gestuwd. Hij vloog de lucht in alsof hij op een staaf dynamiet zat en stortte in de vallei diep onder hem. De stammen tolden in verschillende richtingen en de splinters vlogen in het rond. Van de hele berghelling kwamen mannen aangerend. De goot was nog heel en het water stroomde er snel en sprankelend doorheen.

Ik was bijna te slap van angst en opwinding om naar de struiken terug te kruipen en weer naar de top te klimmen. Ik hield het geweer in mijn bevende hand. Bij mijn rugzak aangekomen liet ik me op het kussen van naalden zakken om bij te komen.

Later hoorde ik een stoomfluit beneden fluiten, fluiten en nog eens fluiten. Ik denk dat ze het lichaam van de opzichter naar beneden brachten, naar Asheville. Ik wist zeker dat het de man was die me had bedreigd. Ik rook het mos en de schimmel onder me en de hars van de balsembomen boven me. Ik zou die nacht vlak onder de rand van de piek kamperen en drie of vier van de eieren koken die ik had meegebracht. Ik wist zeker dat ik nog genoeg water in mijn veldfles had. Maar de volgende ochtend zou ik op weg naar huis gaan.

22

Ginny

Ik had nooit gedacht dat ik meer verdriet zou kunnen hebben dan om de dood van mijn man Tom en de dood van mijn dochter Jewel, en dat bleef zo tot ik mijn zoons vol haat en vijandigheid jegens elkaar met elkaar zag vechten, en nog wel binnenshuis en op eerste kerstdag. Het was diep triest om te zien hoe Muir Moody schopte, die op de vloer lag en zo dronken was dat hij nauwelijks merkte wat er gebeurde.

Als Moody had gedaan wat Muir beweerde, was dat ontzettend. De arbeid van een ander vernielen, en zeker arbeid aan een kerk, getuigt van een haat en gebrek aan respect, van een destructieve woede die bijna onvergeeflijk is. Muir had al zo lang gewerkt en zoveel opgeofferd voor zijn visioen van de kerk. Hij had zo lang geprobeerd zijn eigen weg te vinden, al blunderend, struikelend en doodlopende wegen inslaand. En nu nog de vernedering dat zijn werk geruïneerd was.

Toen Muir me net had verteld dat hij een kerk op de top van Meetinghouse Mountain ging bouwen, was ik vooral ongerust, want hij was al zo vaak teleurgesteld en hij voelde zich al zo'n mislukkeling nadat hij predikant had willen worden en naar het Noorden was gegaan en had geprobeerd muskusratten te vangen langs de Tar. Ik was zijn moeder en ik dacht dat hij geen desillusie meer kon verdragen. Ik wilde niet dat hij nog eens in het stof moest bijten en zich vernederd zou voelen.

Maar het volgende dat in me opkwam, was: wat een heerlijke droom heeft hij. Wat een prachtig idee en wat een visioen voor de gemeenschap en de toekomst. Pa had de kerk gebouwd die er nu stond toen het grootste gedeelte van de vallei nog uit bos met hier en daar een blokhut bestond. Pa had een tempel opgericht, een gebedstempel in de wildernis. Het was zo'n noodzakelijke en moeilijke opdracht.

Je kunt best in het bos of in de openlucht een eredienst houden en bidden, want waar je ook bent, God hoort je. Maar het is niet hetzelfde als een gewijde plek hebben, een plek die je reserveert voor verbondenheid met anderen en contact met de Schepper, om te zingen en Hem te loven. Een kerk geeft inhoud aan een gemeenschap. Een kerk verheft een verzameling huizen en boerderijen tot een echte gemeenschap. Een vallei is pas compleet als er een stukje gewijde grond is.

Maar mijn zoon Muir was te jong voor zo'n zware taak. Hij had stenen muren gebouwd en hij had een schoorsteentje voor het stroopfornuis gemetseld. Diep in zijn hart was hij een bouwer, dat zag ik ook wel, maar ik was bang dat een kerk, een stenen kerk zoals hij die voor zich zag, boven op de berg, te veel voor hem zou zijn. Eigenlijk te veel voor iedereen, laat staan voor een jongen die nog niet eens volwassen is. Toch wilde ik ook een nieuwe kerk hebben. Ik wist niet wat ik moest zeggen.

'Kun je al dat zware werk in je eentje af?' vroeg ik.

'Ik heb altijd zwaar werk gedaan,' zei Muir.

Dat was waar. Muir kon alleen in zijn eentje werken. Als hij probeerde met anderen samen te werken, werd hij driftig en begon ruzie te maken. Hij liet zich niets zeggen en hij verdroeg geen kritiek. Maar hij had wel altijd het zwaarste werk thuis gedaan, het kappen en graven, het rooien en ploegen.

Ik wist ook dat het een voorrecht is om het werk van de Heer te doen. Het is een eer om het zware werk te doen dat ons wordt gegeven. Voor Muir was dat de enige manier om zijn verwarring en pijn te ontstijgen: het werk doen waarvoor hij geroepen was. Wat kan nu meer vreugde schenken dan het werk doen dat ons wordt geschonken?

Maar Muir was nog jong, en hij was ook maar een mens. Ik besefte dat zijn plannen doortrokken waren van trots en ijdelheid, net als toen hij wilde preken. Hij wilde indruk op Annie maken. Hij wilde niet zomaar een kerk bouwen; hij wilde een grote kerk bouwen, zo een als hij in boeken had gezien en op plaatjes in tijdschriften. Het was een hoogmoedig streven, een witte kerkspits bouwen die boven de bomen uitsteekt, die van het ene eind van de vallei tot het andere te zien is en misschien nog van verder weg.

Anderzijds kan niemand iets van betekenis verrichten zonder een zekere mate van hoogmoed en ambitie in zijn idealen. De trots was onlosmakelijk verbonden aan de roeping en de wil iets te maken en te presteren. Dat zag ik wel in, en ik begreep dat ik op mijn woorden moest passen. De invloed van een moeder kan soms sterker zijn dan ze zelf beseft. Als moeder kun je onopzettelijk het zelfvertrouwen van je kind schaden.

Ik nam me direct voor Muir op de juiste momenten te helpen. Ik wilde eerst zien of hij zelf aan de kerk kon beginnen en op dreef komen, want hij was al zo vaak aan iets begonnen zonder het ooit af te maken. Als het hem lukte, wilde ik hem helpen, met geld en met werk. Maar eerst wilde ik weten of hij het echt wilde afmaken of dat hij er alleen maar over droomde, net als toen hij naar Canada wilde. Als ik hem hielp en het project te veel naar me toe trok, zou hij zijn belangstelling kunnen verliezen. Ik wist zeker dat hij er geen zin meer in zou hebben als hij de indruk kreeg dat ik hem vertelde wat hij moest doen.

Maar op kerstavond, toen iemand de fundering had verwoest die Muir had gemetseld, vond ik dat het tijd was om te helpen. Als Moody het sloopwerk had gedaan, was het mijn taak het werk weer op gang te helpen. En als Moody het niet had gedaan, zoals hij zelf beweerde, was het nog steeds mijn taak om te helpen. Ik was enthousiast voor het werk op de bergtop en ik voelde me ertoe aangetrokken zoals ik me tot gebedsbijeenkomsten tussen de bomen aangetrokken had gevoeld toen ik nog jong was. Het maakte me kwaad dat Muirs werk was vernield en dat maakte dat ik een bijdrage aan het werk wilde leveren. De gedachte aan die witte torenspits op de bergtop die naar de lucht wees, greep me aan op een manier die ik in jaren niet meer had gekend.

Toen Muir met zijn rugzak was vertrokken, besloot ik hem te vertellen dat ik hem wilde helpen. Zodra hij terug was, zou ik hem zeggen dat ik gereedschap, hout en spijkers voor de kerk wilde betalen. Ik zou hem op alle mogelijke manieren helpen.

Ik wist amper wat ik tegen Moody moest zeggen toen Muir zijn rugzak had gepakt en met zijn geweer het bos in was getrokken. Moody was mijn zoon en ik hield van hem, maar de woede in zijn binnenste leek alleen maar te groeien. Ik dacht dat ik tekenen had gezien die erop wezen dat hij milder werd. Ik wist dat hij veel goeds in zich had, als hij het er maar uit wilde laten komen. Maar als hij Muirs werk had vernield, ging het niet beter met hem, maar slechter. Het was alsof hij wraak wilde nemen voor wat de wereld hem naar zijn idee had aangedaan.

Na Muirs vertrek trok Moody zijn laarzen en zijn jas aan. Hij had een kleine .32 die hij in de kast bewaarde, en die stopte hij in zijn jaszak. Zijn gezicht stond strak en hij was bleek, alsof hij buikpijn had.

'Waar ga je heen?' vroeg Fay.

'Een klusje opknappen,' zei Moody.

'Ga je Muirs werk nog verder verwoesten?' zei ik. Ik werd misselijk toen ik het mezelf hoorde zeggen.

Moody keek me aan. Zo had ik hem lang niet naar me zien kijken. Zijn kaakspieren waren gespannen. Hij was broodnuchter. 'Denk je zo over me?' zei hij. 'Je hebt wel een hoge dunk van me.'

'Heb je het gedaan?' vroeg Fay.

'Ik weet niet meer wat ik ervan moet denken,' zei ik. De omslag in Moody's gedrag was onrustbarend.

'Ik denk dat ik weet wie het heeft gedaan,' zei Moody.

'Wie dan?' zei ik. 'Wie doet er nou zoiets?' Het gaf me hoop dat hij het bleef ontkennen. Moody trok zijn neus op zoals hij dat kan doen als hij nuchter en ernstig is. 'Ik heb zo'n idee,' zei hij.

'Werk je niet in de nesten,' zei ik, en ik wees naar het pistool in zijn zak.

'We zitten al in de nesten,' zei Moody.

Wat er die kerstavond was gebeurd, had Moody angst aangejaagd. Ik zag het aan hem. Muirs woede had hem bang gemaakt, en Muirs stroom van verwijten. Er was meer gaande dan ik kon begrijpen. Wat er ook met Muirs fundering was gebeurd, het had iets met Moody te maken, ook als hij de eigenlijke dader niet was.

Ik vroeg Moody wat hij voor me verzweeg, maar hij zei alleen dat hij het ging uitzoeken. Hij had zijn verdenkingen. Ik zei dat ik zeker wist dat Muir geen mens iets had gedaan.

'Behalve mij dan,' zei Moody.

'Die vechtpartij van jullie was het verdrietigste dat ik ooit heb gezien,' zei ik.

'Voor mij is het ook verdrietig,' zei Moody.

Mijn hart sprong op toen ik die nieuwe Moody zag. Zijn gedrag was echt heel anders.

'Iedereen is tegen hem en zijn grootse plannen,' zei ik.

'Hij denkt dat ik tegen hem ben,' zei Moody.

Moody's veranderde houding maakte me zo blij en hoopvol dat ik er geen woorden voor had. Ik had dus toch tekenen van volwassenheid en inkeer bij hem bespeurd. Het grote, zwarte gewicht drukte iets minder zwaar op mijn hart.

'Niemand anders in deze hele vallei wil ook maar een poot uitsteken,' zei Moody. 'Muir is gek, maar hij is wel de enige hier met ideeen in zijn kop. Zijn plannen mogen dan onzinnig zijn, hij probeert het tenminste.'

Ik wist niets te zeggen.

'Er moet iets geregeld worden,' zei Moody. Hij pakte wat koeken van de kachel en stopte ze in zijn jaszak. Hij klopte op de kolf van zijn pistool. 'Een wapen spreekt, ook al zegt het niets,' zei Moody.

Maar van wraakzucht kon niets goeds komen. Dat was uit al mijn ervaringen gebleken. Mij komt de wraak toe, zegt de Heer. Alleen vergevingsgezindheid kan uiteindelijk zegevieren.

Het was stil in huis nu Muir en Moody allebei weg waren. Ik zat te overdenken hoe ik Muir met zijn kerk wilde helpen toen er aan de achterdeur werd geklopt. Het was Hank Richards.

Hank was een buurman die ik niet vaak zag, behalve dan in de kerk, omdat hij altijd huizen aan het bouwen was bij de katoenfabriek, rond het meer en in South Carolina. Hij was ouderling en een van mijn naaste buren, maar ik zag hem zelden.

Ik was verbaasd en vroeg Hank binnen bij het vuur te komen zitten.

'Ik heb maar even,' zei hij. Hij had brede schouders en een knap gezicht en voorhoofd.

'Hoe gaat het met je?' zei ik.

'Altijd hetzelfde liedje,' zei hij, en hij lachte. 'Ik voel me te oud om te werken en te jong om ermee op te houden.' Hank keek in het vuur en hij keek naar mij. Hij legde zijn hoed op zijn knie en prutste met zijn grote, sterke handen aan de rand. Hij zei dat hij was gekomen om over Muir te praten.

Ik hoopte dat hij niet kwam klagen over Muirs belangstelling voor Annie. Ik zei dat Muir de bergen in was getrokken.

Hank zei dat het hem erg speet wat er met Muirs kerk was gebeurd.

'Ik wilde vragen of ik hem met het bouwen van de kerk mocht helpen,' zei Hank. Dat verbaasde me ook, want ik had niet gedacht dat iemand anders dan Muir en ik zin zou hebben om de nieuwe kerk te bouwen. Ik zei dat hij dat niet aan mij moest vragen.

'Dominee Liner zei dat je erop tegen was,' zei Hank.

Ik zei hem dat ik er niet op tegen was, maar dat ik het alleen zorgwekkend vond dat Muir zo'n groot project op zich nam terwijl hij nog zo jong was en geen rooie cent had. Hank spuugde tabakssap in het vuur en zei dat hij het een goed idee van Muir vond en dat hij hem wilde helpen.

'Je hoeft mij geen toestemming te vragen,' zei ik. Het maakte me kwaad dat de dominee tegen anderen zei dat ik tegen de nieuwe kerk was. 'Ik wil Muir zelf ook helpen,' zei ik. Ik was opgetogen over Hanks woorden. Het betekende veel voor me dat iemand anders de waarde inzag van wat Muir wilde doen. Ik kende Hank niet zo goed, maar ik besefte dat hij meer inhoud had dan ik had gedacht.

'Toen ik jong was, had ik ook grootse plannen,' zei Hank, 'maar er is niets van gekomen. Het is prachtig als iemand voorbij het strikt noodzakelijke kan zien wat er zou kunnen zijn.'

Ik zei dat Muir altijd een dromer en bouwer was geweest. Hij had altijd in zijn eigen fantasie geleefd.

'Deze vallei kan wel een nieuwe kerk gebruiken,' zei Hank. 'Ik heb altijd al een kerk willen bouwen, maar ik heb nooit eerder de kans gekregen. Ik heb aan katoenfabrieken gewerkt en zelfs een paar scholen gebouwd.'

Het maakte alle verschil van de wereld dat zelfs maar één iemand Muirs visioen deelde van wat er gebouwd zou kunnen worden, zeker nu anderen zijn werk hadden verwoest. En als die ene andere persoon begreep waar hij mee bezig was, zouden anderen dat op den duur ook kunnen en willen begrijpen.

Ik had Hank wel kunnen zoenen, zo dankbaar was ik. Ik had zijn hand kunnen pakken er een kus op drukken, maar dat had hem alleen maar verlegen gemaakt. Ik was ouder dan Hank, met grijze haren. Ik wist wel beter dan mijn dankbaarheid te etaleren.

'De komende dagen kan ik nog niet helpen,' zei Hank. 'Er is niet veel werk voor een timmerman, zo midden in de winter, maar ik moet nog een klusje in Saluda afmaken.'

Het was drie dagen later en bijna donker toen ik iemand op de veranda hoorde. Ik dacht dat Muir teruggekomen was van zijn tocht door de bergen. Hij zou wel koud en hongerig zijn, dacht ik, en ik stond een schouderstuk te braden en ik had kokende grutjes in de steelpan. Je wordt van niets zo lekker warm als van varkensvlees en een bord hete grutjes.

Maar toen de deur openging, zag ik dat het Moody was. Zijn gezicht was bleek en ingevallen, alsof hij al een hele tijd moe en bang was.

'Waar heb jij gezeten?' vroeg ik.

'Overal en nergens,' zei Moody.

'Daar word ik ook niet wijzer van,' zei ik.

Moody ging bij het vuur staan en hield zijn handen erboven. Hij zag eruit alsof hij verschrompeld was van de kou en een lange wandeling. Hij leek magerder dan ooit.

'Wat ben je aan de weet gekomen?' vroeg ik.

Moody draaide zich naar me om, en zijn ogen gloeiden van een duistere ernst die ik niet van hem kende. 'Ik moet een tijdje van huis,' zei hij.

'Wat heb je gedaan?' zei ik. Een ijspegel van angst doorboorde mijn ruggengraat.

'Ik ben erachter gekomen wie Muirs fundering heeft gemold,' zei Moody.

'Wie dan?'

'Ze hebben het gedaan om mij terug te pakken,' zei Moody.

'Waarom zouden ze jou terug willen pakken?' zei ik vol angst en beven.

'Dat is een lang verhaal,' zei Moody.

'Het eten is bijna klaar,' zei ik. 'Je kunt het me onder het eten vertellen.' Als we gewoon aan tafel gaan, dacht ik, komt het misschien nog goed.

'Ik moet vluchten,' zei Moody.

'Wat bedoel je?'

'Ik ben bang dat ik er een heb vermoord,' zei Moody.

'Een van wie?'

'Van de Willards die de fundering hebben gesloopt,' zei Moody.

'Je hebt toch niet echt iemand vermoord?' zei ik.

'Niet met opzet,' zei Moody, maar meer wilde hij er niet over kwijt. Hij vroeg Fay en mij of we koeken en een zij spek voor hem wilden klaarmaken, en wat maïsbrood. Hij vulde een zak met pannen en mokken en dergelijke.

'Kook eens een paar eieren,' zei ik tegen Fay. Ik bakte worstjes voor bij de eieren.

'De politie komt achter me aan,' zei Moody. 'Ze zullen je vragen waar ik zit.'

'Zeg toch gewoon de waarheid,' zei ik.

'Dan stoppen ze me in de gevangenis,' zei Moody.

'Niet als je in je recht stond,' zei ik.

'Dat ga ik niet afwachten,' zei Moody.

God, laat het niet waar zijn, prevelde ik toen Moody weg was. Laat het allemaal een vergissing zijn.

Het was een koude, heldere nacht, en toen ik op de achterveranda stapte, zag ik hoe fel de sterren schenen. De maan was nog niet opgekomen, en de sterren straalden zo vlammend dat ze in de rivier en de kreek flonkerden. Doordat er geen wind stond, merkte ik niet meteen hoe koud het was. Cicero Mountain doemde zwart als een slapende beer aan de andere kant van de rivier op.

Toen zag ik lichten achter de essen bij het koelhuis opduiken en ik hoorde een auto ratelen. *Tut-tut-tut*, deed de motor, en er liep een koude rilling over mijn rug. Er was nog nooit iemand na zonsondergang met een auto naar ons huis gekomen.

De auto stopte bij het hek en reed de heuvel af. Toen de koplampen tegen de schuur weerkaatsen, zag ik de sirene op het dak. De man die uitstapte, had een zaklantaarn in zijn hand. Ik ging het huis weer in, zette de afwasteil op tafel en liep met een lamp naar de voordeur.

'Neem me niet kwalijk dat ik stoor, mevrouw,' zei de man. Hij had een uniform aan en een politiepet op. Ik vroeg hem niet binnen.

'We zoeken Moody Powell,' zei ik.

'Die is hier niet,' zei ik.

'Maar dit is wel zijn officiële verblijfplaats?' zei de politieman.

'Soms,' zei ik. 'Maar nu niet.'

'Moody heeft zich eindelijk echt in de nesten gewerkt,' zei de politieman.

'Wat heeft hij dan gedaan?'

'Mag ik binnenkomen, mevrouw?' zei de politieman.

Ik deed een pas achteruit om hem binnen te laten en nam hem mee naar de haard.

'Ik ben hulpsheriff Otto Jenkins,' zei de man, en hij nam zijn pet af.

'Wat is er met Moody?' zei ik.

'Moody heeft Zack Willard vermoord,' zei de hulpsheriff.

'Hoe weten jullie dat het Moody was?' zei ik.

'Zacks broers hebben hem alle drie gezien,' zei hulpsheriff Jenkins.

Wat kon ik zeggen om Moody te helpen? Hoe langer ik die politieman aan de praat houd, dacht ik, hoe meer tijd Moody heeft om weg te komen. Het was zo stil in huis dat ik het kraken en knappen op zolder hoorde van de kou die op het huis werkte. De klok op de schoorsteenmantel tikte alsof de tijd eruit druppelde.

'Moody zou nooit iemand vermoorden,' zei ik.

'Dame, er is iemand dood en Moody heeft de trekker overgehaald. Vluchten zal hem weinig goed doen.'

Toen werd er weer geklopt en kwam er nog een hulpsheriff binnen, die in de auto moest hebben zitten wachten. Hij was nog jong, maar zo dik dat zijn uniform om zijn lijf spande.

'Dit is hulpsheriff Henry Thomas,' zei de eerste man.

'Waarom zou Moody een jongen van Willard vermoorden?' vroeg ik. 'Het slaat nergens op.'

'Het zou iets met drank te maken kunnen hebben,' zei hulpsheriff Thomas.

'Waarom zouden de Willards Muirs nieuwe kerk slopen?' zei ik.

'Daar weet ik niks van,' zei hulpsheriff Jenkins.

'Moody zei dat hij wist wie Muirs metselwerk had vernield,' zei ik.

'Ik weet alleen dat de Willards niet wilden dat iemand zich met hun dranksmokkel bemoeide,' zei hulpsheriff Jenkins.

'Moody had geen kwaad in de zin,' zei ik.

'Dame, is Moody thuis?' zei hulpsheriff Thomas. De dikke politieman had littekens op zijn gezicht waardoor zijn wangen zo klonterig leken als havermout. Ik deed mijn best om niet naar hem te kijken. Zijn schouders waren te stevig voor zijn uniform, maar hij keek me strak aan, alsof hij heel belangrijk was.

'Hij is er niet,' zei ik.

'Ik vraag het liever niet, maar zouden we het huis mogen doorzoeken?' zei hulpsheriff Jenkins.

Waarom geloof je me niet op mijn woord? wilde ik zeggen, of: hebt u een huiszoekingsbevel? Ik voelde dat ik verstrakte en kwaad werd, maar daar schoot Moody niets mee op.

'Toe maar, als jullie dat zo graag willen,' zei ik, 'maar jullie vinden hem toch niet. Mijn zoons zijn geen van beiden thuis.'

'Dank u vriendelijk, dame,' zei hulpsheriff Jenkins.

Ze keken met hun zaklampen in de keuken en op de achterveranda. Ze keken in de kasten en in de slaapkamers.

'Ze hebben het recht niet,' zei Fay tegen me.

Dat ze onze spullen bekeken, gaf me het gevoel dat ik naakt was. Ze vonden de ladder naar de zolder en hulpsheriff Jenkins klom erop. Ik vond het akelig dat hij de boeken, tijdschriften en afgedankte meubelen zag die we op zolder hadden gestouwd. Er was niets anders dan stof en spinnenwebben, en pa's oude boeken en Muirs tekeningen die her en der verspreid lagen.

Toen hulpsheriff Jenkins weer beneden kwam, hing er spinrag aan zijn pet. Hij nam hem af en veegde hem schoon. 'Hoeveel bijgebouwen hebt u?' vroeg hij.

'Het rookhuis en het koelhuis, de maïsopslag, de schuur en het kippenhok,' zei ik. 'En een oude houten stal.'

Fay en ik gingen bij het raam staan en zagen de zaklantaarns van het rookhuis naar het koelhuis gaan. Toen ze de stal hadden doorzocht, kwamen ze terug en vroegen waar de kelder was.

'In de kelder zit niks anders verstopt dan aardappels,' zei ik. Ik pakte een lamp van de schoorsteenmantel en ging hen voor naar buiten en de keldertrap af. Het was er warm, vergeleken met buiten. De bundels van de zaklantaarns streken over de planken met weckpotten. De uitlopers van de aardappels kronkelden als witte slangen naar de deur. Ik verwachtte half en half dat Moody zich hier had verstopt. Het was een opluchting dat er niets anders te zien was dan emmers, oude zakken en een gereedschapskist tegen de beschimmelde muur.

Toen we weer binnenkwamen, voelde de warmte van het vuur lekker aan. Ik wilde dat ze weggingen. Ik wilde dat ik met een helder hoofd kon nadenken over wat er was gebeurd. Alles ging fout en het ging zo snel dat ik me geen raad meer wist.

Hulpsheriff Thomas vroeg me of ik wist waar Moody naartoe was en ik zei dat ik geen idee had. Volgens mij geloofde hij me niet. Hij had een krentenbaard.

'Het is makkelijker als hij zichzelf aangeeft,' zei hulpsheriff Jenkins.

'En als hij nu eens onschuldig is?' zei ik. Ik wilde dat ze weggingen. Ik wilde uitzoeken wat er nu echt was gebeurd. Ik wilde Muir vertellen wat er was gebeurd.

'Dame, u zou zich een stuk beter voelen als u ons vertelde waar Moody zich schuilhoudt,' zei hulpsheriff Thomas.

'Als u hem verborgen houdt, kunt u aangeklaagd worden wegens medeplichtigheid,' zei hulpsheriff Jenkins.

'Beschuldigt u me ervan dat ik hem verborgen houd?' zei ik.

Hulpsheriff Thomas kwam op me af en gebaarde naar hulpsheriff Jenkins dat hij achteruit moest gaan. 'We beschuldigen u nergens van, dame,' zei hij. 'We zeggen alleen dat het voor Moody veel makkelijker zou zijn als hij zichzelf aangaf.'

23

Muir

Ik had gezien hoe die parkwachter omkwam zonder zelfs maar te proberen hem te waarschuwen, wat al erg genoeg was, maar toen mama me vertelde dat Moody achter de Willards was aangegaan en Zack per ongeluk had vermoord, was ik verdwaasd. Ik had alles verkeerd begrepen, verblind als ik was door mijn woede, verbijstering en hoogmoed. En nu was Moody een voortvluchtige misdadiger.

Laat dit een les voor je zijn, zei ik knarsetandend tegen mezelf. Wacht voordat je in woede ontsteekt, en wacht nog langer voordat je een oordeel velt. Ja, ik ben echt de uitgelezen persoon om een kerk te bouwen.

'Ik zou Moody moeten gaan zoeken,' zei ik.

'Als hij zich schuilhoudt, vind je hem toch niet,' zei mama.

'Je zou de politie regelrecht naar hem toe kunnen leiden,' zei Fay.

'Wat bedoel je?' zei ik.

'Dat heb ik eens in een verhaal in een tijdschrift gelezen,' zei Fay. 'Iemand wil zijn broer helpen en leidt de politie regelrecht naar hem toe.'

Ik wist dat Fay ergens gelijk had, maar er moest toch een manier zijn om het bos in te glippen zonder dat de sheriff me zag? Ik kende elke riviervertakking en elke inham in de Flat Woods en de Long Holler voorbij de Sal Raeburn Gap. Maar ik was te verdwaasd om helder te kunnen denken. Als ik probeerde te helpen, maakte ik de boel meestal alleen maar erger. Ik kon Moody niet gaan zoeken, tenzij ik heel zeker wist dat ik niet werd gevolgd.

Ik wist niet wat ik met Moody wilde. Hij had me zoveel problemen bezorgd dat ik hem soms het liefst wilde vergeten, maar dan voelde ik me daar weer schuldig om. Ik hield mezelf voor dat ik hem moest gaan zoeken, maar dan bedacht ik weer dat het niet kon: het was niet eerlijk tegenover hem. Ik wist niet meer wat ik moest doen.

Terwijl ik zat te bedenken hoe ik Moody kon helpen, besloot ik dat ik net zo goed weer aan de kerk kon gaan werken. Er zat me van alles dwars en er was geen andere manier om voor mijn trots en woede te boeten. Het was allemaal zo krankzinnig uit de hand gelopen dat er niets anders opzat dan de berg maar weer beklimmen en opnieuw beginnen. Ik zag ertegenop. Het was zo vreselijk moeilijk de puinhoop onder ogen te zien en de scherven bij elkaar te rapen.

Boven op de berg zag het er zo erg uit als ik had verwacht. Ik kon het alleen maar onder ogen zien. De funderingsstenen die ik had gelegd, waren voor het grootste deel uit de muur gehakt. Veel platte stenen waren gebroken. Er waren ook stenen langs de berg naar beneden gegooid, het bos in. Het moest een heel karwei geweest zijn om zoveel schade aan te richten. De speciekuip was met een bijl aan stukken gehakt en het skelet waaraan ik was begonnen was omvergegooid. De verwoesting moest bijna net zoveel werk zijn geweest als het maken van de fundering. Ik wist niet waar ik moest beginnen. Er was zoveel werk te doen dat alleen het idee dat ik opnieuw moest beginnen me al te veel was.

Toen zag ik dat een van de hoeken nog heel was. Er waren losse stenen tegen opgestapeld, maar de hoek zelf was intact. Dat was de plek om mee te beginnen. Vanuit die hoek zou ik de muren weer opmetselen. Ik ruimde de takken en losse planken uit de hoek op. Ik veegde bladeren weg en sloeg het stof van het cement. Ik ga die stenen weer op hun plaats leggen, zei ik binnensmonds. Ik pak de stenen die de Willards kapot hebben gemaakt en zet ze weer op de plek waar ze horen.

Ik legde de verspreid liggende stenen op stapels en sleepte stenen terug die langs de bosrand en in de struiken waren gegooid. Ze moesten weer gesorteerd en aan elkaar gepast worden. Ze waren in woede en met boze opzet weggegooid. Alleen door zorg en geduld konden ze weer worden samengevoegd tot een kerk. Onder het werken dacht ik aan Moody, ondergedoken in het bos, en maakte mezelf verwijten. Ik wist dat ik iets moest doen, maar ik kon niet besluiten wát.

Ik liep naar de wei, ving Oude Fan en spande haar voor de slee. En ik haalde een ton uit de schuur, die ik bij de bron vulde. Het water klotste in de ton toen ik hem de oneffen weg langs de berghelling op sleepte. Als ik opnieuw wilde beginnen, moest ik specie hebben, en voor specie was water nodig. Ik had alleen de twee zakken cement die UG me op de pof had verkocht, dus ik moest goed oppassen dat ik niets vermorste. Ik timmerde de speciekuip weer zo'n beetje in elkaar.

Cement mengen kan heel bevredigend werk zijn. Je giet zand en cementpoeder in de bak, voegt water toe en dan maar roeren met je schoffel. Je schoffelt heen en weer door de bak, net zo lang tot het zand zich grijsgroen door het mengsel heeft verdeeld. Als er te weinig water in de bak zit, wordt je mengsel korrelig en zanderig en laat het zich niet uitsmeren. Als het te waterig is, is het niet stevig genoeg om te plakken. En als de modder te zanderig is, hardt het niet goed uit. Maar als je te weinig zand neemt, hardt het ook niet goed uit en gaat het barsten en bladderen.

Al werkend vroeg ik me af of Moody in de Long Holler was ondergedoken, of zou hij misschien in South Carolina zitten? Was hij naar een van de grotten aan de andere kant van Ann Mountain gevlucht? Zou ik hem kunnen gaan zoeken zonder dat iemand me zag? En als ik hem vond, had hij daar dan iets aan?

Ik roerde in de specie alsof ik brooddeeg kneedde, maar de weke massa deed me ook aan mest denken en de bittere geur van het cementpoeder prikte in mijn neus. Verzamel de stenen en bind ze met slijk, zei ik in mezelf. Verzamel de stenen en bouw een altaar van aarde.

Ik tikte het gedroogde cement met mijn lichte metselaarshamer van de losgeraakte stenen en voegde ze met de nieuwe specie op hun plaats terug. Ik metselde ze op hun oude plek terug, op een paar kleine aanpassingen na. Het was of de stenen hun plaats hervonden. Ik pakte mijn meetlint en waterpas en timmermansdriehoek en maakte de muren haakser dan ze waren geweest. Nu ik het een keer had gedaan, wist ik beter hoe het moest. Ik probeerde de funderingsmuren loodrecht en haaks te maken. Ik raapte de in het bos verspreid liggende oude stenen bij elkaar en zocht er nieuwe bij. Af en toe goot ik wat water in de gerepareerde speciekuip en roerde om het mengsel smeuïg te houden.

'Dus hier verricht je je arbeid,' riep een stem. Ik keek op en zag mama naast de bouwval van de muur staan. Het was voor het eerst dat ze de berg beklom om mijn werk te bekijken.

'Het stelt niet veel meer voor,' zei ik.

Mama was bijna buiten adem en haar haar hing voor haar ogen. Ze streek het uit haar gezicht en overzag de stapels stenen en zand. 'Je hebt een begin gemaakt,' zei ze. 'Ik betaal alles wat je nodig hebt.'

Mama's woorden verrasten me zo dat ik er verlegen van werd. Ik werd rood en ik bleef de specie in de bak maar schoffelen en roeren.

'Nu Moody voortvluchtig is en alles zo tegenzit, wil ik dat ons gezin iets doet,' zei mama. 'Iets dat telt.'

Mama gaf me een biljet van twintig dollar. Als het op was, zou ze zorgen dat er meer geld kwam, zei ze.

Ik propte het biljet in mijn zak en legde de schoffel op de rand van de kuip. Het was of ik weer een jongen was en zij enthousiasme voor mijn ideeën toonde. Als je grootse plannen hebt, heb je genoeg aan de steun van één ander. Als die begrijpt wat je doet, volgen de anderen vanzelf.

Ik wilde haar wel zoenen, zo had ze me opgefleurd, maar toen ik me naar haar omdraaide om haar te bedanken, was ze alweer aan de afdaling begonnen. De tranen stonden me in de ogen en de emoties schrijnden in mijn keel.

Dag in, dag uit werkte ik aan de fundering en tobde ik over Moody. In de ijzige winterwind sjouwde ik stenen en legde ze op hun plaats in plekjes zonlicht of wolkenschaduw. Ik voegde stenen en streek de specie glad met mijn troffel, tilde stenen op en voegde specie toe. Soms moest ik een steen net zo lang draaien tot hij aansloot. Soms moest ik een steen aanduwen om hem in het gareel te krijgen met de stenen eromheen. Ik vroeg me af hoe ik Moody zou kunnen helpen, maar het leek of aan de kerk werken het enige was dat ik kon doen.

Op de vierde dag, toen ik harder en sneller werkte dan ooit, hoorde ik iemand vanaf de bosrand roepen.

'Broeder Muir,' hoorde ik. Ik keek om en zag dominee Liner. Ik overwoog niets tegen hem te zeggen, maar toen herinnerde ik me mijn verschrikkelijke trots en mijn boetedoening.

'Dag dominee Liner,' zei ik. Ik richtte me met mijn troffel in mijn hand op.

'De ouderlingen hebben me gevraagd met je te praten,' zei de dominee.

Ik zei niets. Het leek me niet gunstig dat de raad van ouderlingen me iets te zeggen had. Ik schepte wat specie op mijn troffel en streek het op de muur.

'We willen je alleen een paar dingen vragen,' zei dominee Liner.

'Wat voor dingen?' zei ik, en ik smeerde de natte specie als boter over de muur uit.

'Aangaande je bedoelingen,' zei de dominee.

'Het is mijn bedoeling een kerk te bouwen,' zei ik.
'Vragen over je doopsgezindheid,' zei de dominee.
'Ik hoef geen dominee te worden,' zei ik. 'Ik wil een kerk bouwen.'
'Ik ben hier niet gekomen om ruzie te maken,' zei de dominee. 'Ik kom je alleen vragen of je zaterdagmiddag om drie uur wilt komen praten.'

Ik pakte een steen en drukte hem op zijn plaats in de natte specie. Er was niets van mijn goede humeur over. Ik stikte bijna van woede.

'En als ik daar nu eens geen zin in heb?' zei ik.

'Een kerk bestaat niet alleen uit stenen, vloeren en kozijnen,' zei de dominee. 'De kerk is de vereniging. Dat is de doopsgezinde leer. Het minste wat je kunt doen, is zaterdag je plannen met ons bespreken.'

Toen de dominee weer weg was, werkte ik harder dan ooit. Ik denk dat de woede me energie gaf. Ik roerde specie en smeerde het op zijn plaats en ik zeulde stenen omhoog en kantelde ze tot ze precies goed lagen. Ik mat en hield de waterpas langs de muur. Ik bouwde solide en degelijk. Ik bouwde een muur die wel honderd jaar kon blijven staan. Ik bouwde een hoog altaar op de bergtop. Ik herinnerde me dat Petrus dat had gezegd toen hij tijdens de verheerlijking door het dolle heen was: laten we hier een altaar bouwen om ons te herinneren wat we hebben gezien.

Maar terwijl ik die dag en de zonnige dagen daarna werkte en me afvroeg waar Moody was, en of ik die zaterdag met de ouderlingen zou gaan praten of niet, begon ik me ook weer voor te stellen hoe de kerk eruit zou zien als ik hem af had. Als ik een klokkentoren bouwde die op een kasteeltoren leek, zou hij er oud en machtig uitzien, maar een witte torenspits die hoger en hoger reikte en naar de hemel wees, zou het allermooist zijn, het inspirerendst.

Ik had foto's gezien van kerken in Charleston en New England met torens die in verdiepingen oprezen, in vierkanten en achthoeken, rond en zeszijdig, met bogen op de ene verdieping en ramen in de volgende en daarboven weer zuilen. Er ging niets boven een hoge kerktoren, en geen kleur was beter dan wit.

Ik bedacht hoe ik de toren wilde bouwen. Hij moest gestapeld hoog boven het kerkdak en de bomen uitsteken. Nu mama me hielp, kon ik me de bouwmaterialen veroorloven. Een kerktoren is als een schoorsteen waardoor gedachten, gebeden en blikken naar de hemel worden gezonden. De toren zou het moeilijkst te bouwen zijn, want ik zou een steiger moeten maken. De toren zou decoraties krijgen, krullen en kunstig schrijnwerk. De toren die mij voor ogen stond, was wel vijfentwintig, nee, dertig meter hoog. De basis bestond uit steen, maar de hogere niveaus zouden van wit hout moeten zijn, wit om de eerste en laatste zonnestralen te vangen, wit dat vanaf Pinnacle en Tryon Mountain te zien was. Het wit zou aan de hemel blinken.

Die hele week zat ik te dubben of ik Moody moest gaan zoeken en of ik met de ouderlingen zou gaan praten. Ik stelde me voor wat ik tegen hen zou zeggen en zij tegen mij. Ik overwoog gewoon naar Moody te gaan zoeken en wat proviand voor hem mee te nemen. Ik overwoog gewoon niet op de uitnodiging van de dominee in te gaan. Ik overwoog gewoon tot het donker door te werken, maar die zaterdagmiddag tegen drieën besloot ik toch maar naar de kerk te gaan. Ik zou in mijn werkkleren vol aangekoekt cement gaan, op mijn laarzen met korrelige specievegen. Ik besloot te gaan omdat ik de ouderlingen wilde vertellen wat ik van plan was. Ik had nog niemand over mijn visioen van de kerk verteld, behalve mama dan.

Maar als ik die kamer betrad en die mannen moest toespreken, zou ik geen lucht meer krijgen. Ik herinnerde me hoe slecht ik had gepreekt en hoe ik vroeger op school was opgestaan om mee te debatteren en dan merkte dat ik geen woord kon uitbrengen. Als ik voor een groep mensen stond, was het of mijn keel werd dichtgeknepen en mijn hoofd leeg werd. Ik wist niet meer hoe ik heette en als ik het wist, kon ik het niet zeggen. Het was of mijn tongriem nog steeds te kort was en mijn tong nooit was bevrijd.

Zíj stellen de vragen, dacht ik toen ik naar de kerk afdaalde. Ik hoef alleen maar antwoord te geven. En UG zou er ook zijn. En Hank ook. En ze konden me niets doen. Zouden ze proberen me uit de kerk te zetten omdat ik een nieuwe kerk op mijn eigen grond bouwde? De kerk had geen cent aan de bouw bijgedragen, nog geen spijker of latje.

Toen ik in de kerk aankwam, zaten ze allemaal al in de herenbank. Ze waren met z'n zessen, afgezien van de dominee en Riley, de voorzitter van de raad van ouderlingen. Ik ging op de bank achter hen zitten.

'Ga hier maar zitten, broeder Muir,' zei Riley, en hij wees naar een stoel voor het altaar. Riley was met mijn oudtante Catharine getrouwd. Hij fokte vee en had de beste fokstier van de vallei. Ik denk dat Riley zichzelf als een soort landjonker beschouwde.

'Ik hoef niet daar te zitten,' zei ik, en ik slikte. Maar ik ging er toch zitten.

Toen ik naar voren liep, knikte ik naar UG en Hank. Mijn gezicht gloeide al. Misschien was ik verbrand door het werken op de top van de berg.

Ik ging zitten en zag hoe vuil mijn schoenen en broek waren. Ze zagen eruit of ze met cement waren ingesmeerd. De dominee ging op de voorste bank zitten en Riley kwam als een aanklager naast me staan. 'Het spijt me te horen dat je broer Moody problemen heeft met het gezag,' zei hij. Ik wist niets terug te zeggen en knikte maar. Riley schraapte zijn keel.

'Hierbij open ik de kwartaalvergadering van de ouderlingen van de doopsgezinde kerk van Green River,' zei hij. 'We zijn vandaag bijeengekomen om een belangrijke kwestie te bespreken.'

De meeste ouderlingen keken naar hun schoot of hun schoenen. Ze leken zich een beetje voor hun aanwezigheid te schamen.

'Naar men zegt is broeder Muir een nieuwe kerk op de top van de berg aan het bouwen,' zei Riley. 'Is dat waar, broeder Muir?'

'Ja,' zei ik. Ik keek naar UG, maar die keek opzij.

'Op wiens gezag bouw je een nieuwe kerk?' vroeg Riley.

'Het mijne,' zei ik.

'De hele gemeente moet stemmen over het voornemen een nieuwe kerk te bouwen,' zei Riley. 'En de motie moet aanbevolen worden door de raad van ouderlingen. Dat staat in de verordeningen van de kerk.'

'Ik bouw op mijn eigen land en ik doe al het werk zelf,' zei ik.

'Heb je toestemming gekregen van de raad van ouderlingen?' vroeg Riley.

'Nee, meneer.'

'Heb je de raad van ouderlingen toestemming gevraagd?' vroeg Riley.

'Nee, meneer.'

'Dus je bent voor een andere gemeente aan het bouwen?' vroeg Riley.

'Nee, meneer,' zei ik. 'Ik wil de nieuwe kerk aan deze gemeente schenken.'

'Maar deze gemeente is niet geraadpleegd,' zei Riley. 'Wat jij doet, valt buiten de regels van de kerk en druist tegen de leer van de kerk in. Het heeft niets met deze kerk te maken.'

'Het is voor deze kerk,' zei ik.

'Je hebt de regels en voorschriften van deze kerk overtreden,' zei Riley. 'De gemeente kan ervoor stemmen je uit het register van deze kerk te laten schrappen.'

'U hebt déze kerk niet eens gebouwd!' voer ik tegen Riley uit. 'Mijn grootvader heeft deze kerk gebouwd toen hij uit de Burgeroorlog terugkwam.'

UG stak zijn hand op.

'Broeder Latham?' zei Riley,

'We zijn vandaag alleen samengekomen om vragen te stellen,' zei UG. 'We zijn hier niet gekomen om broeder Muir te dreigen of uit de kerk te zetten.'

'Zo is dat,' viel Hank hem bij.

'Ik bouw die kerk toch, of u het goed vindt of niet,' zei ik.

'Waarom zou je dat willen?' zei dominee Liner. 'Waarom zou je tegen de doopsgezinde leer in willen gaan?'

'Omdat jullie me toch nooit toestemming zouden geven,' zei ik.

'Inderdaad,' zei Riley. 'We zouden zo'n dwaas plan nooit goedkeuren.'

'Ik bouw voor de toekomst,' zei ik. 'Over honderd jaar zullen de mensen Hem op de bergtop aanbidden. En honderd jaar daarna ook nog.'

'Doe je dit werk uit hoogmoed?' vroeg dominee Liner.

Ik antwoordde dat ik had geprobeerd mijn hoogmoed te overwinnen, maar Riley waarschuwde me dat de wegen van de duivel ondoorgrondelijk zijn. Ik zei dat ik een altaar op de berg wilde bouwen, waar iedereen het kon zien. Toen zei Riley dat ik het vast ter meerdere glorie van mezelf deed, maar ik legde uit dat de kerk niet voor mij was, maar voor de gemeenteleden en voor hun kinderen en kindskinderen.

'Heb je voldoende vermogen voor zo'n bouwwerk?' vroeg dominee Liner. 'Heeft je moeder je toestemming gegeven om op haar land te bouwen?'

'Niet dat het u iets aangaat,' zei ik, 'maar ze wíl dat ik de nieuwe kerk bouw. En ze steunt me.' De woede borrelde in mijn bloed op. Mijn botten voelden gewichtloos. Ik wist dat kwaad worden het stomste was wat ik kon doen, maar ik kon me niet inhouden.

'Jij denkt dat de bouw van een nieuwe kerk ons niets aangaat?' zei Riley.

'Nee, of mijn moeder het goed vindt of niet, gaat u niets aan,' zei ik.

'Je moeder is lid van deze kerkgemeente,' zei Riley.

'En u hebt haar er ook uitgezet, haar en opa,' zei ik. Ik zei dat ik hun hulp niet had gevraagd en dat ik er ook geen behoefte aan had.

'Is dat de christelijke geest?' zei Riley.

Ik stond op. Ik liet me niet behandelen als een schooljongetje dat je een standje kunt geven. Ik ging maken dat ik daar wegkwam.

'Zitten,' zei UG. Ik aarzelde even en ging toen weer zitten. 'Iedereen weet dat je de kerk en de gemeenschap wilt helpen,' zei UG. 'Je doet dit niet voor je eigen gewin, maar de meeste mensen zien de noodzaak van een nieuwe kerk niet in. Dit is een boerengemeente en we hoeven geen groot kerkgebouw op de bergtop.'

'Ik vind dat we broeder Muir moeten laten uitpraten,' zei Hank Richards. Het was voor het eerst dat hij iets zei, maar niemand lette op hem. Hij was als laatste tot de raad van ouderlingen toegetreden.

'Het is goed om grootse plannen te hebben,' zei de dominee, 'zolang ze maar geen wig in de gemeente drijven.'

'Ik begrijp dat jullie allemaal tegen me zijn,' zei ik.

'Vertel eens wat meer over je plannen,' zei Hank.

'De kerk bestaat uit de leden van haar gemeente,' zei dominee Liner. 'In de doopsgezinde kerk heeft de gemeente het voor het zeggen. Niemand heeft meer in te brengen dan een ander, ook de ouderlingen en de pastor niet.'

Het bloed gonsde in mijn oren. Er parelde zweet op mijn voorhoofd en slapen. 'Als de mensen stom willen zijn, waarom zou je dan met ze overleggen?' zei ik.

'De kerk is Gods vestiging op aarde,' zei dominee Liner.

'Onze gemeente kan inderdaad wel een nieuwe kerk gebruiken,' zei Hank. 'Ik stel voor dat we de gemeente erover laten stemmen.'

'We putten kracht uit gemeenschapszin en gezamenlijke arbeid,' zei de dominee.

'Ik ga liever het bos in, naar de vogels luisteren,' zei ik.

'Broeder Muir, we willen dat je deel uitmaakt van onze gemeente,' zei UG, 'maar dan moet je wel redelijk blijven.'

'Redelijkheid komt neer op niks doen,' zei ik.

'We stellen je gedrevenheid op prijs,' zei dominee Liner. 'We vinden het alleen jammer dat je je ambitie niet op praktischer doelen kunt richten.'

Het had geen zin om met hen te praten. Ik stond weer op. 'Jullie schoppen me maar uit de kerk als jullie dat willen,' zei ik. 'Net zoals jullie mama en opa eruit hebben geschopt.'

'Dat is heel lang geleden,' zei Riley.

Ik liep weg en ze keken me allemaal na. Ik was zo compleet verslagen en vernederd dat ik me bijna triomfantelijk voelde. Ze hadden alles verwoest wat ik had getracht te doen. Of ik had het zelf allemaal verwoest, ik wist het niet meer. Moody was voortvluchtig vanwege mijn kerk. De gemeente, de dominee, de ouderlingen en de elementen waren tegen mijn werk. De wet van de zwaartekracht was tegen mijn werk. En de regen, de vorst en de dooi waren tegen mijn werk. Alleen mama leek niet gekant te zijn tegen wat ik deed, en Hank Richards misschien ook niet.

Toen ik door het gangpad naar de uitgang van de kerk liep, de deur openmaakte en achter me dichtsloeg, was mijn verslagenheid zo volkomen dat ik me erdoor bevrijd voelde. Ik voelde me gewassen in woede. Ik was uitgekleed tot op het bot en vernederd en er zat niets anders op dan opnieuw beginnen. Met een licht gevoel van woede en verslagenheid liep ik het bordes af en naar de poort van de kerk. Met het gevoel dat ik zo bloot was als een baby danste ik over de weg naar de bron.

Ik besloot dat ik Moody zou gaan zoeken. Hij zat in moeilijkheden en ik moest hem zoeken en helpen. Hij was mijn broer en ik hoorde hem hulp te bieden, of hij wilde of niet.

Thuis stopte ik maïsmeel en spek in mijn rugzak, een gebraden schouderstuk en een doos rozijnen. Ik pakte lucifers in, extra sokken en een paar handschoenen.

'Waar ga jij naartoe?' zei mama.

'Je leidt de politie regelrecht naar Moody,' zei Fay.

Ik had gemolken en gegeten. Ik wachtte tot het goed donker was voor ik wegging. Mama gaf me tien dollar voor Moody. Ik liep vanuit ons huis naar het oosten, alsof ik naar de snelweg ging. Ik bleef staan en luisterde of iemand me volgde. In het bos sloeg ik af naar de rivier en volgde hem, zoals ik al zo vaak had gedaan in het donker, helemaal tot aan de monding aan de rand van de Flat Woods.

Tegen de tijd dat ik in Pinnacle aankwam, was het al ver na middernacht. Ik wist dat Moody overal kon zitten, ook helemaal in South Carolina bij Caesar's Gap of in de Long Holler voorbij de Sal Raeburn Gap, maar ik probeerde te bedenken waar ik in Moody's plaats naartoe zou gaan. En ik bleef maar denken aan die grot aan de andere kant van Ann Mountain, voorbij Pinnacle. In die grot hadden tijdens de Burgeroorlog vogelvrijen en deserteurs ondergedoken gezeten. Hij lag diep onder de berg, met een rotsspleet erboven die metershoog doorliep en als een soort schoorsteen werkte.

Ik liep op de tast tussen de bomen door, om Pinnacle heen. Er was geen pad en de takken zwiepten in mijn gezicht. Ik liep zijwaarts, met uitgestrekte armen, en af en toe stapte ik in een kreek of poel. Telkens als ik bang was te verdwalen, bleef ik staan en luisterde naar de wind op de hoge bergkam rechts van me.

Het bos begon net grijs op te lichten toen ik de voet van Ann Mountain bereikte. Ik was al jaren niet meer bij de grot geweest, dus ik zou even moeten zoeken voor ik hem vond. Ik stak de kreek over op een plek waar rotsblokken van de berg waren gerold en begon te klimmen. Er gonsde iets als een mondorgel of een wesp boven mijn hoofd. Ik dook weg en hoorde een geweerschot. Ik liet me op mijn knieën zakken en spitste mijn oren. Er werd wel clandestiene drank gestookt in de Flat Woods, maar ik dacht niet dat er een distilleerderij aan deze kant van Ann Mountain zat. Ik had geen vuur zien branden op de berg.

Als het Moody was die op me schoot, hoe kon ik hem dan waarschuwen? Stel dat de politie me in het donker was gevolgd, zoals Fay had gezegd?

Ik kroop naar de grootste rots in de buurt. Een tweede kogel suisde akelig gierend door de lucht. 'Ik ben het, Muir!' riep ik. En ik rolde achter het rotsblok. Ik luisterde of ik een stem of beweging hoger op de berg hoorde.

'Ik heb iets voor je!' schreeuwde ik. Ik deed de rugzak af en hield hem boven het rotsblok uit. Een kogel die jengelde alsof er een snaar van een banjo was geknapt sloeg de rugzak uit mijn handen. Er zat een gat ter grootte van een gulden in de flap.

Ik zat te bedenken wat ik nu moest doen. Ik ben mijn broeders hoeder, herhaalde ik telkens. Ik moet doen wat ik kan. Iedereen kon de schutter zijn, maar ik wist dat het Moody was. Hij was kwaad omdat hij had gezegd dat ik hem niet mocht komen zoeken. Ik wilde tegen hem zeggen dat ik was gekomen om hem op alle mogelijke manieren te helpen, en dat ik zeker wist dat niemand me in het donker was gevolgd.

'Ik wil met je praten!' riep ik.

Ik verwachtte weer een fluitende kogel te horen aankomen die zich in een nabije boom zou boren, maar het bleef stil. Ik wachtte met gespitste oren op antwoord, maar hoorde alleen de ochtenddauw druppelen. De kreek onder me murmelde tussen zijn keien door en ergens op de top floot een havik.

'Wil je niet met me praten?' riep ik.

Ik bespeurde een beweging hoger op de helling en kneep mijn ogen tot spleetjes om het beter te kunnen zien. Het begon al dag te worden, en het bos was grijs met bruin.

'Ik kom je helpen!' riep ik langs de berg omhoog, en de echo vanaf de richel achter de kreek zei me na: *je helpen, helpen.* Maar daar bleef het bij. Het bleef stil in het bos en op de berg.

'Ik laat je pakket hier achter,' riep ik.

Toen ik naar de riviermonding terugliep, had ik het gevoel dat iemand me volgde of bespioneerde. Het was een kriebelig, prikkelig gevoel. Ik draaide me vliegensvlug om en zag iemand een heel eind achter me. Hij dook snel tussen de laurierstruiken, maar ik had hem al gezien. Het was een van de Willards; Sam of Stinky, denk ik.

'Wat moet je?' riep ik, maar hij kwam niet tussen de struiken vandaan.

'Wil je me doodschieten?' schreeuwde ik, maar het bleef doodstil in het bos.

Ik liep verder. Ik keek af en toe om, maar zag niemand meer.

De maandag daarop, toen ik de oude specie van een steen stond te bikken, zei een stem achter me: 'Dat werk is je op het lijf geschreven.' Ik draaide me om en zag Hank Richards. Hij had zijn timmermansoverall aan en zijn gereedschapskist bij zich.

'Ze hebben niet veel voor me overgelaten om aan verder te werken,' zei ik.

Hank zette zijn gereedschapskist neer. 'Wat een kerstcadeau,' zei hij.

'Ik neem aan dat ze vrijgevig waren, in de goede kerstsfeer,' zei ik.

'Ik kom je helpen,' zei Hank.

'O?' zei ik. Ik wist niet of ik hem wel goed had verstaan. 'Dankjewel,' zei ik. Ik kon niet meer zeggen, want mijn keel zat weer dicht.

'Toen ik zo oud was als jij, had ik grootse plannen,' zei Hank. 'Had iemand me toen maar aangemoedigd.'

Ik vertelde hem dat Moody had gezegd dat de jongens van Willard mijn fundering hadden verwoest.

'Dat heb ik ook gehoord,' zei Hank. 'En ik heb gehoord dat Moody er een heeft doodgeschoten.'

'Het was een ongeluk,' zei ik.

Hank zei dat hij ook problemen met de Willards had gehad, destijds, toen hij mevrouw Richards het hof maakte.

Hank had zoveel huizen en stallen gebouwd dat hij precies wist wat we moesten doen. 'De fundering is het belangrijkst, die moet goed zijn,' zei hij. Hij keek naar de bouwval van de westelijke muur, waar de ingang van de kerk moest komen.

'Het is misschien maar het beste dat ze die hebben afgebroken,' zei hij. 'De fundamenten moeten daar opnieuw gestort worden.'

Ik sprak hem niet tegen, hoewel dat wel mijn eerste opwelling was. Ik schaamde me ervoor dat hij alle fouten zag die ik had gemaakt. Ik pakte een houweel en hij een spade, en samen bikten we het bedorven werk weg en groeven de sleuf dieper uit. Hank was zo sterk dat hij kon werken als een robot. Het leek of we de sleuf binnen de kortste keren weer hadden uitgegraven. Ik zei tegen hem dat ik het ongelooflijk vond dat hij me hielp.

'Ik wil dominee Liner best op zijn neus laten kijken,' zei Hank.

Hij pakte zijn hamer en wat spijkers uit zijn gereedschapskist en repareerde de speciekuip netter. Hij timmerde langzaam, maar het hout viel voor hem op zijn plaats. Het was een genoegen te zien hoe zeker hij met een hamer en zaag werkte. Hij gebruikte zijn gereedschap op zo'n manier dat het een verlengstuk van zijn handen werd.

'Ik heb niet vaak gemetseld,' zei Hank, maar hij leek precies te weten hoe het verder moest, beter dan ik. Hij scheen mijn plattegrond van de kerk nu al te doorzien.

'Heb je een blauwdruk?' vroeg Hank terwijl hij zijn waterpas op de nieuwe westelijke muur legde.

Ik bekende dat ik alleen een ruwe opzet had en haalde de schets uit mijn zak. Hij was gekreukt en groezelig. Ik zei dat ik die avond een betere tekening zou maken.

Hank wekte de indruk dat bouwen het natuurlijkste werk van de wereld was. Hij maakte geen beweging te veel. Elke keer als hij zijn arm uitstrekte of draaide, kreeg hij iets gedaan.

'Je had het preken niet mogen opgeven,' zei Hank toen we die middag de volgende rij stenen op de fundering plaatsten.

'Ik heb mezelf alleen maar voor schut gezet,' zei ik.

'Iedereen die iets nieuws probeert, zet zichzelf voor schut,' zei Hank. Hij zette de ruimte voor de deuropening links uit. Dankzij zijn hulp was de muur al bijna weer net zo hoog als voor kerstavond. Samen verzetten we vier keer zoveel werk als ik in mijn eentje.

'Maar niet zo erg als ik,' zei ik.

'Ik heb mezelf nog veel erger voor schut gezet toen ik zo oud was als jij,' zei Hank. Hij vertelde dat toen hij net met mevrouw Richards was getrouwd en ze naar Gap Creek waren verhuisd, er rond Kerstmis een overstroming plaatsvond. Het was zo erg dat ze in het holst van de nacht hun huis moesten ontvluchten. In het donker, in het kolkende water, had hij Julies hand losgelaten en had hij in zijn eentje de stal weten te bereiken. Hij had zich diep geschaamd.

Het was bijna niet te geloven dat Hank zo met me praatte. 'Wat heb je toen gedaan?' zei ik.

'Ik heb me idioot en laf aangesteld,' zei Hank.

Hank zei dat onze fouten zo ongeveer het enige zijn waar we iets van leren. 'Iedereen maakt zijn eigen fouten,' zei hij.

'Ik heb er meer dan genoeg gemaakt,' zei ik.

'Maar volgens mij heb je nog niets gedaan waaruit blijkt dat je geen dominee zou kunnen worden,' zei Hank.

'Het was hoogmoedig van me om te willen preken,' zei ik.

'Ik voelde me ook geroepen toen ik nog jong was,' zei Hank, 'maar niemand moedigde me aan.'

Het is moeilijk te beschrijven hoeveel gemakkelijker het werk was nu Hank me hielp. Hij wist in welke volgorde we moesten werken en hoe de dingen gedaan moesten worden. Ik had in mijn eentje maar wat geknoeid en geprutst. Nu ik met hem samenwerkte, voelde ik me krachtiger, en de stenen en planken zagen er degelijker uit en leken erom te vragen aan elkaar verbonden te worden. Tegen het eind van de week hadden we de fundering weer opgemetseld, alleen was hij nu loodrecht en haaks. De hoeken en muren weken geen millimeter meer af. Ik was doodmoe en een beetje verdwaasd door alles wat Hank had gezegd en gedaan. Zodra hij op de bergtop was aangekomen, had de rommel zichzelf opgeruimd en hadden de stenen zich weer op hun plaats opgestapeld. Na regen komt zonneschijn, had ik weleens horen zeggen. Toch bleef ik over Moody inzitten. Ik kon me niet prettig voelen zolang ik aan Moody dacht.

'Mijn nederige dank,' zei ik tegen Hank toen het tijd werd om te gaan.

'Nu moet je zien dat je aan hout komt,' zei Hank.

'Ik wil een stenen kerk,' zei ik, 'net als de kathedralen en kerken in Europa.'

'De buitenmuren kunnen wel van steen zijn,' zei Hank, 'maar je moet ze aan de binnenkant met hout bekleden. De muren en het plafond moeten het 's winters warm houden. En die muren moeten geschilderd worden, want dan ziet de kerk er fris en schoon uit.'

Ik besefte dat hij gelijk had. Ik had er nog niet echt bij stilgestaan hoe de binnenkant eruit moest komen te zien. Ik had me vooral voorgesteld hoe de kerk er van buiten uit zou zien.

Hank scheurde een stuk van een papieren zak met spijkers, pakte een potlood uit de borstzak van zijn overall en begon te rekenen. 'Negen bij zes en tweeëneenhalve meter hoog,' zei hij. 'Hoe schuin moet het dak aflopen?'

'Zo schuin als dat van een stadskerk,' zei ik.

Hank noteerde getallen en nog eens getallen. 'Je zult een dubbele beplanking moeten hebben,' zei hij. 'Volgens mij moet je zeker twaalf kuub hout hebben, nog afgezien van de stijlen, kozijnen en binten.'

'En een toren,' zei ik.

'Hoe hoog?' zei Hank.

'Hoger dan de boomtoppen, zodat iedereen in de vallei hem kan zien,' zei ik.

'Dan wordt het zestieneneenhalve kuub,' zei Hank.

'Dat zijn een hoop bomen,' zei ik.

'Ik help je kappen,' zei Hank.

Toen ik van de berg kwam en de weg langs de rivier volgde, stopte ik bij onze brievenbus. Het begon al donker te worden, en ik wist dat mama de krant en haar tijdschrift wilde hebben, mochten ze gekomen zijn. Ze maakte zich zo ongerust om Moody dat ze afleiding moest hebben. Maar afgezien van de krant zat er alleen een belastingformulier in de brievenbus. En een envelop zonder postzegel. Mijn naam was er met potlood op geschreven. Het handschrift was zo mooi dat ik zeker wist dat Moody het had geschreven. Je zou niet denken dat hij zo'n mooi handschrift had, maar als hij zich ertoe zette, kon hij prachtig schrijven.

Ik zag niet veel in de schemering, maar ik maakte de brief toch open en zag dat het papier met diezelfde potloodhand was beschreven.

Beste Muir,
Ouwe schurk. Ik neem het potloot ter hand om te zeggen dat je me niet nog eens moet komen zoeken. Je zou me waarschijnlijk toch niet vinden, en anders zou je de politie op mijn spoor zetten. Want ik weet dat ze het huis in de gaten houden.

Ik sgrijf dit met een potloot dat ik uit een sgool heb gejat, op een bloknoot die ik in een winkel heb gekocht, gaat je niet aan waar. Ik waarsguw je, kom me niet meer zoeken. Ik heb Zack Wil-

lard per ongeluk doodgeschoten, maar hij heeft zijn verdiende loon gekregen.

Ik weet wel dat je plan om een kerk te bouwen stom is, maar niet stommerder dan andere dingen die mensen doen.

Ik denk dat de Willards dachten dat je me hielp drank te smokelen, zoals die ene keer, en dat ze daarom je fundering hebben stukgeslagen. Om mij bang te maken, zodat zij alle drank in de vallei konden verkopen. Wheeler, Drayton en ik snoepten te veel van hun handel af.

Muir, ik wor snel kwaad omdat je zo'n verdomd moederskindje bent en altijd alles goed doet. Ik kreeg altijd overal de schuld van, en nog steeds. Je dacht dat ik die rotkerk van je had gesloopt. Je hebt me geschopt toen ik mijn roes lag uit te slapen. Je hebt me altijd een zwijn gevonden, jij en mama samen.

Als je een kerk wilt bouwen, bouw dan een kerk, verdomme. Het kan geen kwaad en misschien helpt het ouwe afvalligen zoals ik wel. Als je dominee wilt worden, word dan dominee, verdomme. Dat je die eerste keer in de war raakte en over je woorden striukelde, en dat de mensen lagten toen ik een scheet liet, wil nog niet zeggen dat jij niet kan preken.

Godver, ik heb je zelfs in het bos horen oefenen toen ik dronken tussen de struiken lag en jij uitprobeerde wat je wilde zeggen. En wat mij betrof klonk je net zo goed als een echte domenee.

Niet dat ik het op dominees begrepen heb, maar je riep de woorden net zo goed af als een afroeper bij het squaredansen. Ik heb je wel gehoord.

Je mag de T-Ford hebben tot ik me hieruit heb gewerkt. Er moeten alleen nieuwe bougies in en je moet de contactpuntjes bijvijlen. En een nieuwe binneband. Knap hem maar op, dan kun je ermee naar je dienst als je een beroemde dominee bent.

En jullie hoeven je om mij geen zorgen te maken. Ik hou me een paar weken gedeisd en ik pas goed op mezelf.

Je rafelretige broer,
Moody

Ik vouwde de brief op, stopte hem in mijn zak en rende naar huis om hem aan mama te laten zien.

De week nadat ik Moody's brief had gekregen, hielp Hank me twintig grote eiken van de bergwei te kappen. Hij leerde me dingen over het vellen van bomen waar ik nog nooit van had gehoord. Hij leerde me hoe ik het houtvolume van een nog staande boom kon inschatten.

Hij legde uit dat je de dikte van een eik op twee meter van de grond meet, en de hoogte tot aan de eerste takken. Dan vermenigvuldig je de helft van de dikte met zichzelf, en met drie, en met de afstand tot de eerste grote takken, en dan weet je grofweg hoeveel planken er uit de stam gaan.

Hank leerde me niet alleen hoe ik het houtvolume van een boom kon berekenen, hij leerde me ook welke bomen ik voor de verschillende delen van de kerk moest gebruiken. Van sommige soorten had ik weleens gehoord, van andere niet.

'We nemen Canadese dennen voor de kozijnen,' zei hij. 'Eén zo'n den van bij de bron zou genoeg moeten zijn.' Hij zei dat termieten geen Canadese den lustten en dat het vochtbestendig hout was.

Ik zei dat ik de kerk van eikenhout wilde bouwen, net als die grote eiken balken in de kathedraal van Durham waarover ik had gelezen, waarin je de bijlsporen van negenhonderd jaar geleden nog kon zien.

Hank zei dat een eikenhouten betimmering wel kon, maar dat hij me dennenhout adviseerde voor het skelet en de verbindingen, omdat je wel een spijker door een paar centimeter eikenhout kunt slaan, maar niet door dikkere planken.

Al werkend vroeg ik me af wat ik zonder Hanks raad en hulp had moeten beginnen. Ik zou maar doorgemodderd hebben. Hij bewoog zo traag dat het me verraste hoe snel zijn werk zichtbaar werd. Soms betrapte ik mezelf erop dat ik stond te kijken hoe hij werkte. Hij leerde me dat alles, en vooral moeilijke dingen, stap voor stap moet worden gedaan. Je hoefde je niet te haasten.

We werkten zo gestaag door dat we de bomen in een week hadden gekapt. Een week later hadden we het hout verzaagd, en mama betaalde de vrachtwagen die het hout naar de voet van de berg bracht. We sleepten het met de wagen naar de top. De stapels hout glansden op de open plek naast de stapels stenen.

Hank liet me zien hoe ik planken voor de grondbalken aan elkaar kon spijkeren. De vloer kwam op ongeveer een meter van de grond te liggen, en de grondbalken kwamen op de stenen fundering. We maakten horizontale, bredere steunbalken om de vloer vlak te houden, en Hank zaagde smallere schoren en stutten voor tussen de steunbalken. Bij alles wat hij deed, gebruikte hij zijn waterpas en timmermansdriehoek om zich ervan te verzekeren dat alles pas en haaks was. 'De fundamenten van een gebouw moeten perfect zijn, anders komt het nooit meer goed met de rest,' zei hij weer.

Hij leerde me met het schietlood werken.

Toen de steunbalken op hun plaats lagen, was het tijd om de ondervloer te leggen. 'Leg de planken van de ondervloer altijd in een hoek van vijfenveertig graden ten opzichte van de muren,' zei Hank.

'Waarom?' vroeg ik.

'Dat maakt de vloer twee keer zo sterk,' zei Hank. 'De ondervloer verstevigt de bodem van het gebouw.'

Hij leerde me hoe ik met behulp van zijn driehoek planken met een hoek van vijfenveertig graden kon zagen. De ondervloer kreeg vorm als het dek van een schip op de bergtop. Als een altaar.

Halverwege de middag kwamen mevrouw Richards en Annie met een pot koffie, twee bekers en crackers met stroop de berg op. 'Ik dacht dat jullie wel aan een kop koffie toe waren,' zei mevrouw Richards. Ze schonk een beker voor me in en Annie reikte hem me aan. Ik had kramp in mijn hand, zo lang had ik gezaagd. Annies haar schitterde zo stralend als het hout in de winterzon.

Ik nam een slokje koffie en voelde het als lichtjes door mijn buik en armen naar mijn vingertoppen stromen. De planken, het zaagsel, het cement en de stenen werden scherper en duidelijker.

'Wie had ooit kunnen denken dat er een kerk op deze berg zou komen?' zei mevrouw Richards.

'Hij staat er nog niet,' zei ik.

'Op een bergtop voel je je dichter bij de hemel,' zei mevrouw Richards.

'Het wordt een mooie plek om naar de zonsondergang te kijken,' zei Annie. Ik had al heel lang niet meer geprobeerd met haar te lopen. Ik zal het wel te druk hebben gehad om aan verkering te denken.

Mijn leven lang had ik timmermannen horen praten over het 'gevoel' van bouwen, dat sommige mensen van nature 'gevoel' voor bouwen hadden en anderen niet, maar tot ik met Hank ging werken had ik er nooit een voorbeeld van gezien.

Ik liet hem mijn nieuwe tekening van de kerk zien. Hij bestudeerde hem aandachtig en toen leek het alsof hij hem in zijn geheugen had geprent. Het was alsof hij de kerk nu al net zo duidelijk voor zich kon zien als ik. Hij zag wat wáár moest komen voordat ik het zag.

Toen we de ondervloer hadden gelegd, maakten we hem langs de zijkanten vast met om de vijfenveertig centimeter een spijker. De rechtopstaande planken waren de kooi van het skelet, dus het begon al echt op een gebouw te lijken, daar in het bos. Het pasgekapte hout was roomblank.

'Mag ik iets zeggen?' vroeg Hank. Het was een winderige dag in februari en zijn gezicht was rood. 'Wil je de ramen echt op zestig centimeter van de vloer?' zei hij.

'Om de bries binnen te laten tijdens lange zomerdiensten,' zei ik.

'Dat is hierboven geen probleem, want er staat hier altijd wel een bries,' zei Hank.

'De ramen moeten zo laag zitten dat de kleintjes ze ook open kunnen zetten,' zei ik.

'Maar door hoge ramen valt het licht schuin op de banken en de vloer,' zei Hank. 'Dat geeft de kerk een gewijder aanzien. Als de mensen omhoogkijken, zien ze het licht naar binnen stromen.'

De woede schoot in me omhoog alsof iemand een trekker had overgehaald. Het was *mijn* kerk, en ik had er al honderd keer over nagedacht voordat Hank ook maar een tik met zijn hamer had gegeven.

'Je doet maar,' zei ik, en ik legde mijn hamer neer. Ik wilde nog iets zeggen, maar kon niets bedenken. In een vlaag van woede liep ik naar de rand van de vloer en sprong op de grond. Ik liep door tot aan de laurierstruiken aan de noordkant. Toen ik daar bleef staan, had ik al spijt. Ik stond tussen de winterbladeren, amechtig van woede en schaamte.

Wat ben je toch een idioot, zei ik tegen mezelf. Ik zag nu in dat ik vooral zo kwaad was geworden om Hanks voorstel omdat hij gelijk had. Zijn voorstelling van de kerk was duidelijker dan de mijne. Hoge ramen zouden een gewijder effect geven. Lagere ramen zouden de gemeente alleen maar afleiden tijdens de preek. En waarom zouden kleine kinderen de ramen open of dicht moeten doen? Misschien was het wel beter als ze er niet bij konden.

Ik zag ertegenop terug te gaan en Hank onder ogen te komen. Ik liet me nog liever met een leren riem afranselen dan iemand onder ogen te komen die me kwaad had gemaakt. Ik had mezelf weer eens te kakken gezet, zou Moody hebben gezegd.

Ik draaide me om en liep tussen de takken door naar de open plek terug. Hank was nog spijkers schuin aan het inslaan. Het geluid van zijn hamer weerkaatste als een hard, staccato geblaf op de open plek. Hij ging gewoon door toen ik me op de ondervloer hees.

'Ik had niet kwaad mogen worden,' zei ik. 'Je had het goed gezien, van die ramen.'

'Ik ben zelf ook altijd een driftkop geweest,' zei Hank.

'Ik had niet eens goed over de ramen nagedacht,' zei ik.

'Een opvliegend karakter getuigt van een zuiver geweten,' zei Hank, 'al doet het zelden goed.' Hij keek op een grinnikte. 'Ik ben een keer ontslagen omdat ik een voorman een klap voor zijn kop had gegeven.'

Ik pakte mijn hamer en hield de volgende plank die Hank moest vastspijkeren voor hem recht. Mijn gezicht gloeide in de wind.

Later die dag hoorde ik een stem aan de rand van de open plek. Het was dominee Liner, en hij hijgde van de klim.

'Ik hoorde dat je Muir aan het helpen bent,' zei de dominee tegen Hank. 'Ik wilde het met eigen ogen zien.'

'Er is weinig werk voor me in deze tijd van het jaar,' zei Hank. 'Ik had wat tijd over.'

De dominee liep dichter naar ons toe, bleef staan en zette zijn handen in zijn zij. Hank wees hem waar de ingang en de toren zouden komen, vlak naast de plek waar hij stond.

'De ouderlingen hebben geen toestemming gegeven voor een nieuwe kerk,' zei dominee Liner.

Hank werkte langzaam maar gestaag door. Hij zei tegen de dominee dat hij de bouw van een nieuwe kerk een goed idee vond en dat hij me gewoon een handje wilde helpen. De dominee zei dat een idee alleen iets waard was als de gemeente ervoor had gestemd. 'Dat is de doopsgezinde leer,' zei dominee Liner.

Hank bleef zo onverstoorbaar als een bankbediende. Hij begon weer te spijkeren en zijn hamerslagen klonken als tromgeroffel. Hij zei tegen de dominee dat hij met niemand ruzie wilde en dat hij gewoon een kerk op de bergtop wilde bouwen die de mensen konden gebruiken.

'Wie de kerkwetten schendt, kan een berisping krijgen,' zei dominee Liner met stemverheffing. Hij had mij niet eens opgemerkt.

Hank legde de dominee uit dat iedereen God op zijn eigen wijze dient. Hij keek de dominee niet aan, maar zijn gezicht was roder geworden in de wind.

'Dat strookt niet met de geest van verbondenheid,' zei dominee Liner. 'Als iedereen zijn eigen gang maar ging, was er geen kerk meer. Ik laat mijn kerk niet opsplitsen.'

'Iedereen moet naar zijn eigen geweten handelen,' zei Hank, 'en doen wat hem juist lijkt.'

'Dat is niet volgens de doopsgezinde leer,' zei dominee Liner. 'Als ouderling moet je een voorbeeld voor de gemeente zijn. De ouderlingen zijn de pijlers van de kerk.'

Hank spijkerde door zonder naar de dominee op te kijken. Het zweet stond op zijn voorhoofd.

'Ik zou het heel erg vinden als jullie uit de kerk werden gestoten,' zei dominee Liner. 'Muir is nog maar een jongen, maar jij bent oud genoeg om ter verantwoording te worden geroepen.'

Hank draaide zich zo bliksemsnel om dat zijn timmermansschort tegen zijn heup sloeg. Zijn gezicht had niets bedaards meer en hij keek de dominee met ogen als spleetjes aan. De dominee was forser dan Hank. 'En ik zou het heel erg vinden als u van de berg viel,' gooide Hank eruit.

'Het is zondig om een dominee te bedreigen,' zei dominee Liner.

Toen Hank bleef zwijgen, draaide de dominee zich om, stak de open plek over en liep de weg af. Ik was zo gespannen dat mijn knieën ervan trilden.

'Geef nog eens wat spijkers,' zei Hank, die klonk alsof hij buiten adem was. Ik liep naar het kistje naast de stapel planken en pakte een handje spijkers.

'Waarom is de dominee er toch zo fel op tegen?' vroeg ik.

'Het heeft geen zin om erover te praten,' zei Hank. 'Laten we het liever over de muur op het westen hebben.'

Ik wilde weten hoe Hank over de dominee dacht en ik wilde hem nog eens vragen waarom hij me met de bouw van de kerk hielp, maar ik had wel door dat ik toch geen antwoorden zou krijgen. 'We kunnen de basis van de toren tweeëneenhalf bij tweeëneenhalf maken,' zei ik.

'Aan deze kant moeten er meer spijkers in de ondervloer,' zei Hank, 'want hier moet hij de toren steunen.'

Dat had ik ook over het hoofd gezien. De basis van de toren moest sterker zijn dan de muren, wilde hij een toren van vijftien of misschien wel twintig meter hoog kunnen dragen. De westelijke muur zou versterkt moeten worden.

'Een dominee zal ook wel zijn trots hebben, net als ieder ander,' zei ik toen we de extra spijkers insloegen.

'Laten we het niet meer over dominees hebben,' zei Hank.

Maar hij begon er zelf over, een week later, toen het skelet stond en we de daksparren konden bevestigen. Het begon al een echte kerk te worden, met een boomhoge gevelspits. We moesten eerst een lange ladder van bitternotenhout maken. Het plaatsen van de ruiter was het moeilijkst. Die kwam zo hoog dat ik er bang van werd. Ik was niet gewend zo hoog boven de grond te werken. Toen ik om me heen keek, kon ik over de boomkruinen tot ver in de vallei kijken.

De ruiter bestond uit twee aan elkaar gespijkerde balken.

'Heb je nog iets van Moody gehoord?' vroeg Hank.

Het had een bijzondere intimiteit, zo samen hoog boven de grond in de wind werken met het bos en de vallei die zich ver in de diepte uitstrekte.

'Ik heb niks meer van hem gehoord na die ene brief,' zei ik. 'Hij moet ergens in de bossen zitten.'

'Ik hoop dat hij een hut of een grot heeft om in te slapen,' zei Hank.

'Dominee Liner is mama komen bezoeken,' zei ik. 'Hij heeft tegen haar gezegd dat Moody's problemen onze straf waren omdat we de kerk trotseerden.'

'Heeft hij dat echt gezegd?' Hank leunde ver naar achteren om zijn evenwicht niet te verliezen terwijl hij de balken aan elkaar spijkerde.

'Hij zei dat de Heer iedereen op zijn eigen wijze straft,' zei ik.

'Dominees zijn ook maar mensen, al zijn ze dan gezalfd,' zei Hank. 'Ze maken net zo goed fouten als wij.'

Toen ik naar beneden klom om nog een balk te pakken, keek ik naar de tegen de lucht afgetekende daksparren. Ze leunden tegen elkaar en wezen als vingers naar het midden van de hemel. Ze hadden echt de vorm van een kerk, het symbool van een kerk. Hank liep zo moeiteloos als een koorddanser met een plank over een balk.

24

Ginny

Die avond in maart reed er iemand het erf op. Het was UG. UG was zo iemand die altijd op een onopvallende manier verantwoordelijkheden op zich nam. Hij liep naar de deur, en toen ik hem begroette had hij zijn hoed al afgenomen.

'Kom erin,' zei ik. Ik wist dat hij geen goed nieuws kwam brengen, want hij liet zich zwijgend naar het vuur leiden. We hadden al weken niets meer van Moody gehoord en ik was bang voor slecht nieuws.

'Gaat het over Moody?' zei ik. Er voer een rilling door me heen, helemaal tot in mijn tenen.

'Ik vrees dat ik slecht nieuws heb,' zei UG. Hij zweeg even. 'Waar is Muir?' vroeg hij toen.

'Op de berg, waar hij met Hank aan de kerk werkt,' zei ik.

UG schudde zijn hoofd en tuurde in de vlammen.

'Wat is er met Moody?' zei ik.

'Moody is door een hulpsheriff doodgeschoten,' zei UG bijna fluisterend.

'Ik geloof je niet,' zei ik.

'Het spijt me erg dat ik het je moet vertellen,' zei UG.

'Waar is het gebeurd?' zei ik.

UG pakte me bij mijn elleboog en loodste me naar de bank. Hij ging naast me zitten en legde een hand op mijn schouder.

'De politie is gisteren in de winkel geweest,' zei UG. 'Ze vroegen of ik wist waar Moody zou kunnen zitten. Ik heb de waarheid gezegd: dat ik niet meer wist dan zij. Die grote vent met die vierkante kin, Thomas, zei dat de sheriff het met Moody op een akkoordje wilde gooien. Als Moody vertelde wat hij wist over de dranksmokkel van de Willards met Peg Early, zou hij er genadig af kunnen komen. Misschien zou de aanklacht zelfs worden ingetrokken. Jenkins zei dat als Moody zichzelf niet kwam aangeven, de Willards hem wel zouden vinden en dan ging hij er hoe dan ook aan.

Ik zag er de logica wel van in. Moody's enige hoop was het land uit vluchten of een regeling treffen met de sheriff. Hij kon niet zijn hele leven voor de sheriff én de Willards blijven vluchten. Ik wist eerlijk niet waar Moody zat en ik wilde het ook niet weten. Als ik moest raden, zou ik zeggen dat hij ergens achter Pinnacle zat, waarschijnlijk in een van de grotten in Ann Mountain, maar dat zei ik niet. Ik zei dat ik mijn best zou doen om hem te vinden en met hem te praten, maar alleen als ze me niet volgden. Dat beloofden ze, en ze zeiden dat ze mijn hulp zeer op prijs zouden stellen.

Ik stapte in mijn vrachtwagen en reed naar South Carolina om ze af te schudden, en daar konden ze trouwens toch niemand arresteren. Ik reed over de snelweg en om de voet van Gap Creek naar de snelweg naar Caesar's Head, en toen reed ik terug naar iets ten zuiden van Cedar Mountain in North Carolina.

Om er zeker van te zijn dat ik niet werd gevolgd, stopte ik op een vrachtweg en wachtte een halfuur achter de struiken. Er kwamen geen auto's langs en er stopte geen mens, dus toen durfde ik naar de kreek te lopen die naar de achterkant van Ann Mountain stroomt.

Aan die kant van Ann Mountain is het een en al rotsblokken en kliffen. Wie zich daar verbergt, kan een hele noodwacht te slim af zijn als hij wil. Er waren rotsblokken die als torens boven de eiken uitstaken. Er waren rotsen die zo ver overhelden dat je al misselijk werd als je ernaar keek.

Ik stond onder die rotsen en riep Moody. Ik hoorde alleen de echo van mijn stem. "Kom naar beneden, ik wil met je praten," riep ik. "Ik moet je iets vertellen."

Vertellen, herhaalden de kliffen op de bergkam in de verte.

Ik hield mijn handen bij mijn mond. "Ik wil je helpen," schreeuwde ik.

Je helpen, klonk het vanaf de bergkam.

Ik hoorde geritsel achter me, draaide me om en zag Moody, die me met een pistool bedreigde. Hij had een baard en zijn haar piekte alle kanten op. Hij zag er koud en hongerig uit.

"Je hebt het recht niet," zei Moody.

"De sheriff kan het je makkelijk maken," zei ik.

Moody zag er zwak en uitgeput uit. Het pistool beefde een beetje in zijn hand.

"Ik zou de politie nooit op jouw spoor hebben gezet," zei Moody.

"De Willards vermoorden je als ze je vinden," zei ik, maar ik was er niet meer zo zeker van of ik wel naar Ann Mountain had moeten gaan. Stel dat de Willards me hadden gevolgd? Ik had een akelig gevoel in mijn maag en het jeukte in mijn nek.

"Denk je dat ik dat niet weet?" zei Moody.

"Moody!" riep iemand vanuit de laurierstruiken aan de overkant van de kreek. Moody draaide zich als door een wesp gestoken om en richtte zijn pistool op de struiken.

"Laat je wapen vallen," werd er geroepen. "Je leven is daar geen sneeuwvlok in de hel waard." Het was hulpsheriff Thomas.

"Je wordt bedankt," snauwde Moody me over zijn schouder toe.

"Je had beloofd dat ik met hem mocht praten!" riep ik naar de struiken.

"Je wordt bedankt," zei Moody weer. Ik was bang dat hij zich zou omdraaien en mij doodschieten, maar net op dat moment stond Thomas op en kwam door de struiken op ons af.

"Laat je wapen vallen," riep hij.

Ik zag Moody's gezicht. Het was alsof alle spanning er opeens afviel. Ik zag opluchting op zijn gezicht. Ik denk dat hij domweg doodmoe was van het onderduiken en wachten. Hij draaide zich langzaam om, alsof hij een deur wilde openen, en richtte zijn pistool op de hulpsheriff. Hij haalde de trekker niet over. Volgens mij was hij dat ook helemaal niet van plan.

Toen werd er vanuit de laurierstruiken geschoten. Het was de andere hulpsheriff die Moody op de korrel had. Hij schoot Moody midden door zijn borst.

Ik rende naar Moody toe, rolde mijn jas op en drukte hem tegen de wond om het bloeden te stelpen, maar het bleef maar stromen. Ik bond mijn jas om zijn borst, maar de stof was binnen de kortste keren doorweekt. Het droop van het bloed en zo droegen we hem naar de vrachtweg. Het was al lang donker toen we de snelweg bereikten, en voordat we ook maar in de buurt waren, was Moody al doodgebloed.'

Toen UG zweeg, was het of al het bloed uit mijn hart was gestroomd. Ik was te slap om iets te zeggen.

'Moody riep je nog toen we hem droegen,' zei UG.

'Wat zei hij?' vroeg ik.

'Hij zei alleen twee keer "mama" toen we met hem sjouwden,' zei UG.

Ik haalde diep adem, maar er was geen lucht in de kamer.

Ik dacht aan Moody met zijn pistool in het donkere bos. Hij was al een hele dag dood zonder dat ik het had geweten. Ik had hem het leven geschonken en hem aan mijn borst gezoogd. Er is geen groter verdriet dan het verdriet van een moeder om haar eigen vlees en bloed. Ik was zo verbijsterd dat ik mezelf met mijn verdriet kon zien alsof ik een buitenstaander was.

Een vrachtwagen reed met gierende banden het erf op, knarste en stopte. Ik keek als verdoofd hoe ze de laadruimte openmaakten en er een brancard uit tilden. UG deed de voordeur open.

'Bent u mevrouw Powell?' zei de hulpsheriff.

'Leg hem op de bank,' zei UG.

Ze zetten de brancard op de vloer en legden Moody op de bank. Hij had een baard van dagen en zijn haar was warrig. Zijn ogen waren dicht en hij leek net een wassen beeld. Zijn jas zat onder het bloed.

'Mevrouw, wilt u hier tekenen?' zei een van de hulpsheriffs, en hij hield een klembord met een formulier onder mijn neus.

Ik deed of ik hem niet zag.

'Er staat alleen dat u het lichaam in ontvangst hebt genomen en het in bewaring neemt,' zei de hulpsheriff.

Ik wendde me van hem af en keek naar Moody. Het bloed op zijn jas was zwart opgedroogd. Fay zat in een hoek van een stoel te snikken.

'Ik teken wel,' zei UG tegen de hulpsheriff.

Toen ze weg waren en de vrachtwagen van het erf was gegierd, probeerde ik te bedenken wat ik moest doen. Als ik nu ging zitten en me liet gaan, zou ik nooit meer overeind komen. Ik had een verdriet in me dat me binnenstebuiten zou keren en in duizend stukjes breken als ik eraan toegaf. Ik had snikken in me die erger zouden zijn dan elke vorm van overgeven of stuipen als ik ze eruit liet.

'Ga zitten, Ginny, ik regel alles,' zei UG.

'Nee,' zei ik. 'Moody moet afgelegd worden. Ik ga de keukentafel leeg maken.'

Fay keek met betraande ogen naar me op. Haar gezicht was rood van het huilen. 'Hoe haal je het in je hoofd,' snikte ze, 'om hem zelf af te leggen?'

'Ik doe wat gedaan moet worden,' zei ik. Ik kon de woede in mijn stem niet verbloemen. Mijn trots en woede gaven me kracht. Zonder trots en woede was ik flauwgevallen.

Ik liep naar de keuken en pakte het peper-en-zoutstel van de tafel.

Ik pakte de suikerpot, de stroopkan en het potje zuur. De aardappels stonden al op het fornuis te koken, en ik zette de pan weg. Ik trok het zeil van tafel en legde het opgevouwen op het aanrecht bij de wateremmer. Er lagen kruimels en wat stof op het kale houten tafelblad. Ik nam het blad met een vochtige doek af.

'We brengen hem naar de keuken en leggen hem op tafel,' riep ik naar UG en Fay. Ik vulde het houtfornuis bij, schonk de ketel vol en zette een teiltje half vol water op de kookplaat.

'Je hoeft dit niet te doen,' zei UG.

'Ik moet dit doen,' zei ik. Ik stroopte mijn mouwen op en staalde mijn wilskracht tegen de vloedgolf van verdriet, want ik wist dat die zou komen.

Toen kwam Muir door de keukendeur binnen. Zijn gezicht was een grimas. 'Ik heb het gehoord van Moody,' zei hij, en toen barstte hij in tranen uit. Zijn mond trok alle kanten op. Hij nam me in zijn armen.

Ik zei dat we Moody moesten afleggen en dat we hem met zijn allen moesten dragen. Ik leidde Muir naar de woonkamer en zei dat hij Moody moest optillen, dan kon ik zijn jas uittrekken.

'O, mama,' zei Muir. Hij pakte Moody bij zijn schouders.

Moody's armen waren zo stijf als een plank. Ze hadden ze op zijn borst gevouwen en ik moest eraan rukken en trekken om de mouwen van zijn jas over zijn polsen te krijgen. Ik voelde me zo opgelaten dat ik bloosde in weerwil van het ijzige verdriet dat door mijn aderen sijpelde. Het lichaam was zo zwaar en koud dat ik me nauwelijks kon voorstellen dat het mijn zoon Moody was.

Terwijl ik Moody's jas uittrok, kwam Florrie de kamer in en vroeg wat ik aan het doen was. Ik had niet eens gemerkt dat ze was gekomen. Ik zei tegen haar dat ik het lichaam ging afleggen.

'Ga zitten en maak niet zo'n spektakel,' zei Florrie.

'Ze hebben hem niet op een koelbaar gelegd, dus zijn rug is kromgetrokken,' zei ik. Ik zei dat als ze zich nuttig wilde maken, ze me kon helpen hem naar de keuken te dragen.

'Wat wil je nou bewijzen?' zei Florrie.

Aan Fay en Muir had ik niets; die zaten allebei te huilen. Ik vond dat ik moest doen wat er gedaan moest worden.

'Je bent buiten zinnen,' zei Florrie, en ze pakte me bij de arm.

UG en Muir pakten Moody bij zijn schouders en Florrie en ik pakten zijn benen, en zo droegen we hem naar de keuken. Het water stond op het fornuis te koken en de ramen begonnen te beslaan.

'UG en ik doen het wel,' zei Florrie.

'Nee, mama, ik doe het,' zei UG tegen Florrie.

Mijn wilskracht was als een dam die een vloedgolf van rouw en verwarring tegenhield. Ik moest zoveel mogelijk kracht zetten. Als ik de dam liet breken, zou ik verdrinken.

'Gaan jullie maar naar de woonkamer,' zei ik. 'Muir en ik doen het.'

'Waarom doe je zo?' zei Florrie.

'Ik leg mijn eigen zoon af in mijn eigen huis,' zei ik.

'Wat blaas je weer hoog van de toren,' zei Florrie.

Ze gingen allemaal opzij toen ik een tweede lamp haalde en opzij van de tafel zette. Ik stroopte Moody's overall centimeter voor centimeter af en ik trok hem zijn werkhemd uit. Hij was in zijn borst geschoten en het bloed was als bruine verf in de holte tussen twee ribben gedroogd. Er zat nog nat bloed in de wond, en de geur van oud bloed.

'Laat het maar aan mij over,' zei UG.

'Achteruit,' zei ik, 'en breng me eens wat kamfer.' Ik zag dat ik maar één ding kon doen, en dat was een in kamfer gedoopt verband op de wond leggen. Toen Muir het lichaam optilde om me het verband om de borst te laten wikkelen, gingen Moody's ogen open. Ik sloot ze voordat iemand het kon zien. De ogen zagen er ondoorzichtig en troebel uit.

Ik schonk heet water in een kom, pakte een stuk zeep en begon Moody's handen en armen te wassen. Zijn handen waren vlekkerig van het bessensap, maar het kon ook bloed zijn. Ik boende zijn nek en achter zijn oren. Ik had zijn gezicht niet meer gewassen sinds hij een jongetje was. Ik lette goed op dat ik de ogen niet nog eens open liet gaan.

'Ga je scheermes eens halen,' zei ik tegen Muir.

'Ik scheer hem,' zei UG. 'Laat me hem ten minste scheren.'

UG was kapper en hij was eraan gewend anderen te scheren. Ik liet hem Moody scheren terwijl ik zijn borst en buik waste. Moody's sluitspier was ontspannen toen hij stierf en dat maakte ik met warm water en een doek schoon. Ik had Moody's geslachtsdelen niet meer gezien sinds hij een jongetjes was. Ik probeerde niet naar het litteken in zijn kruis te kijken.

Zo worden je waardigheid en kracht op de proef gesteld, dacht ik. Het stelt je geloof op de proef. Ik geef nog niet aan mijn verdriet toe. Moody's woede zat in zijn bloed en hij kon zijn drift niet bedwingen. Het was alsof ik dit moment al zijn hele leven had zien aankomen.

En net toen hij begon te veranderen, toen hij milder en volwassen begon te worden, was hij vermoord. Het was te triest voor woorden.

En het was *míjn* schuld. Ik wist niet goed waarom, maar ik was zijn moeder en ik was verantwoordelijk voor hem. Ik had hem in elk geval in de steek gelaten door te weinig van hem te verwachten. Ik had veel van Muir verwacht, maar bijna niets van Moody.

Ik gooide de waskom op de achterveranda leeg en pakte schoon water. Ik waste Moody's benen en voeten. Ik knipte zijn teennagels met mijn schaar. Ze waren lang, krom en vies.

'En, wat moet hij aan?' vroeg ik aan UG.

'Heeft Moody een pak?' zei UG.

'Nee, alleen overalls en flanellen werkhemden,' zei ik.

'Hij mag mijn oude pak wel aan,' zei Muir.

'Moody hoeft geen pak aan,' zei ik. 'Hij heeft van z'n levensdagen geen pak aangehad.'

'Als hij een uitvaartdienst in de kerk krijgt, moet hij een pak aan, net als iedereen,' zei Muir.

'Jouw pak is hem te groot,' zei ik.

Ik haalde een schone overall en een werkhemd uit de slaapkamer en die trokken we Moody stukje bij beetje aan. Ik herinnerde me nog hoe moeilijk het was een dood lichaam te verplaatsen toen Tom was gestorven. Het gewicht en de rubberachtige stijfheid maken het bijna onmogelijk een dode kleren aan te trekken. We moesten allemaal aan hem sjorren, trekken, duwen en rollen om het voor elkaar te krijgen.

Toen we Moody hadden aangekleed, lieten we hem op de keukentafel liggen. Muir zou de volgende dag een paar van zijn eikenhouten planken moeten gebruiken om een kist te maken. UG bood aan handvatten voor aan de kist te brengen, een naamplaatje en een paar scharnieren. Ik zette een lamp links en rechts van het lichaam en liet het liggen.

'Kom bij het vuur zitten,' zei Florrie. 'Ik maak iets te eten voor je.'

'Ik hoef niks,' zei ik.

De volgende ochtend, toen Muir op het achtererf een kist aan het timmeren was, kwam dominee Liner. Ik hoorde hem eerst met Muir praten, die aan zijn zaagbok stond te werken, en toen klopte hij aan.

'Ginny, ik ben gekomen om je in deze tijd van beproeving bij te staan,' zei de dominee toen hij met zijn hoed in zijn hand de woonkamer in liep.

Het verbaasde me niet de dominee te zien, maar het verbaasde me wel dat hij zo vroeg in de ochtend was gekomen. En hij was gespannen, alsof hij bang was dat hij niet welkom was. Hij keek naar Moody's lichaam, dat nog op de keukentafel lag. Ik had een in kamfer gedompelde zakdoek op Moody's gezicht gelegd om te voorkomen dat de huid zwart werd.

'De Heer geeft ons geen groter leed dan we kunnen verdragen,' zei dominee Liner. Hij draaide zijn hoed in zijn handen rond en keek om zich heen. Hij zag er ziek uit. Hij had wallen onder zijn ogen en kromme schouders. Ik had hem nog nooit zo oud en afgetobd gezien.

'Gaat u toch zitten,' zei ik.

'Ik ben gekomen om naar de begrafenis te vragen,' zei dominee Liner.

Ik zei dat we de begrafenis vandaag moesten houden, aangezien Moody eergisteren was gedood.

'Waar wilde je de dienst houden?' zei de dominee. Zijn vraag kwam als een verrassing. Ik zei dat we van plan waren de dienst in de kerk te houden.

'Strikt genomen was Moody geen lid van de kerk,' zei dominee Liner. Nu begreep ik waarom hij zo nerveus deed.

'We zijn altijd naar de kerk in Green River gegaan,' zei ik.

De dominee zei weer dat Moody geen lid was geweest en dat hij zelden naar de kerk was gegaan en dat hij was gedood tijdens een gevecht met de wet.

'Velt u een oordeel over de staat van zijn ziel?' zei ik. Mijn stem klonk beverig en schel.

'Wij kennen alleen zijn daden, en dat zijn niet de daden van een christen,' zei dominee Liner.

Ik klopte op mijn borst en keek in het vuur. Fay dook in de deuropening van de slaapkamer op. 'Als Moody niet in de kerk begraven kan worden, gaat hij dan naar de hel?' zei ze.

'Is de raad van ouderlingen het hiermee eens?' zei ik.

'De raad van ouderlingen heeft erover gestemd,' zei dominee Liner.

Ik luisterde naar het vuur, dat loeide; dat doet het in maart als er slecht weer op komst is. Het was alsof ik zand inademde.

Ik wees de dominee erop dat Moody's opa de kerk had gebouwd. De dominee schraapte zijn keel en ging dichter bij het vuur staan. Hij ademde diep in en zuchtte. 'Strikt genomen ben jij ook geen lid van de kerk,' zei hij.

'Ik ben veertig jaar geleden gedoopt,' zei ik.

De dominee zei dat hij in het register had gekeken en dat hij had gezien dat pa en ik waren uitgestoten en nooit opnieuw aangenomen. Ik zei dat dat lang geleden was, maar hij zei dat nergens was opgetekend dat ik weer als lid van de gemeente was aangenomen.

Het voelde alsof mijn botten tot as verpulverden. Het voelde alsof ik eindelijk werd ingehaald door een oude zonde die jarenlang begraven was geweest.

'Mogen we nou niet meer naar de kerk?' zei Fay. Er welden tranen in haar ogen op.

'Het zou niet gepast zijn Moody's uitvaartdienst in de kerk te houden,' zei dominee Liner. 'Het is tegen de doopsgezinde leer.'

'Moody heeft er lang over gedaan om volwassen te worden,' zei ik. 'Hij begon net te veranderen. Hij begon net zichzelf te worden.'

'Ik kan Moody's uitvaartdienst wel hier in huis houden,' zei de dominee.

'Dus dat komt u ons vertellen,' zei iemand vanuit de deuropening. Het was Muir, met houtkrullen op zijn broek en zijn hamer nog in zijn hand. 'Dat Moody niet goed genoeg is voor uw kerk.'

'Moody was geen lid,' zei dominee Liner.

'Wie bent u om te bepalen wie een goed christen is en wie niet?' zei Muir. Hij kwam de kamer in en ik zag dat hij bleek was.

'De kerk moet stelling nemen tegen wetteloosheid,' zei dominee Liner.

'Dit heeft niets met Moody te maken,' zei Muir. 'Het gaat erom dat ik een nieuwe kerk bouw, hè?'

'Ik ben de zielenherder,' zei de dominee. 'Ik laat mijn kerk niet in facties opdelen.'

'U houdt de mensen buiten in plaats van ze binnen te halen,' tierde Muir.

'Je bent over je toeren van verdriet,' zei dominee Liner. 'Je bent jezelf niet.'

Ik besefte dat Muir gelijk had. Wat dominee Liner wilde, was iedereen buitensluiten die het niet met hem eens was. Als iemand hem tegensprak, verschool hij zich altijd achter de doopsgezinde leer. Maar hij leek me ook ziek en zwak.

'Ik ben genoeg mezelf om u te doorzien,' zei Muir.

'Ik ben hier niet gekomen om ruzie te maken,' zei dominee Liner.

'U bent hier gekomen om me terug te pakken voor het bouwen van de nieuwe kerk,' zei Muir, maar hij tierde niet meer. Zijn stem was zo kalm als de bries in de dennen.

'Ik ben hier niet gekomen om beschuldigingen uit te wisselen,' zei de dominee. 'Ik lever mijn kerk niet uit aan de pinksterbeweging. Goedendag.' De dominee spoedde zich naar de deur en ik liep achter hem aan en keek hem na toen hij over het erf naar het koelhuis liep.

'Krijgt Moody nou geen begrafenis?' zei Fay.

'We gaan erom bidden,' zei ik.

'Ik houd Moody's begrafenisdienst,' zei Muir. Ik keek hem aan. Zijn gezicht was rood en bezweet, maar zijn stem klonk bedaard.

'Dat hoeft niet,' zei ik.

'Ik houd zijn uitvaartdienst in de nieuwe kerk,' zei Muir.

'Maar de nieuwe kerk is nog niet eens gebouwd,' zei ik.

'Hij is gebouwd genoeg voor een dienst,' zei Muir.

'Maar je bent niet gewijd,' zei ik.

'God zal me wijden,' zei Muir.

Fay liep door de wei naar de familie Richards om te zeggen dat we de uitvaartdienst in de onaffe kerk op de bergtop wilden houden. Toen Muir het eenmaal had gezegd, zag ik in dat het goed zou kunnen zijn. Moody was het slachtoffer geworden van Muirs pogingen een nieuwe kerk te bouwen. De nieuwe kerk stond op het land van de familie en geen mens kon ons verbieden hem te gebruiken. En de nieuwe kerk was nog niet af. Hij was eigenlijk nog maar net in wording, zoals Moody nog maar net volwassen was begonnen te worden. Het was een gepaste plek om Moody te gedenken.

UG kwam met zijn vrachtwagen de handvatten en scharnieren voor de kist brengen. Toen ik hem vertelde wat we van plan waren, zei hij: 'Zou het niet beter zijn de dienst gewoon hier te houden?'

'Muir wil de dienst in zijn nieuwe kerk leiden,' zei ik. 'Hij wil zelf de preek houden.'

'Dat kan ik me indenken,' zei UG, 'maar het feit blijft dat er nog geen banken in de kerk staan om op te zitten. En we kunnen de kist alleen door de modder van de nieuwe weg naar boven krijgen.'

Ik liep met UG mee naar Muir, die naast de schuur aan de kist werkte. Hij was de geschaafde, in elkaar getimmerde planken aan het schuren. De kist was gevoerd met een oude deken.

'Broeder Muir, ik heb een voorstel,' zei UG.

UG zei dat hij vond dat we de uitvaartdienst thuis moesten houden, maar Muir zei dat hij dominee Liner wilde bewijzen dat die ons niet kon zeggen waar we onze dienst mochten houden. Muir keek naar het schuurpapier in zijn hand. Ik wist dat hij door verwarring en woede werd gekweld. Er was de afgelopen dagen zoveel gebeurd. Hij was nog jong, en zijn plannen waren op een teleurstelling uitgelopen.

'Ik houd de dienst op de manier die mij goeddunkt,' zei Muir, en hij sloeg op zijn dij.

25

Muir

Ik wist dat ik Moody's uitvaartdienst in de nieuwe kerk moest leiden. Er was niets anders daarboven dan stapels hout en stenen, zaagsel en modder en een skelet op de ruwe funderingsmuur. De muren waren nog niet betimmerd en er waren nog geen ramen en geen deur. De beplanking was nog niet klaar. Maar in mijn gedachten was de kerk al ingezegend en gewijd, en het was de plek waar Moody moest worden begraven. Het was de plek om afscheid van Moody te nemen, tussen de mensen die ondanks zijn fouten van hem hadden gehouden en hadden gezien dat hij een beter mens begon te worden. Een uitvaartdienst hoefde niet in een voltooide kerk plaats te vinden. Als je het goed bekeek, was de hele wereld een kerk, een oord om de overledenen te gedenken en eren.

'Als we wachten, vinden we Gods wil,' had Hank gezegd. Ik zag er de wijsheid van in, en ik wist dat haast mijn grootste fout was. Ik vond wachten altijd moeilijk. Maar ik wist ook dat ik voor Moody moest preken. Dat was niet alleen hoogmoed. Na de manier waarop dominee Liner zich had gedragen, was het niet meer gepast hem Moody's uitvaartdienst te laten houden. Als er woorden gezegd moesten worden, was het mijn taak, als Moody's broer en als iemand die prediker had willen worden, die woorden te zeggen. Ik was het Moody verplicht zijn leven te gedenken. Het maakte niet uit of ik eraan toe was om te preken of niet; het was een bittere noodzaak.

Hank kwam naar ons huis om te zeggen dat hij banken van planken op stenen in de nieuwe kerk zou maken. En hij zou de kist met de wagen naar boven brengen en hem dan op twee zaagbokken zetten. 'Ik weet alleen niet wat je als preekstoel wilt gebruiken,' zei Hank.

'Ik hoef geen preekstoel,' zei ik.

Al Hanks gepraat over preken terwijl we werkten had zijn doel niet gemist. Hij had me telkens opnieuw verteld dat hij zelf dominee had willen worden en dat het er niet van was gekomen.

'Een predikant hoeft niet volmaakt te zijn,' had Hank gezegd. 'Geen mens is volmaakt. Als predikant geef je wat je hebt, alles wat je in je hebt.'

Hanks woorden hadden weken in mijn hoofd weerklonken. We hadden de hele maand januari en februari samengewerkt. Vrijwel onbewust had ik zijn woorden in mijn geest herhaald. 'Wat een dominee is en doet, is net zo belangrijk als wat hij vanaf de kansel preekt,' had Hank gezegd. 'En wat hij tegen zieke, verdrietige en gekwelde mensen zegt is net zo belangrijk als wat hij tijdens gebedsbijeenkomsten verkondigt. Want het hele leven van een dominee is een getuigenis en zijn preek.'

'We houden de uitvaartdienst vanmiddag om vier uur,' zei ik tegen UG, Hank en mama. 'En we begraven Moody voor zonsondergang.'

'Ik help je het graf delven,' zei Hank.

'Ik zal doorgeven dat iedereen die wil komen, welkom is,' zei UG voordat hij in zijn vrachtauto stapte.

Ik had mama nooit eerder zo verdwaasd gezien, zelfs niet toen Jewel was gestorven. Gisteravond, toen ze Moody hadden thuisgebracht, had ze als een bezetene gewerkt. Ik denk dat ze haar verdriet naar de achtergrond wilde duwen omdat ze er anders in kon verdrinken. Vanmorgen zag ze er moe en verschrompeld uit, alsof al haar wilskracht uit haar was gevaren. Ze leek zelfs een beetje krom te lopen, wat me nooit eerder was opgevallen.

'Ga jij maar zitten, dan maak ik de kist af.' zei ik tegen haar.

'Iemand moet de voering afwerken,' zei ze.

'Dat doe ik zelf wel,' zei ik.

'Weet je zeker dat je de uitvaartpreek wilt houden?' vroeg mama.

'Ik doe het,' zei ik. Het had geen zin te proberen mijn gevoelens onder woorden te brengen.

'Ik zal de Heer vragen je te zegenen,' zei mama.

Op dat moment kwam tante Florrie ham en een nog warm maïsbrood brengen. 'Ga mee naar binnen, Ginny,' zei ze. 'Ik wil je haar doen.'

Toen ik met de kist alleen was, schuurde ik de randen en hoeken bij tot ze zijdezacht waren. Onze liefde blijkt uit kleine dingen, dacht ik. Ik niette de voering aan de zijkanten van de kist vast. Hij hoefde eigenlijk niet netjes te zijn, want niemand anders dan ik kreeg de binnenkant te zien. Het werk wees me erop hoeveel ik om Moody gaf en hoe erg het me speet dat we al die jaren hadden gekibbeld en gevochten. De planken van de kist zouden binnen vijftien of twintig jaar weggerot zijn, maar het was belangrijk mezelf te bewijzen hoeveel het voor me betekende, en dat ik op dit belangrijke moment van mijn leven deed wat nodig was, alles wat een broer kon doen.

Ik pakte een meetlint, mat de zijkanten van de kist en gaf op de zijkanten, het hoofd- en het voeteneind aan waar de handvatten moesten komen. UG had me messingkleurig beslag gegeven, het beste dat hij had. Het was van zwaar, massief metaal. Het messing kleurde mooi bij het eikenhout. Ik tikte de schroeven met een hamer in het hout en draaide ze toen strak aan met een schroevendraaier.

Ik deed een paar passen achteruit en zag het beslag fonkelen in de zon. De kist was eenvoudig, maar fris en mooi. De planken sloten naadloos op elkaar aan. Het was het beste schrijnwerk dat ik ooit had gedaan. Het hout was geschuurd om de nerf beter te laten uitkomen. Het was geen protserige kist, maar ik had niets mooiers kunnen maken, gezien het materiaal en de tijd waarover ik beschikte. Met mijn preek zou ik hetzelfde moeten doen. Ik zou hem zo goed mogelijk maken als de tijd en wat ik wist me toestonden.

Toen ik de kist naar binnen had gebracht, hielpen Florrie, mama en Fay me Moody erin te leggen. We deden het voorzichtig, en Florrie haalde de doek met kamfer van Moody's gezicht en kamde zijn haar. Zijn gezicht was zo grijs als pijpaarde geworden. Ik wilde hem niet zien. Het voelde niet alsof hij het echt was.

'Ik moet Hank helpen het graf te delven,' zei ik.

'Eet eerst iets,' zei tante Florrie.

'Geen honger,' zei ik. Ik wilde zo snel mogelijk naar het kerkhof.

'Neem toch wat ham en brood,' zei mama. 'Ik schenk een kop koffie voor je in.'

Ik wilde me zo rustig en normaal mogelijk gedragen. Ik ging zitten en at van de zoete ham en het warme maïsbrood. Florrie had sterke zwarte koffie gezet en ik dronk er een kop van, maar alles stond me al helder en levendig voor de geest. De dag zou zich als een lange, geleidelijke boog vormen en ik zou die boog volgen. Het was de vorm van wat me te doen stond. Het was de vorm van wat er gedaan moest worden.

'Maak het graf naast dat van Tom, pa en Jewel,' zei mama. 'Maar laat een plek voor mij open.'

Ik liep met de houweel en de spade over mijn schouder naar het familiekerkhof op de heuvel boven Cabin Creek. Hank wachtte me op met een pikhouweel en nog een spade. Het kerkhof lag op een terp vlak onder de puntige kam van Mount Olivet. Hoog daarboven doemde Buzzard Rock op. Het eerste graf was dat van overgrootvader, die in 1871 op tachtigjarige leeftijd was overleden. Zijn zerk was een ruwe plaat graniet. Het was een vredige, door eiken omzoomde plek met hier en daar wat jeneverbessen en bukshout.

'Zeg maar waar ik moet graven,' zei Hank.

'Laten we het graf in de rij van onze familie graven,' zei ik. 'En laat een plekje voor mama naast pap vrij.'

Ik tuurde langs de rij grafstenen en wees een plek in de bremstruiken aan. Hank pakte zijn timmermansmeetlint en zette een plek van twee meter bij vijfenzeventig centimeter uit.

'Heb je je ooit afgevraagd waarom ze mensen zes voet onder de grond begraven?' zei Hank.

'Omdat ze zo lang zijn?' zei ik.

'Eerder omdat het onder de bovengrond is, onder de wortels en zelfs onder de aardwormen,' zei Hank. 'Die harde klei lijkt schoon en veilig.'

We groeven de zachte aarde uit en maakten er een berg van. De grond was zo vaak bevroren en ontdooid, en ze had die winter zoveel regen opgezogen, dat de bovenlaag zo zacht was als deeg. De plaggen lieten zich gemakkelijk en veerkrachtig uitsteken. We schepten de aarde zo netjes opzij alsof elke spa vol een onderdeel was van een machine die we demonteerden. De aarde onder de bovenlaag was zwart en rul, maar dat was maar een centimeter of tien. Het kerkhof lag op een heuvel waar de grond niet geschikt was voor akkerbouw.

Onder de bovengrond zat een gelige laag met mica erin. De verse aarde die we opwierpen, glinsterde in de zon. De vochtige kluiten droogden snel in de bries. Al gravend kreeg ik het gevoel dat de spade met mijn handen vergroeide. Ik dacht: ik eet de aarde met een grote lepel. De aarde verplaatsen, daar was ik voor in de wieg gelegd.

Hank werkte de zijkanten van de kuil zo netjes bij alsof hij hout bewerkte. Hij had zijn waterpas en zijn meetlint bij zich, en hij schaafde aarde weg om de hoeken haaks te maken. De aarde leek zich voor zijn spade te openen. Als hij op een steen stuitte, pakte Hank de pikhouweel, maakte hem los en groef eromheen.

'Gelukkig hebben ze de rij zo gemaakt dat de graven op het oosten uitkijken,' zei Hank.

‘Waarom liggen graven naar het oosten?’ vroeg ik.

‘Omdat de doden dan met hun gezicht naar Jezus liggen wanneer Hij op de dag van de wederkomst nederdaalt uit de oostelijke hemel,’ zei Hank. Hij tilde een grote kei uit de kuil.

Kerken staan op het westen en graven liggen op het oosten, dacht ik. De gelovigen en de doden kijken altijd naar het oosten.

Onder de ondergrond begon de rode klei, zo hard samengepakt als ijs. We konden het alleen met het houweel en het pikhouweel los krijgen. De klei brak als zachte steen en de kluiten die we in de zon gooiden, leken roodgloeiend. We groeven steeds dieper. Dit zijn de muren waartussen Moody de komende eeuwen zal liggen, dacht ik.

Hank pakte zijn waterpas en legde hem op de bodem. ‘Ik moet hem waterpas maken,’ zei hij, ‘al zal niemand het verschil ooit weten.’

‘Wij wel,’ zei ik.

‘Dit blijft nog heel lang Moody’s huis,’ zei Hank, ‘dus we kunnen het net zo goed recht maken.’

Ik kwam vies en bezweet terug. Het was al drie uur.

‘Je hebt geen minuut te verspillen,’ zei mama, die haar zondagse jurk al aan had. Moody’s kist stond op twee stoelen in de woonkamer, tegenover de haard. Tante Florrie had een twijg arbutus gevonden en op de kist gelegd. Het was begin maart, dus er bloeide niets anders.

Ik pakte een stuk zeep en een doek en haastte me naar het koelhuis. Het idee dat ik ging preken, gaf me het gevoel dat mijn huid allerlei kleuren aannam. Ik kleedde me uit, hield de zeep in het water onder het koelvat en zeepte me in. En toen boende ik het zweet en het vuil met de doek weg. Het koude water prikte als loog en mijn huid begon te schrijnen en te tintelen.

Toen ik terugkwam, zag ik dat Hank en UG de kist al hadden opgehaald. De kamer leek leeg, met die twee stoelen tegenover elkaar in het midden.

Mijn schone overhemd en pak lagen op het bed voor me klaar. Het overhemd was gestreken en de broek geperst. Mijn mond was droog en mijn lippen plakten aan elkaar vast alsof ze gezwollen en vastgelijmd waren. God, ik zal zeggen wat ik kan, bad ik. Geef me de woorden die U me wilt laten zeggen, dat is voldoende.

Mijn handen waren zo stijf dat ik drie keer opnieuw mijn das moest strikken voor hij goed zat. Mijn vingers leken te groot om de zijden uiteinden door de lus te leiden. Er kwamen mensen bij ons langs voordat ze de berg op gingen. Ik hoorde ze in de woonkamer en op de achterveranda praten.

Ik kamde mijn haar voor de spiegel. Mijn bijbel lag op het bureau. Mijn tong plakte aan mijn gehemelte. Ik haalde de kam met bevende hand door mijn natte haar. Die hand was ruw van het zagen en timmeren en er zaten blaren op van het delven van het graf. Zat ik maar in het bos langs de rivier, dacht ik. Kon mijn tong maar net zo zeker als mijn handen zijn noodzakelijke taak verrichten.

God, geef me de woorden, bad ik, want de woorden behoren U toe, niet mij. Geef me de juiste woorden voor Moody, en ingevingen om mama en Fay te troosten en het verschrikkelijke verlies te verzachten. Ik keek in de spiegel en veegde het zweet van mijn voorhoofd.

De volgende keer dat ik in deze spiegel kijk, is de begrafenis voorbij en ligt Moody in zijn graf, dacht ik. Hoe mijn preek ook gaat, straks is het voorbij en ga ik verder met mijn leven. Het tintelde laag op mijn rug. Ik gaf een klopje op mijn das.

Met mijn bijbel in de hand stak ik de wei over en klom de berghelling op. Ik wilde niemand zien tot ik boven was. De eerste die ik bij de kerk trof, was Frances, de vrouw van UG, die op een stoel bij de ingang zat. Ik vroeg me af waarom ze daar zat, maar toen ik naar binnen keek, zag ik dat de onaffe kerk vol mensen zat. UG en Hank hadden de stoelen en banken tegenover de kist gezet. Er moesten wel dertig, veertig mensen in die koude, donkere ruimte zitten. Zelfs de pelstoel uit onze maïsschuur was de berg op gedragen. Alle stoelen waren bezet en er stonden mensen bij de open ramen en langs de muren. Ik had geen tijd om alle gezichten te bekijken, maar ik zag Blaine en Charlie, en mevrouw Richards en Annie. Wheeler Stepp hing achterin en Drayton Jones stond naast hem. Aan hun waterige ogen te zien hadden ze al een slok op. Ik zag Florrie, UG en Hank en George Jarvis en twee jongens van Jenkins. Mensen knikten naar me. Mama en Fay zaten voor de kist. Het was kil en tochtig en ze hadden hun jas aan. Dit is een bovenzaal, dacht ik. Het namiddaglicht stroomde door de kieren in de betimmering.

Ik stond een paar seconden in de deuropening te wachten tot iemand wat zei, tot ik begreep dat de mensen op *míj* wachtten. Het was nu aan mij om over de ondervloer naar voren te lopen en de leiding te nemen. Mijn knieën knikten. Alle ogen in de kerk waren op mij gericht en ze brandden op mijn gezicht. Ik slikte en liep naar de kist.

Het waren maar drie stappen, maar ze namen mijn verlegenheid weg. Tegen de tijd dat ik voor in de kerk was, besefte ik dat ik deel uitmaakte van een ritueel. Ik was daar niet gewoon als mezelf, maar als voorganger in het ritueel van de begrafenis. Wat ik ook zei, het ging om het begrafenisritueel. In zekere zin maakte het nauwelijks uit wat ik zei, want het ging nu om Moody's leven en dood. Iedereen, of bijna iedereen, kon de dienst leiden, het werktuig zijn. Het waren de kracht van de gelegenheid, en de eeuwenoude woorden en eeuwige waarheden die nu belangrijk waren.

Toen ik me naar de verzamelde mensen omdraaide, werd de lucht koeler. Ze hielden hun ogen niet op mij gericht, maar op de dienst zelf. We waren hier allemaal gekomen om Moody te gedenken.

'Laat ons bidden,' zei ik met opgestoken hand. Iedereen boog het hoofd, zelfs Wheeler en Drayton. Ik deed mijn ogen dicht. 'Heer, we zijn hier om onze broeder Moody te gedenken en uw zegening, genade en liefde te vragen om zijn heengaan te vergemakkelijken. We zijn hier om uiting te geven aan onze liefde voor Moody en voor elkaar. We zijn hier niet om te oordelen of te beschuldigen. We zijn hier niet om verwijten te maken. Want het is het goede dat in de herinnering voortleeft. Het kwaad dat mensen doen, verdwijnt als de vorst van vorig jaar. Het goede dat ze doen, wordt voortgezet en onthouden.

Aangezien we hier met velen bijeen zijn gekomen om broeder Moody te gedenken, zal dat ons verdriet en ons verlies verzachten. Heb genade met mama's verdriet en Fay's verdriet, want we hebben een zoon en broer verloren. Iedereen hier heeft een neef, buur of vriend verloren. Geef ons de kracht om dit verdriet te dragen. Geef ons de wijsheid uw wil te kennen en op de uitwerking van uw plan te vertrouwen in de beproevingen en verwarringen van ons bestaan.'

Na het gebed vroeg ik mevrouw Richards en Annie voor ons te zingen. Ik dacht dat ze zonder begeleiding zouden moeten zingen, maar Hank haalde een mondharmonica uit zijn zak. Ik was vergeten dat hij mondharmonica speelde. Ik had gehoord dat hij in zijn jeugd aan de snaren van de banjo had geplukt, maar sinds zijn trouwen speelde hij alleen nog mondharmonica.

Hank vouwde zijn handen om de mondharmonica alsof hij een vlam tegen de wind beschermde en blies een lage, lieflijke toon en toen een reeks tonen, in- en uitblazend. En ik hoorde dat hij 'Door de nacht' speelde. Het was een droevig, mystiek gezang. Ik luisterde met gebogen hoofd naar mevrouw Richards en Annie.

Door den nacht van smart en zorgen
schrijdt de stoet der pelgrims voort
zingend lied'ren van den morgen
nu het nieuwe licht weer gloort.

Stralend wenken ons door 't duister
glansen van 't beloofde land
Angsten wijken voor dien luister
en Gij grijpt de broederhand.

Mevrouw Richards was een alt en Annie een sopraan. Hun stemmen waren als twee beken, een zilveren en een gouden, die zich met elkaar vervlochten en weer van elkaar wegstroomden. Hun stemmen klonken zo zuiver en zo onopgesmukt, en de mondharmonica zo lieflijk, dat het leek alsof de muziek van de tijd zelf werd opgewekt. Het was de muziek van de frisse lucht, de muziek die al in de lucht hing, die uit hun kelen kwam.

Ik stond naast de kist en begreep dat het niet alleen door talent en vaardigheid kwam dat de muziek zo volmaakt was, maar ook door het gevoel en de intentie; de reden voor de samenkomst, de familie en vrienden in de onvoltooide kerk op de bergtop. De muziek kwam ook voort uit de loyaliteit, de banden van vriendschap en genegenheid.

Toen het lied uit was, moest ik weer iets zeggen. Ik bedacht dat ik langzaam en rustig moest spreken. Er was geen reden tot haast en geen reden te proberen welsprekender te zijn dan mijn ervaring en vermogens toelieten. Wat ik ook zei, als het uit mijn hart kwam, was het goed. De beste welsprekendheid was de echtheid van het gevoel. Een preek is alleen een beproeving van de bij de gelegenheid passende waarachtigheid, geen wedstrijd. Dat was wat Hank me duidelijk had willen maken, maar destijds had ik het nog niet begrepen. Het briesje dat door de open deur en de onafgemaakte muren kwam, verkoelde mijn gezicht.

'Vrienden en dierbaren, mama, zusje, neven en nichten, ik ben hier niet om een lange of bloemrijke preek te houden. Dat zou mijn vermogens en alles wat Moody zou hebben gewild te boven gaan. We zijn niet eens in een voltooide kerk, en er is hier niemand dan degenen die van Moody hielden en treuren omdat hij van ons is heengegaan.

Ik zal een paar bijbelverzen lezen en een paar woorden zeggen over wat er in onze geest en in onze harten leeft. Ik zal de simpele waarheid zeggen zoals ik me geroepen voel die te zien en te zeggen.

Ieder van u die mijn broer Moody kende, wist dat hij niet volmaakt was. Hij had zijn fouten, zoals we allemaal onze fouten hebben, en hij had zijn zwakheden. Hij was een zondaar, zoals wij stuk voor stuk zondaren zijn. Als de kerk er alleen voor de heiligen en de vromen was, zou er niemand overblijven. En als de hemel er alleen voor de smettelozen en de rechtschapenen was, zou hij leeg zijn, of bijna leeg.

Het goede nieuws, het evangelie, is dat er genade voor ons allen is, vergiffenis voor ons allen en liefde voor ons allen. Niet alleen voor de vromen en volmaakten, maar ook voor de leugenaars, de bedriegers en de twijfelaars, de gewelddadigen en hen die door woede, angst en haat worden verscheurd.

Ik geloof dat we veel van Moody's leven en zijn dood kunnen leren. Terwijl ik hier sta, besef ik hoeveel ik van hem heb geleerd en hoeveel meer ik had moeten leren. Want wat Moody me door zijn leven heeft geleerd, was nog sterker dan trouw. Hij heeft me geleerd dat we van onze fouten kunnen leren, dat we kunnen groeien en naar het goede van ons karakter kunnen handelen, dat we kunnen veranderen en leren te vergeven, dat we onze fouten kunnen overwinnen.

Maar leren te vergeven zou weleens nog moeilijker kunnen zijn dan van onze fouten leren. "Vergeven en vergeten" is makkelijk gezegd, maar hoe vaak doen we dat ook echt, laat staan wanneer we het gevoel hebben dat we in ons recht staan en toch misdeeld zijn? Vergeeft u de familieleden die uw land hebben afgepakt, of u van een erfenis hebben beroofd, of uw moeder hardvochtig hebben behandeld? Vergeeft u degenen die u hebben beledigd en bespot?

Denk aan het heerlijke ochtendlicht op de dag dat we weten dat we niet zullen haten, niet boos zullen worden en niemand zullen beschuldigen of vrezen. Die belofte is niet alleen maar een droom. Ze kan hier en nu verwezenlijkt worden, en ze schuilt in onszelf. Dat is het getuigenis van Moody's leven, en het is mijn getuigenis aan u. Het is wat ik weet en wat ik voel. Leer uw naaste en uw broeder te vergeven en, niet op de laatste plaats, uzelf. Wees barmhartig voor uzelf en respecteer uzelf, want er is niemand belangrijker dan uzelf.'

Ik sloeg de bijbel open bij Johannes 14:2.

'"In het huis mijns Vaders zijn vele woningen – anders zou Ik het u gezegd hebben – want Ik ga heen om u plaats te bereiden..."'

Terwijl ik het vers las, drong het tot me door dat niet alleen de woorden zelf belangrijk waren, maar ook wat ze voor de mensen betekenden doordat ze al zo vaak en bij zoveel verschillende begrafenissen waren uitgesproken. De oude, vertrouwde woorden boden troost en boezemden ontzag in doordat ze zo vaak waren herhaald. Terwijl ik vanuit het hart sprak, spraken de woorden van de Schrift vanuit de tijd en over de tijd heen. En terwijl ik de woorden uitsprak, werden we tegelijk getroost door de duizenden predikanten die ze voor mij hadden uitgesproken en de miljoenen mensen die ze door de eeuwen heen hadden gehoord. Want de woorden droegen niet alleen de geest in zich van ons die zich hier in de onvoltooide kerk hadden verzameld, maar van al diegenen die door de jaren heen bijeen waren gekomen om hun doden te eren. De woorden eerden Moody niet alleen als lid van onze gemeenschap, maar ook als lid van de grotere gemeenschap door de eeuwen heen.

Ik bladerde terug naar Johannes 11:24.

'"Martha zeide tot Hem: Ik weet, dat hij zal opstaan bij de opstanding ten jongsten dage. Jezus zeide tot haar: Ik ben de opstanding en het leven; wie in Mij gelooft, zal leven, ook al is hij gestorven, en een ieder, die leeft en in Mij gelooft, zal in eeuwigheid niet sterven..."'

Ik zweeg even. Het was zo stil in de primitieve kerk dat je de bries in de populieren buiten kon horen. Ik voelde dat mijn stilte de mensen nog aandachtiger maakte. Ik rook het verse hout van de planken en de verse gebrande kalk in de specie.

'Mijn broer Moody ligt hier stil en zwijgend in de dood,' zei ik. 'We rouwen om hem en we zijn droevig. We hebben hem in dit leven zo ver vergezeld als we konden. Nu is hij aan een reis begonnen die hij alleen moet maken, een reis waarin we hem op een dag zeker zullen volgen. Voor onze ogen en oren is het alsof hij naar een ver land is gegaan. De plek waar hij nu is, kunnen we niet kennen. Hij is achter de muur van de tijd. Hij is voorbij de lucht.

Maar in ons verdriet leven we meer dan ooit tevoren. In het aangezicht van de dood zijn we levendiger, want niets maakt het leven lieflijker dan het besef van de vergankelijkheid. Niets geeft de dagen meer smaak dan de wetenschap dat ze verstrijken.

Vrienden en dierbaren, het is een feit dat de doden ons nooit verlaten. In ons hart en onze geest blijven ze altijd bij ons. En op de meest onverwachte plaatsen en momenten, net als we een deur opendoen, of 's avonds naar de regen luisteren, komen ze bij ons. De dierbare doden zijn bij ons op onze momenten van grootste vreugde en ze zijn bij ons in onze dagen van diepst verdriet. Ze verlaten ons niet naarmate ons leven verder voortschrijdt. Ze laten ons niet in de steek, ook al zijn we vergeetachtig en dwaas. De dierbare doden geven onze verwarde levens waardigheid en gewicht.'

Terwijl ik in die onaffe kerk degenen toesprak die zich rond Moody's kist hadden verzameld, was het alsof er een dam in me was gebroken. Alle woorden die ik in mijn geest had opgeslagen tijdens mijn tochten door het bos en het werken op het land, stroomden er nu uit. Al mijn gelees in de bijbel en mijn studie van de kerk, al mijn gepieker over wat ik met mezelf aan moest, en mijn ideeën over verlies en mislukking, over bouwen, vloeiden de een na de ander van mijn tong. Alle angst en verwarring die ik had gevoeld, tekenden zich af in de woorden die ik sprak.

Ik had me mijn leven lang voorbereid op dit moment, op het toespreken van deze gemeente bij deze gelegenheid. Zonder het zelf te weten had ik woorden vergaard om nu te zeggen. Er kwamen gedachten in me op die ik al jaren vergeten was. Ik besefte dat mijn angst om te praten, en mijn angst om te preken, de blokkade waren, de dam die de woordenstroom naar een hoger niveau had getild en tot een bron gemaakt om uit te putten. Uit mijn angst om te spreken bleek hoe belangrijk ik het vond wát ik zei en hóé ik het zei. En door die blokkade was veel kracht opgebouwd.

Al pratend zag ik in dat ik een altaar van woorden in de lucht bouwde. Ik bouwde zin voor zin een kerk van woorden. Het was een tijdrovend, nederig karwei, net als het graven van een graf of een fundering. De Heer gaf me de woorden terwijl ik praatte. Hank knikte terwijl ik sprak, en de tranen liepen over mama's wangen. Annie keek naar me en sloeg haar ogen neer.

Ik sloeg de bijbel open bij Jesaja 25:7.

'"En Hij zal op deze berg de sluier vernietigen, die alle natiën omsluiert, en de bedekking, waarmede alle volkeren bedekt zijn...

Hij zal voor eeuwig de dood vernietigen, en de Here zal de tranen van alle aangezichten afwissen...

Want de hand des Heren zal op deze berg rusten..."'

'Vrienden, de hand des Heren is in deze bergvallei en op dit uur. De hand des Heren is er op dit moment, op deze dag, om onze tranen af te wissen. Het is menselijk om verdriet te hebben en menselijk om te rouwen. De hand des Heren is hier om ons te verlichten en ons te helpen onze last te torsen. De hand des Heren wijst eeuwig naar het beloofde land van morgen en de dag daarna.

Want als we werkelijk zien, hebben we uitzicht op het onbereikbare. Het uitzicht van elk moment is tweeledig, op deze wereld en de volgende, het natuurlijke uitzicht en het spirituele uitzicht.'

Al pratend voelde ik dat mama's hartstocht voor de revivals, voor het mystieke praten in tongen en de heilige dans, voor de witheet gloeiende muziek van de woorden, zich in mij tot degelijke zinnen vormde. En ik had ook papa's geloof in gestaag, degelijk werk en werken om anderen te helpen in me. Pap hielp graag met daden, niet met woorden. Ik zou net zo'n gestage stroom van getuigenis in me kunnen hebben, die zich niet uitte in spectaculaire preken, maar in sobere woorden recht uit het hart. Ik voelde dat mama en papa's werk en gekibbel zich in mij hadden vermengd en er nu uitkwamen als een getuigenis, eindelijk, van vergiffenis en bestendigheid.

Wat zich jaren in me had opgebouwd, had opgesloten gezeten. Moody's dood, de ontzetting om Moody's dood, was de sleutel geweest die het slot had geopend. En Hanks bemoedigende woorden hadden voor mij de weg gebaand om nog eens na te denken over de zin en mogelijkheid van preken. Hank had gezien dat ik niet zomaar een stotterende dwaas was die dwaze dromen van welsprekendheid koesterde. Hank had me niet alleen met de kerk geholpen omdat hij een nieuwe kerk wilde, maar ook omdat hij in me geloofde en zag dat ik een belofte in me droeg. Dat zag ik nu heel duidelijk, nu hij, zijn gezin en de anderen tegenover me zaten.

'Laat me jullie voorlezen wat Paulus in I Corinthiërs 15:54 zegt,' zei ik.

'"En zodra dit vergankelijke onvergankelijkheid aangedaan heeft, en dit sterfelijke onsterfelijkheid aangedaan heeft, zal het woord werkelijkheid worden, dat geschreven is: De dood is verzwolgen in de overwinning.

Dood, waar is uw overwinning? Dood, waar is uw prikkel?"'

'Deze middag, nu wij bijeen zijn gekomen om onze broeder Moody te gedenken en om hem te rouwen, nu de schaduw van het verdriet zelfs in het felste zonlicht hangt en het murmelen van de rivier en de bries in de eiken en de populieren lijkt te rouwen, wil ik ons op onze zegeningen wijzen,' zei ik. 'Dat we Moody tweeëntwintig jaar bij ons mochten hebben, was een zegening, en de lucht in onze longen is een zegening. We zijn gezegend met elkaar, en met de bomen, de aarde en het zonlicht die ons koesteren. We hebben de zegen van liefde en kameraadschap in ons midden. We hebben de zegen van het geven en het helpen. We hebben de zegen van het komende uur en de komende dag. We hebben de zegen van de kerk en de zegen van de Geest die zich in ons hart roert. We zijn gezegend met onze handen en het werk onzer handen dat ons in leven houdt. We zijn gezegend met schoonheid rondom, in de heuvels en in de bloemen en in de gezichten van onze naasten. We zijn gezegend met verdriet dat ons zegt dat we leven.

Ik wil besluiten met een paar verzen uit Openbaring 21.

"En ik hoorde een luide stem van de troon zeggen: Zie, de tent van God is bij de mensen en Hij zal bij hen wonen, en zij zullen zijn volken zijn en God zelf zal bij hen zijn, en Hij zal alle tranen van hun ogen afwissen, en de dood zal niet meer zijn, noch rouw, noch geklaag, noch moeite zal er meer zijn, want de eerste dingen zijn voorbijgegaan...

En Hij sprak tot mij: Zij zijn geschied. Ik ben de alfa en de omega, het begin en het einde. Ik zal de dorstige geven uit de bron van het water des levens, om niet."'

Ik zweeg en keek om me heen. De kille, tochtige kerk was verwarmd door alle mensen die erin zaten. Ik had de indruk dat iedereen zich beter voelde. Iedereen voelde zich gesterkt. Daar is een dienst ook voor, dacht ik: om de mensen te begeesteren en hun kracht te schenken. Er was geen andere reden om te preken. Een begrafenis is niet voor de doden, maar voor de levenden. Moody had mijn preek misschien niet gehoord, maar degenen die achter waren gebleven wel. Een preek diende om ons samen te brengen in een gevoel van gemeenschappelijkheid en verbondenheid. Een preek diende om mensen duidelijk te maken dat ze elkaar steunden en belangrijk voor elkaar waren. Een preek diende om mensen te laten zien hoe ze kracht konden krijgen, hoe ze betere mensen konden worden.

'Laat ons bidden,' zei ik. Iedereen boog het hoofd, zelfs Wheeler en Drayton.

'Heer, leid onze voeten en onze gedachten nu we afscheid van Moody nemen en hem naar zijn rustplaats op de heuvel dragen. Leg de bezieling in onze harten om beter te leven en laat ons van Moody, die ons is voorgegaan, leren hoe we betere pelgrims op onze eigen reis kunnen zijn. Want wij zijn pelgrims die onze weg zoeken, die elkaar moeten steunen en troosten. Help ons niet alleen de ellende en beproevingen van deze wereld te ontdekken, maar ook de glorie, de verzekering en de genade van de ware weg. Amen.'

Tegen de tijd dat we de kist in de krakende wagen met Oude Fan ervoor de berg af droegen en naar de begrafenisheuvel brachten, gevolgd door alle anderen, was het bijna zonsondergang. Achter de eiken in het westen was de lucht zo rood als een roos, zo rood als een gebrandschilderd raam. De hemel boven ons was goud en paars. Bomen, hellingen en bergtoppen gloeiden in het vurige, geheimzinnige licht. Terwijl we 'Voorwaarts dan, naar Zion' zongen, voelde ik dat Moody bij ons was en dat zijn geest eindelijk rust had gevonden. En ik voelde dat pap ook bij ons was, en opa, en Jewel, en alle anderen die op die kleine open plek begraven lagen, tot en met de eerste kolonisten. Ze waren allemaal bij ons toen we dat treurige, mooie lied zongen.

Epiloog

Ginny

Ik dacht dat Muir de bouw zou voltooien na Moody's dood en nadat hij de uitvaartdienst voor Moody in de nieuwe kerk had gehouden. Ik hielp hem tenslotte materiaal en gereedschap aan te schaffen en Hank hielp hem bij het werk. Nog geen week na de begrafenis moest Hank een betaalde opdracht in Saluda aannemen, want hij was blut na een lange winter aan de kerk werken. Ik vond dat hij zijn deel had gedaan. Hij had Moody geleerd hoe hij het skelet moest bouwen en het dak erop zetten. Ik was hem zo dankbaar dat ik zijn voeten had kunnen kussen.

De week na de begrafenis spijkerden Hank en Muir de dakspanen vast. Het waren tinnen spanen die ik had betaald, en Hank zei dat ze zwart geschilderd moesten worden, omdat ze dan beter bij de voornamelijk grijze en witte stenen pasten. Door dat dak en de zwarte verf begon het echt op een stadskerk te lijken, en het dak was zo schuin dat het een kerk van een plaatje leek.

Nadat Hank naar Saluda was gegaan, maakte Muir de betimmering af. Hij maakte een plafond van eiken planken die de kerk insloten, zware planken van onze eigen bomen. Het deed me aan de bouw van een boot denken, hoe hij de planken zo stevig aan de balken van het schuine dak vastspijkerde. Het was een omgekeerde boot die langs de hemel kon varen. Het was een ark die ons geloof en onze aanbidding naar de kust van toekomstige jaren zou dragen. Moody maakte een weefsel van hout.

Zodra hij met het plafond klaar was, begon Muir met de buitenmuren. Het waren de buitenmuren die hij van meet af aan voor zich had gezien. Het idee van een stenen kerk was zijn eerste inspiratie geweest. Ik wist dat hij ervan droomde stenen in de lucht te stapelen waar ze honderden jaren zouden blijven staan. Hij wilde stenen hoog op de berg hangen om God te eren en de mensen ertoe aan te zetten aan hogere dingen te denken. Ik was aangestoken door zijn enthousiasme en zijn visioen van een tabernakel op de bergtop.

Toen Muir met de buitenmuren begon, klom ik de berg op om te kijken. Hij maakte specie aan in de kuip die Hank had gerepareerd. Hij harkte met de schoffel door het natte beslag, zand en cementpoeder vermengend tot er geen klonten meer in zaten en de specie precies de juiste dikte en stevigheid had. Hij haalde de schoffel door het mengsel tot het zichzelf achter de schoffel gladstreek. Het was donkergroen geworden.

'Zal ik helpen?' zei ik.

'Er moet iets meer water bij,' zei Muir. Ik pakte de emmer en besprenkelde het cement net genoeg om het te laten schitteren.

Toen Muir in de stapels begon te zoeken naar de stenen die hij op de fundering wilde legen, vond hij het moeilijk om de juiste dikte te bepalen. Een muur van stenen uit een bedding is ruw, en elke steen heeft zijn eigen vorm. Sommige steken verder uit, maar je wilt dat de muur als geheel glad en recht lijkt. Dat is een deel van de schoonheid van een stenen muur, dat hij ruw en glad tegelijk is. Goed metselwerk ziet er recht en exact uit, ook al heeft elke steen een andere vorm.

Muir had een brok witte kwarts gepakt en op de fundering gelegd. Hij smeerde verse specie met de troffel uit en drukte de steen erin, maar er bleek een punt te ver uit te steken. Hij pakte zijn lichte metselaarshamer en tikte de punt eraf, maar toen moest hij de steen nog een stukje in de laag cement draaien om hem goed te laten passen. Er kleefde nat cement aan het witte kwarts en hij veegde het eraf.

'Ik wil geen cement op de stenen hebben,' zei Muir.

Toen hij het witte kwarts op zijn plaats had gelegd, pakte Muir een grijze vuursteen die fonkelde als schuurpapier. Hij draaide hem net zo lang tot hij een manier had gevonden om hem op het witte kwarts te laten aansluiten.

'Elke kei heeft zijn eigen kleur en vorm,' zei Muir. 'En het lijkt wel of ze allemaal hun eigen temperatuur en smaak hebben.'

Het viel me in dat de appels van een boom ook allemaal net iets anders smaken, en net niet allemaal even rijp en stevig zijn. Ik voelde aan een steen en begreep wat Muir bedoelde. Ik schoof het bord naar hem toe zodat hij bij de specie kon.

Toen Muir vier of vijf stenen had gemetseld, pakte hij zijn waterpas en legde hem langs het nieuwe werk om te zien of het recht was. Een stuk ijzersteen stak iets te ver uit. Hij pakte de hamer om het bij te werken, maar zag toen dat hij de hele steen zou moeten breken om hem passend te maken.

'Aah!' zei Muir. Hij rukte de steen los en smeet hem op de grond.

'Niet zo hoogmoedig,' zei ik. Al sinds zijn kindertijd werd Moody kwaad als het bouwen niet lukte, en dan smeet hij zijn gereedschap in de struiken. En als hij tot bedaren was gekomen, moest hij het weer zoeken.

'Stenen willen niet passen,' snoof hij. Hij keek zoekend om zich heen en vond een brok graniet dat door de rivier in de vorm van een grote knoop was afgesleten. De steen was zo rond als een wiel. Muir paste hem tussen de andere stenen, maar hij was te smal om aan te sluiten. Hij moest de ronde steen neerzetten en er twee andere achter metselen. Toen paste de ronde steen als een groot zwart medaillon in de muur.

Ik hielp stenen aanslepen naar de plek waar Moody werkte tot mijn handen ruw werden. Mijn vingertoppen begonnen te pluizen als wol. Ik had geen handschoenen aan. Mijn rug werd moe van het tillen en veel stenen die ik aansleepte, wilde Muir niet gebruiken.

'Roer nog maar eens in de specie,' zei Muir.

Ik sprenkelde nog wat water op de specie, die uitdroogde in de zon, en roerde er met de schoffel in. Ik lengde het drogende mengsel met water aan tot het weer nat en smeuïg was. Ik roerde in de specie alsof het stamppot of gestolde jus was. De geur van kalk die eruit opsteeg was zo sterk dat hij in mijn neus brandde. Bellen borrelden in de specie op en knapten.

Muir moest bijna elke steen die hij op de muur legde bijwerken, voor een andere verruilen of draaien. Het werk vlotte veel minder snel dan hij had verwacht. Ik zag dat hij prikkelbaar begon te worden. Het was moeizaam, zwaar werk, tillen en tikken en nog eens tillen.

Voordat de ochtend half om was, had ik al pijn in mijn rug. Ik had niet meer zo gezwoegd sinds ik met mijn man Tom samenwerkte, maar ik werkte met plezier aan de kerk.

We verplaatsen de beenderen van de aarde, dacht ik. We veranderen de vorm van de berg.

Op sommige dagen hielp ik Muir metselen en op andere niet. Het duurde langer dan hij had verwacht. Het was moeilijker om de muur loodrecht te houden dan hij had gedacht. Keer op keer moest hij een stuk van een steen tikken om hem aan de dikte van de muur aan te passen. Hij reikte steeds vaker naar zijn hamer en beitel.

Ik geloof dat Muir zich in de weken na Moody's begrafenis helemaal op het bouwen stortte. Hij werkte om zijn verdriet te vergeten en vrede met zichzelf te sluiten. Hij metselde een muur bijna tot aan de dakrand op, en het metselwerk zag er degelijk uit. En als hij toen door had kunnen werken, zou hij de kerk af hebben gekregen, denk ik.

Maar in april moest er geploegd worden. Het was al laat om de grond te keren. Het was bijna tijd om maïs en erwten te zaaien, en de akkers hadden al gekeerd en geëgd moeten zijn. Het was tijd om het land te bewerken en er was niemand anders om het te doen.

'Zodra we hebben gezaaid, help ik je met de kerk,' zei ik.

Muir leek blij te zijn dat hij het metselen een tijdje kon staken. Ik denk dat het hem meer uitputte dan hij liet merken. En hij wist dat er moest worden geploegd als we eten wilden hebben. De volgende ochtend spande Muir Oude Fan in en begon de laagliggende akkers te ploegen. Het was zo laat in het jaar dat er al onkruid tussen de stoppels opschoot. Waar hij de aarde keerde, lagen de voren als lange kabels over de velden. De verse aarde glom en de vogels verzamelden zich om de wormen eruit te pikken. Het kostte hem drie dagen om alle akkers te ploegen, en toen nog eens anderhalve dag om ze te eggen. Waar hij zijn cirkels met de eg had beschreven, zag de grond eruit alsof er een grote duimafdruk op was gezet.

We zaaiden maïs en we pootten aardappels. En we plantten erwten in de tuin, want het was al bijna te laat om erwten te planten. Muir ploegde de grond in de boomgaard waar we de zoete maïs en bonen plantten en zoete aardappels pootten. Hij had best een paar dagen of tenminste een paar middagen aan de kerk kunnen werken, als hij had gewild, maar toen vroeg de kerk van Blue Ridge hem of hij op een revival wilde preken. Ik denk dat het als een lopend vuurtje was rondgegaan dat hij zo'n aangrijpende preek had gehouden voor Moody's uitvaart. De mensen van Blue Ridge konden zich geen dominee veroorloven, of het moest al iemand uit de buurt zijn, en George Jarvis had hun verteld dat Muir die dag op de top van de berg zo'n prachtige preek had gehouden.

Je had moeten zien hoe Muir opleefde, die dag dat hij de uitnodiging kreeg om in het kerkje te komen preken. Hij leek wel een ander mens. Zijn korzeligheid was weg en hij werkte langzaam en nauwgezet, maar zijn gezicht straalde. Hij was als nieuw. Ik begreep hoe moeilijk het voor hem geweest moest zijn dat hij niet kon preken. Ik begreep dat de roeping om te preken in zijn botten en zijn adem zat, in zijn bloed, zoals ik had gebeden.

Muir ging niet terug naar de bergtop om te werken, maar begon de bijbel te bestuderen voor de preken die hij ging houden. Als hij met zijn bijbel het bos in ging, wist ik dat hij zijn preken oefende. Wanneer ik naar de melkwei ging, hoorde ik hem daarboven tegen de bomen praten. Muir benutte elk vrij moment om in zijn bijbel te lezen en aantekeningen te maken. Hij schreef dingen op en gooide zijn notities in het vuur. Ik geloof dat hij aan niets anders meer kon denken dan aan de revival die hij ging leiden.

Als die bijeenkomst in Blue Ridge een mislukking was geworden, had dat het eind van Muirs loopbaan als dominee kunnen zijn, maar het ging beter dan je had mogen verwachten, in aanmerking genomen dat hij nog maar twee keer eerder had gepreekt. Ik reed de eerste avond met hem mee in de auto, en ik stond ervan te kijken hoe goed hij praatte. Zijn stem was nog jong en ongeoefend, maar het was duidelijk dat hij iets had. Hij had een vonk in zijn stem die oversloeg op de gemeente. En hij legde ritme in zijn zinnen, en dat is het zekerste teken van een echte predikant.

Ik was zo trots op hem toen hij daar uit de Schrift stond te lezen en eenvoudig zei wat hij op zijn hart had, dat mijn gezicht ervan begon te gloeien. Ik was trots op zijn oprechtheid en zijn gave van het Woord. Hij was een geroepene, geen twijfel mogelijk. Hoeveel fouten hij ook maakte, je zag dat hij een roeping had. Het was mijn langst gekoesterde droom dat een van mijn zoons de wereld in zou gaan om het evangelie te verkondigen. Het was mijn langst gekoesterde droom dat ik, door mijn eigen vlees en bloed, gehoor zou geven aan de Grote Opdracht.

Die week werden er in dat kerkje aan de bovenloop van de rivier vier mensen gered en drie opnieuw bekeerd. Er pasten niet meer dan dertig mensen in de kerk. Muir preekte in hemdsmouwen, en hij preekte anderhalf uur. Tegen het eind van de dienst droop het zweet langs zijn slapen. Hij begon kalm en eenvoudig en vond zijn eigen preekritme.

Toen de revival in Blue Ridge voorbij was en de bekeerlingen in de rivier waren gedoopt, was het al mei. En Muir zou op een zondag in Mount Olivet gaan preken en de week daarna in Crossroads. Hij hield het werk op het land bij, en elke avond dat hij thuis was, las hij de bijbel. Het was wat hij wilde. Ik weet niet eens of hij nog wel aan de bouw op de bergtop dácht.

Het half voltooide bouwwerk werd 's zomers grotendeels door de bomen aan het oog onttrokken. De toren was nooit gebouwd en het dak was ongeveer zo hoog als de eiken en populieren op de bergtop. Maar 's winters, als de bomen kaal waren, zag je het skelet en het dak tegen de hemel afsteken alsof iemand ze met zwart potlood had getekend. Het leek iets uit een sprookjesboek, of een droom.

Misschien ontstonden daardoor de praatjes dat het in de half afgebouwde kerk zou spoken. Op maanverlichte nachten zag je het dak en de gevelspitsen tegen de lucht. Nachtelijke jagers op wasberen vertelden dat ze er geluiden hadden gehoord. Sommigen zeiden dat ze een dominee over hel en verdoemenis hadden horen tekeergaan, anderen zeiden dat ze gezang hadden gehoord alsof een koor van lang geleden vanuit het graf meerstemmig zong. De mensen verzinnen maar raak over plekken met oude gebouwen en ruïnes.

Toch moet ik toegeven dat de kerk er spookachtig uitzag. Ik kwam er zelf een keer 's avonds laat toen ik kruiden aan het zoeken was. Ik hoopte geelwortel te vinden, want ik herinnerde me dat het daar groeide. Het was al laat en ik ging zo op in mijn gezoek tussen de struiken en de begroeiing dat ik niet merkte dat de zon al onder was. Ik stond tussen een berg stenen en een stapel rottend hout, met mijn blik op het onkruid gericht, toen ik een lach hoorde. Het gegrinnik leek uit de verweerde kerk te komen.

'Wie is daar?' riep ik.

Het enige antwoord was weer een lach. Ik bleef als verlamd staan, want het was alsof ik Moody hoorde. Zo lachte hij altijd als je hem vroeg iets voor je te doen. Hij lachte op die manier om te laten blijken dat hij een boef was.

'Moody!' riep ik voor ik me kon bedwingen. Ik kreeg geen antwoord, afgezien van een omhoog zwevend briesje dat tussen de dakspanten zuchtte. Een vogel vloog op uit het half voltooide dak en ik voelde me belachelijk. Ik huiverde en begon de berg af te lopen.

Niet lang daarna beweerde Florence Shipman dat ze Moody's geest om de onaffe kerk had zien dolen. Ze was bramen aan het plukken op de inmiddels overwoekerde open plek en het werd al laat. Ze zei dat ze Moody uit de kerk had zien komen en van de berg af had zien lopen. Hij had een grote bloedvlek op zijn borst. Ik geloofde geen woord van wat ze zei, maar zo komen de praatjes op gang. Daarna zeiden allerlei mensen dat ze Moody's geest bij het vervallen gebouw hadden gezien. Ze kletsten maar wat, en ik zag er geen kwaad in.

Toch gebeurde er iets ergs daar bij de oude kerk toen de open plek weer begroeid was, dat kan ik niet ontkennen. Een jong stelletje was er op een zaterdagavond laat naartoe gegaan. Ik zeg niet waarom, want ik wil geen oordeel vellen. Het was een jong, verliefd stel en het was aan het begin van de lente, op een van de eerste zoele avonden.

Ik denk dat ze daar in de bladeren tussen twee bergen stenen lagen, en ik weet niet of het door hun geluiden kwam of door de hitte van hun lichamen, maar in een van de steenhopen had een nest ratelslangen overwinterd, en ze begonnen wakker te worden. Misschien werden ze wakker van het warme weer, of door de bewegingen van het jonge stel. Ik zal niet zeggen wie het waren.

De ratelslangen ontwaakten hongerig uit hun lange winterslaap en ze waren chagrijnig omdat ze in hun slaap waren gestoord. Het moeten er wel honderd geweest zijn die in elkaar gekronkeld wakker werden.

De jongen hoorde het meisje in het donker roepen. Hij dacht dat het een liefdeskreet was, maar toen riep ze: 'Niet krabben. Er klauwt iets naar me!' Hij zag geen hand voor ogen in het donker, en dus dacht hij dat ze in vervoering was.

'Ik krab je niet,' zei hij. Ze schreeuwde weer, schopte, krabde en duwde hem van zich af. Hij voelde een steek in het donker en sprong weg.

Tegen de tijd dat hij zijn lucifers uit zijn broekzak had opgediept en er een had aangestoken, was het meisje al bedekt met ratelslangen. Ze gonsden met hun afschuwelijk zingende staarten en belaagden haar in het donker. Ze beten haar in haar ogen en haar gezicht en zetten de afdrukken van hun giftanden over haar hele lichaam. De jongen probeerde de slangen weg te schoppen, maar werd alleen zelf opnieuw gebeten.

De schrik en het gif moeten het meisje te veel geworden zijn, want toen de jongen zich eenmaal had aangekleed en nog een lucifer aanstak, lag ze roerloos met haar ogen open. Een slang kroop over haar open ogen en stak zijn kop in haar mond. De slangen krioelden over haar heen. De jongen strompelde de berg af naar het huis van de familie Richards en vertelde Hank wat er was gebeurd.

Hank pakte een lantaarn en zijn geweer en klom de berg op. Er lagen nog drie slangen op het lichaam van het meisje, voor de warmte, denk ik, en Hank harkte ze van haar af en maakte ze dood. Maar alle andere slangen, die tientallen ratelslangen, waren het bos in geglipt, en die heeft hij niet meer gevonden.

Daarna werden er plannen gemaakt om de kerk op de bergtop te omheinen alsof de melk er spontaan zuur werd of de duivel er rondwaarde, maar het kwam er nooit van. Ik kan je wel zeggen dat de mensen de top van de berg meden, zeker na zonsondergang, vanwege de spoken, de slangen of allebei. Jonge jongens daagden elkaar met Halloween uit naar boven te gaan, en ze kwamen buiten adem en bleek terug. Ik denk dat de mensen willen geloven dat er plekken op aarde zijn waar een vloek op rust. Het herinnert hen eraan dat er dingen zijn die ze op klaarlichte dag met hun ogen wijdopen niet kunnen zien en het geeft hun het gevoel dat er op andere plekken een zegen zou kunnen rusten.